Ernst, Ulr.; Heim, A.; Jae

Zuerich und Umgebung

Heimatskunde

Ernst, Ulr.; Heim, A.; Jaeggi, J.; ed.

Zuerich und Umgebung

Heimatskunde

Inktank publishing, 2018

www.inktank-publishing.com

ISBN/EAN: 9783750119321

Zürich und Umgebung

Heimatskunde

herausgegeben

vom

Lehrer-Verein Zürich

unter Mitwirkung

von

Dr. **Ulr. Ernst**, Prof. **A. Heim**, Conservator **J. Jäggi**, Docent am schweiz. Polytechnikum, Dr. **C. Keller**, Docent an der zürch. Universität, Prof. **S. Vögelin** und Rector **St. Wanner** in Zürich.

Zürich.
Druck und Verlag von Friedrich Schulthess.
1883.

Vorwort.

Die Kenntnis der Heimat, ihrer Bodenverhältnisse, ihrer Geschichte, ihrer toten und lebenden Naturgegenstände und deren Wechselwirkung auf einander und Beziehungen zum Menschen: diese Kenntnis der Heimat ist der Ausgangspunkt und Anfang des Real-Unterrichtes. Die Heimat liefert das Material für die ersten Unterweisungen in der Geographie, in der Naturkunde und der Geschichte; ihre Verhältnisse bilden den Beobachtungssinn und üben das Abstraktionsvermögen des Schülers, sie eröffnen seinem Blick das Verständnis des zeitlich und räumlich Fernerliegenden. Will der Lehrer aber diesen Unterricht gründlich erteilen, so muss er 1) nach den Wegen suchen, die solid zum Ziele führen und 2) seine Heimat selbst genau kennen. Diese Zwecke vor allem hatte der Lehrerverein Zürich und Umgebung im Auge bei Ausführung seiner Arbeit für die schweizerische Landesausstellung: „Heimatkunde in Bild und Wort“ und dies ist auch im besondern der Grundzug des vorliegenden Schriftchens.

Eine der wichtigsten Aufgaben der Heimatkunde ist die Einführung in das Verständnis der Karte. Diese stützt sich auf das Verständnis des Reliefs der betreffenden Gegend und letzteres auf die Kenntnis der Gegend selbst. Soll aber der Übergang von der Natur zum Bild, vom Gegenstand zum Zeichen, ein möglichst lückenloser sein, so müssen nicht nur verschiedene Reliefs, sondern auch verschiedene Karten der Gegend, jedes mit seinem besondern Zweck vorgeführt werden können, und zwar in folgender Ordnung:

1) ein Relief, das der Natur möglichst entspricht, also ausser den oro-hydrographischen Verhältnissen auch die Ortschaften, Verkehrswege, Kulturen etc. möglichst anschaulich zur Darstellung bringt;
2) ein stummes Relief, nur die oro-hydrographischen Verhältnisse darstellend;
3) dito, mit unausgeglichenen Höhenschichten;

sodann folgt:

4) die Höhenkurvenkarte;
5) eine stumme Karte, die oro-hydrographischen Verhältnisse durch Schattirungen etc. möglichst plastisch darstellend;
6) die im Sinne des ersten Reliefs fertig ausgeführte Karte;
7) dieselbe Karte in kleinerm Masstab, für die Hand des Schülers berechnet.

Der relativ bescheidene Raum, der dem Lehrerverein für die Plazirung seiner Ausstellungsgegenstände zugewiesen werden konnte, nötigte uns, von dieser Vollständigkeit Umgang zu nehmen und nur ein Relief und nur eine Karte auszustellen. Hauptsächlich um zugleich die Art und Weise der Darstellung zu zeigen, wählte man das stumme Relief mit unausgeglichenen Höhenschichten im Masstab von 1 : 10,000 und legte demselben die im gleichen Masstab fertig ausgeführte Karte bei.

Ein häufig stiefmütterlich behandeltes Kapitel der Heimatkunde ist die Gewerbstätigkeit. Die ausgestellten gewerblichen Tabellen sollen einen Weg zeigen, wie der Schüler in dieser Richtung und zwar in seinen Mussestunden zweckdienlich betätigt werden kann. Dieselben stellen Produkte des Gewerbsfleisses so weit möglich in mehreren Stadien ihres Entstehens dar und sollen namentlich die Verwendung und Verarbeitung der verschiedenen Rohstoffe, wie Stein, Holz, Metall, Seide, Baumwolle, Gummi zeigen. — Der Lehrer hält den Schüler an zum Formen der geometrischen Körper, zum Sammeln von Gegenständen der Natur: von Gesteinsarten, von Pflanzen, von Insekten und niedern Tieren aller Art; sollte es nicht auch gerechtfertigt sein, ihn auf die Produkte menschlicher Tätigkeit aufmerksam zu machen und ihn zu eigenem Sammeln und selbständigem Zusammenstellen von Erzeugnissen des Gewerbsfleisses anzuregen? Das Sammeln der Dinge fördert das Verständnis, das Ordnen bildet den Geschmack, während die verschiedenen Stadien des Entstehens zeigen, wie der Gegenstand nach und nach durch der Hände Arbeit aus dem ungeformten Rohstoff hervorgeht. Der Schüler sieht daraus, wie der Bildner den anzufertigenden Gegenstand erst in allgemeinen Umrissen andeutet, wie er dann übergeht zu den Einzelheiten und mit der Ausführung der feinsten Details endet. Führt dies den Schüler nicht ein, den Wert der Arbeit einsehen und schätzen zu lernen? Ist es nicht ein praktischer Beleg für ihn, der ihm zeigt, warum er beim Zeichnen in ähnlicher Weise von den allgemeinen Umrissen zu den Einzelheiten übergehen muss? Wir haben die Überzeugung, dass eine derartige freie Betätigung des Schülers, dass ein solcher Handfertigkeitsunterricht nicht bloss ins Reich der idealen Bestrebungen gehört, sondern dass er leicht ausführbar und — weil für den Schüler höchst anregend und das Verständnis nützlicher Dinge fördernd — auch in besonderm Grade fruchtbringend ist.

Führt das Relief den Schüler ein in das Verständnis der Karte, zeigen die gewerblichen Tabellen einen Weg, ihn selbständig zu betätigen, so soll das vorliegende Schriftchen in erster Linie ein Handbuch für den Lehrer sein, dann aber auch ein Lesebuch für vorgerücktere Schüler und die Familie, ein Wegweiser für den Fremden und eine Anregung zu ähnlichen Unternehmungen. Es ist unsere Pflicht, hierorts allen denen unsern besten Dank auszusprechen, welche zum Gelingen des Werkes beigetragen, besonders den Herren Dr. U. Ernst, Prof. A. Heim, Conservator J. Jäggi, Dr. C. Keller, Prof. S. Vögelin und Rektor St. Wanner, die, obwohl nicht Mitglieder des Vereins, uns doch in freundlicher Weise durch Beiträge unterstützten. — Leider nötigte uns die mit dem Verleger vertraglich vereinbarte Bogenzahl, die sämtlichen Kapitel des dritten Abschnittes möglichst kurz zu fassen und die Manuskripte da und dort beträchtlich zu kürzen oder eine Auswahl aus denselben zu treffen; es gilt dies besonders von den „Spaziergängen" und der „Gewerbstätigkeit". — Die Orthographie wurde nach dem schweizerischen Rechtschreibbüchlein durchgeführt; dagegen behielten wir die Ausdrucksweise und Originalität des Autors möglichst bei.

Folgende Versehen bitten wir den geneigten Leser nachträglich noch berichtigen zu wollen: auf S. 1, Zeile 11 v. u. ist „Uitikon" (statt Dietikon) zu lesen; auf S. 2 ist der Passus Zeile 9 und 10 „durch die sogenannte Schnabellücke" zu streichen und in Zeile 15 nach „das" zu ergänzen: „bei Sellenbüren"; S. 25, Zeile 17 ist 1878 (statt 1879); S. 129, Zeile 7 v. u. 1881 (statt 1882) zu lesen; S. 130, Zeile 5 v. u. ist die Jahrzahl 1788 zu streichen und Zeile 1 v. u. Kaspar zu lesen; auf S. 214 ist endlich in der Überschrift C statt D zu lesen. Zu S. 148, Z. 14 v. o. ist zu bemerken, dass Hemmerlin, allerdings im Widerspruch mit den Chronisten, von der Fasnacht des Jahres 1454 (statt 1447) spricht, (an welcher er bekanntlich gefangen gesetzt wurde). In der Tabelle über die Schulverhältnisse, S. 248 f., konnten die Privatschulen, deren Gesamtschülerzahl auf der Alltagsschulstufe im Jahr 1880 ca. 400 betrug, nicht berücksichtigt werden.

Zum Schlusse benutzen wir gerne den Anlass, der Direktion der permanenten Schulausstellung den besten Dank auszusprechen, dass sie in entgegenkommender Weise sich bereit erklärt hat, dem Lehrerverein nach Schluss der Landesausstellung ein Zimmer einzuräumen zur weitern Ausstellung aller zur Heimatkunde gehörenden Objekte. Der Lehrerverein wird sich bestreben, das Ganze im angefangenen Sinne zu vervollständigen, namentlich durch Anlegung von Sammlungen aller Art, welche zur Kenntnis des Gebietes beitragen, so dass nach und nach ein Zimmer für Heimatkunde entsteht, das ein getreues Bild von Zürich und Umgebung gibt und alles für die Jugend Sehens- und Wissenswerte in übersichtlicher Darstellung enthält.

Hottingen, im September 1883.

Die Redaktion:

Rud. Schoch. Fr. Zollinger.

Inhaltsverzeichnis.

Erster Abschnitt.

Zweiter Abschnitt.

Dritter Abschnitt.

Erster Abschnitt.

I. Topographische Übersicht.

So formenreich das Relief von Zürich und Umgebung auch ist, so bietet es doch im allgemeinen eine einfache Gestaltung. Ein grösseres Tal trennt zwei Gebirgszüge, die das schweizerische Mittelland, dieses durchschnittlich 50 km breite Talbecken zwischen Alpen und Jura zu etwa 0,7 seiner Breite durchziehen. Der eine Zug wird Albiskette, der andere, östlich von ihm gelegene, Pfannenstielkette oder auch etwa Kette des Zürichbergs genannt.

Beide Ketten nehmen im allgemeinen mit ihrer Entfernung von den Alpen an Höhe ab. Im südlichen Teile des Tales ist der Zürichsee gebettet. Demselben entströmt die Limmat, zu deren Gebiet der grösste Teil des zu betrachtenden Terrainabschnitts gehört; der kleinere liegt im Flussgebiet der Glatt.

Die Albiskette.

Die Albiskette beginnt unter dem Parallel von Kappel mit dem Sihlzopf, erstreckt sich in der Längsrichtung 5 Stunden weit und endigt im Buehoger (656 m), nördlich ob Dietikon, der in sanftem, breitgewölbtem, waldigem Abhang ins Limmattal, gegen Albisrieden, Altstetten, Schlieren und Urdorf abfällt. Übrigens ist der Rücken meist schmal, kammartig; oft springt der Kamm, bald ein-, bald ausbiegend, von seiner allgemeinen, nordwestlichen Zugsrichtung ab, indem er sich dabei bald aufwärts zu Gipfeln, bald abwärts zu Sätteln, bald mehr wagrecht fortbewegt. Von den Haupterhebungen des Gebirgsrückens sei hier in erster Linie der Uto oder Ütliberg, 873 m über Meer, genannt. Zwar ist er unter den Gipfeln der Albiskette nicht der höchste, der Ober-Albis überragt ihn im Bürglenstutz um 45 m, der Schnabel um

7 m; was aber den Uto vor den andern Gipfeln auszeichnet, das ist seine freiere Lage am nördlichen Ende der Kette, das ist die Nähe der Stadt Zürich (5 km in gerader Linie) und die gute Verbindung mit derselben. Eine Bahn führt seit Mai 1875 von Zürich aus zu der höchst aussichtsreichen Bergeshöhe.

Durch die Einsenkungen im Gebirgsrücken leiten Wege hinüber und herüber: über die Einsattlung des Feldenmoos oberhalb Albisrieden führt eine Hauptstrasse von Zürich ins Reppischtal nach Birmensdorf; über diejenige des Albis, durch die sogenannte Schnabellücke, zieht eine andere ebenfalls von Zürich her aus dem Sihltal herauf, und auf der andern Seite, am Türlersee, dem Ursprung des Reppischbachs vorbei, nach Kappel und Zug.

Die Albiskette senkt ihren Fuss östlich nicht unmittelbar ins Seetal, sondern ins enge und waldige Tal der Sihl, westlich ins Tal des Reppischbachs, das 100 m höher liegt als jenes und von demselben $2^1/_2$ km absteht. Durch diese Täler werden niedrigere Höhenzüge von der Albiskette abgetrennt.

Die Flanken der Albiskette sind keineswegs glatte Flächen; vielmehr erscheinen sie vom Kamme bis zum Fuss mit Rinnen und Wasserrissen gefurcht. Oft auch weiten und vertiefen sich diese zu Schluchten, so dass die talwärts strebenden Berggräte um so deutlicher und kühner hervortreten. In der Regel endigen die Gräte unten in Hügeln, Vorsprüngen, „Eggen". Unter diesen hebt sich vor allen die Manegg heraus, dieser föhrengekrönte, ruinengeschmückte, aussichtsreiche „Vorlandshügel". Er deckt dem Wandrer, der von Zürich her über das Exerzirfeld der Wollishoferallmend und die Bergmatte des Höckler ansteigt, die trichterförmig ausgewaschene, nackte Schlucht der Falletsche. — Der seitliche Abhang der Albiskette ist im allgemeinen konkav, der obere Teil derselben demnach steiler als der untere. Vom Utoscheitel bis zur Bergmatte ob dem Kolbenhof beträgt die Böschung beispielsweise 60 % der horizontalen Distanz, während die Abdachung der Bergmatte selbst sich nur auf 17 % beläuft; die Neigungswinkel betragen beziehungsweise 31° und 10°.

Die Kette des Zürichbergs.

Dem Uto gegenüber in nordöstlicher Richtung erhebt sich der zirka 200 m niedrigere Zürichberg. Die beiden Berge halten sich in einer Entfernung von 7 km (Luftdistanz), indes die hügelige Talsohle zwischen ihnen 2 bis 3 km erreicht. Wenn auch die Rundschau auf dem Uto umfangreicher und grossartiger ist als auf dem Zürichberg, so bietet dieser doch auch recht reizende Aussichtspunkte. Solche sind das Schlössli, der Susenberg, der Waldrand ob der Almend, das Klösterli u. a. m.

Die Kette dieses Berges, die nahezu doppelt so lang ist als die Albiskette, setzt unterhalb Rappersweil an, erhebt sich gleich im Pfannenstiel zur grössten Höhe (853 m) und endigt bei Würenlos im Altberg (635 m) fast unmittelbar vor der Lägern, einem Ausläufer des Jura.

Eine Hauptgliederung erfährt die Kette durch den ansehnlichen und bedeutsamen Sattel des Milchbucks zwischen dem Zürichberg (Geissberg) und dem Käferberg. Durch diese breite und tiefe Lücke (482 m) öffnet sich der Stadt Zürich ein natürlicher Ausweg gegen Norden. Die Chaussee, die von daher führt, verzweigt sich auf dem Milchbuck nach Affoltern und Regensberg, nach Kloten und Eglisau zum Rhein und nach Winterthur. Zugleich ist der westliche Rand des Sattels durch einen kilometerlangen Eisenbahntunnel durchbrochen. — Während die Zürichbergkette bis zu dieser Depression des Gebirgsrückens im allgemeinen parallel zur Albiskette dahinzieht, so nimmt sie von hier an eine mehr westliche Richtung an.

Der Rücken des Zürichbergzuges liegt durchschnittlich 650 m über Meer, indes die mittlere Kammhöhe der Albiskette 800 m beträgt. Dafür bietet der Zürichbergzug durchweg einen breiten, oft plateauartigen Rücken, wie z. B. oberhalb Höngg in den „Weiden" und ein mächtigeres Fussgestell. Zwischen Küsnach und Maur ist sein Postament sogar dreimal so breit als dasjenige der Albiskette. Wieder im Gegensatz zu der Parallelkette zeigt der Zürichbergzug meist konvexe Abhänge; doch wie am Albis, so finden sich auch hierseits in den Flanken manche Einschnitte, manche Schlucht und manches Tobel, aus denen oft verheerend Wildbäche hervorbrechen, z. B. aus dem Stöckentobel der Hornbach, aus dem Tobel ob Küsnach der Knosenbach. Die Zürichbergkette senkt ihren Fuss nordöstlich ins breite Tal der Glatt, südwestlich mit sanfterm Abfall in den Zürichsee und zum Limmatfluss.

Das Gebiet der Limmat.

Die Quellen der Limmat fliessen von der Tödigruppe her, die südlich zum Vorderrhein, westlich zur Reuss, ins Tal von Uri, abfällt, und deren höchste Erhebung, der Tödi, zu 3620 m emporsteigt. Bei hellem Himmel schaut er, die nördlichen Vorberge weit überragend, majestätisch ins Seetal, nach Zürich herein. Der Fluss, bis zu seiner Einmündung in den Zürichsee Linth genannt, ist durch den Escherkanal, zur Ablage seiner Geschiebe, in den Walensee (425 m) und durch einen zweiten Kanal, den Linthkanal, in den Zürichsee geleitet. Früher, als er seine wilden und verheerenden Fluten noch seitwärts vom Walensee dahintrieb, strömte ihm der Abfluss dieses Sees, die Mag, zu; daher hiess das vereinigte Wasser Linthmag, wovon der Name Limmat oder mundartlich „Limmig" herzuleiten ist.

Der Zürichsee (409 m ü. M.), welcher neben den ihn einschliessenden Bergen dem Gebiet von Zürich und Umgebung einen grossen, landschaftlichen Reiz verleiht, bietet in leichter Bogenform eine Fläche von 89 km²; da er sich in einer Länge von 40 km erstreckt, so ergibt sich aus diesen Angaben seine durchschnittliche Breite leicht. Am breitesten ist er bei Richtersweil (3,5 km). Vom Landungsplatz Neumünster quer zum andern Ufer hinüber (Belvoir) misst er genau einen Kilometer. Zunächst abgesehen von den seichten Uferstellen tritt der Seegrund hie und da nahe an das Niveau heran. Eine solche Untiefe ist der grosse Hafner (408 m); eine andere ist durch die Klausstud bezeichnet. An andern Stellen ragt das Land inselartig über den klaren Wasserspiegel empor, wie das kleine grüne Eiland der Ufenau und in seiner Nachbarschaft die noch kleinere Insel Lützelau. Zwischen Herrliberg und Tischenloo senkt sich der Grund am tiefsten, so tief unter das Niveau, als der Käferberg (552 m) sich über dasselbe erhebt. — Der Seeboden ist den Ufern entlang verschieden gestaltet; hier senkt sich die Halde nahe am Ufer jäh zur unsichtbaren Tiefe, dort zieht sich der sichtbare Grund eine gute Strecke weit in den See hinaus, so am linken Ufer von Wollishofen bis nach Zürich. Oft auch springen die Ufer selbst in den See vor, bald breiter, bald schmäler. Einen recht schmucken, breiten Hügelvorsprung bildet die Halbinsel Au oberhalb Horgen. Kleinere flache Vorsprünge, „Hörner", haben die Wildbäche angelegt, wie das Zürichhorn und das Küsnacherhorn. Die $1^1/_2$ km lange Landzunge von Hurden, deren Spitze mit dem ihr entgegenkommenden Vorsprung von Rappersweil durch einen Damm verbunden ist, gliedert den Zürichsee und trennt den Obersee vom untern Teile ab.

Demnach findet man das Seebecken nicht sehr regelmässig gestaltet: Vorsprünge und Buchten an den Ufern, Hebungen und Senkungen im Seeboden ähnlich den Bewegungen im Relief des umliegenden Landes.

Die Ufer des untern Seebeckens steigen im allgemeinen sanft hinan zu den ihren Fuss im See badenden Höhen, von woher ihm zahlreiche Bäche zueilen; das rechte Ufer schwingt sich über Rebgehänge und Obstgärten zu den waldgekrönten Rücken der Zürichbergkette auf, das linke erklimmt den der Albiskette östlich vorgelagerten fruchtbaren Hügelzug. Beide Lehnen sind mit Kulturen sorglich bebaut und mit Wohnungen der Menschen reichlich bedeckt. Hievon zeugen die vielen stattlichen Dörfer, so rechts wie links, die durchschnittlich auf eine halbe Stunde Wegs einander folgen. Eine gute Strassenverbindung den Ufern entlang und am linken Ufer zugleich eine Eisenbahn fördern den Verkehr zwischen denselben. Dazu kommt die Wasserbahn, auf welcher etwa 14 grössere Dampfschiffe — worunter der stattliche Dampfer „Helvetia" — ferner eine Reihe von Schlepp- und Kohlenbooten, zahlreiche Segel- und Ruderschiffe (Ledischiffe) in Breit' und Länge des Sees sich bewegen.

Am Ende des Sees, zu beiden Seiten der ihm entströmenden grünklaren Limmat, ist die Stadt Zürich gebaut, und um sie reihen sich im Kranze die Ausgemeinden. Enge schliesst sich ans linke Ufer des Seeausgangs, Riesbach ans rechte an; Hottingen, Fluntern und Oberstrass beherrschen die Terrassen und Sonnenhalden am Abhang des Zürichbergs, Unterstrass zieht sich in der Länge nach dem Milchbuck hin und Aussersihl lagert sich auf der Ebene am linken Ufer der Sihl, auf dem Sihlfeld.

Die Sihl vereinigt sich 20 Minuten unterhalb des Sees bei der schattigen Platzpromenade mit der Limmat, deren Fluten oft erdfahl trübend. Ihr Ursprung liegt in den Schwyzerbergen, die ihren Fuss südlich in das Muotatal und in die Einsenkung des Pragelpasses aufsetzen und nördlich gegen das Plateau von Einsiedeln verlaufen. In ihren Lauf drängt sich kein See, welcher ihr Wasser klären und in welchem es sich zum Schutz vor schnellem Anwachsen weit verbreiten könnte; sie hat vielmehr ganz den Charakter eines Wildwassers, schwillt bei schneller Schneeschmelze und bei starkem Regenfall rasch an und zeigt im Sommer und Winter schon nach einigen regenlosen Tagen ihr Kiesbett fast nackt und ausgetrocknet. An ihren bebuschten Ufern liegt hie und da ein anziehender Fleck Erde. Gerne flüchtet man sich im heissen Sommer aus dem grellen Licht der Stadt in die wohltuende Frische des Sihlwalds, dieser ausgedehnten. stadtzürcherischen Waldung, die am linken Ufer der Sihl zwischen der Sihlbrücke und Langnau liegt und bis zur Albishöhe hinauf sich zieht. — Einen weitern Anziehungspunkt, namentlich für die Jugend der Stadt Zürich, bildet das Sihlhölzli, ein von den Wassern der Sihl umflossenes, zum Teil bewaldetes Stück Land von zirka 6 Hektaren. Dasselbe liegt in unmittelbarer Nähe der Stadt, südwestlich von derselben.

Die durch die Sihl vergrösserte Limmat windet sich unmittelbar am Fuss des nördlich gelegenen Teils der Zürichbergkette dahin; ihr rechtes Ufer zieht sich rebenbewachsen an den sonnigen Halden desselben herauf, unter welchen vor allen die Weid am Käferberg durch eine reizend schöne Lage ausgezeichnet ist. Die Dörfer Wipkingen, Höngg und Engstringen folgen einander auf kurze Distanz. Im weitern Laufe bespült die Limmat rechts das Gebiet des aargauischen Frauenklosters Fahr. Das linke Ufer geht über in eine Ebene von verschiedener Breite, aus welcher der Albiszug aufsteigt. Während sie östlich von Altstetten die Sohle eines 3 bis 4 km (Albisrieden-Höngg) breiten Tales darstellt, so verengt sie sich westwärts davon bedeutend, so dass sie beim Schliererberg nur noch etwas mehr als 1 km misst. Die Ebene des Limmattals ist fruchtbar, besonders die Gegend des Hard (unterer, oberer und mittlerer Hard); doch findet man neben üppigen Wiesen und wohl bestellten Äckern auch hie und da versumpftes Land (Herdern, Bachwiesen).

Die Limmat nimmt bei Dietikon noch den wilden Reppischbach auf, durchbricht bei Baden quer den Jura und vereinigt sich eine Viertelstunde unterhalb der Reussmündung mit der Aare, nachdem sie vom Zürichsee her eine Strecke von 35 km oder von etwas mehr als 7 Stunden mit einem durchschnittlichen Gefäll von $^1/_4$ % durchflossen hat.

Das Gebiet der Glatt.

Die Glatt entspringt in den Bergen des zürcherischen Oberlands, unter dem Namen Aa und trägt denselben, bis sie in den Greifensee (439 m) sich ergiesst. Aus diesem fliesst sie langsam, mit $^1/_8$ % Gefäll, zwischen niedrigen Ufern zunächst am nordöstlichen Fusse des Zürichbergs dahin, wendet sich sodann unweit Schwamendingen nordwärts dem Rheine zu. In ihrem Gebiet liegt auch der von Pflanzensuchern und Eisläufern vielbesuchte Katzensee, aus welchem in östlicher Richtung der Katzenbach zur Glatt abfliesst. — Das Relief dieser Gegend ist flach, nur bei Seebach durch einige Hügel bewegt, wie Bühl und Buhn. Von Halden ob Örlikon überblickt man gut das stundenbreite Tal mit seinen Torfmooren und Sümpfen. Die Gegend von Örlikon und Seebach ist noch deshalb von grosser Bedeutung, namentlich auch in militärischer Hinsicht, weil hier sich mehrere Hauptstrassen und Eisenbahnlinien verzweigen, vereinigen und kreuzen.

II. Geologische Verhältnisse.

Die Bestandmassen.

Das Grundgerüste unseres Gebietes und die grösseren Berg- und Talgestalten desselben sind aus einer Bildung gebaut, welche die Geologen Molasse nennen. In horizontaler Lagerung wechseln Sandstein, Ton und Mergelschichten mit einander ab, während hie und da einige von organischer Substanz imprägnirte dünnere Kalksteinlagen (Stinkkalk) sich dazwischen einstellen. Kohlige Bänke und selbst wirkliche kleine Braunkohlenlager sind nicht selten, allein mit Ausnahme von Käpfnach bei Horgen (zirka 30 cm dicke Kohlenschicht) viel zu unbedeutend, um die Ausbeute zu lohnen. Untergeordnet treten in der Molasse auch hie und da tonige Kalke von einer Zusammensetzung auf, welche sie als Zementsteine verwendbar macht (Käpfnach). Der Sandstein, der dem Quantum nach meist vorherrscht, ist in den näheren Umgebungen von Zürich leider durchweg von schlechter Beschaffenheit und deshalb als Baustein kaum verwendbar; sehr gute Abänderungen kommen nur am oberen Teile des Sees bei Bäch und besonders bei Bolligen vor, woher schon in alter Zeit das Baumaterial für die Kirchen und andere Gebäude Zürichs bezogen worden ist. Wo die Molassefelsen entblösst liegen, sieht man fast immer, dass die festeren Sandsteinbänke steilere, die weicheren Ton und Mergelbänke flachere Böschungen annehmen, ebenso fallen in den Schluchten des Zürichberges und Ütliberges die Bäche in vielen kleinen Wasserfällen über die Sandsteinbänke herunter, während im Mergel an deren Fuss kleine Becken ausgespült sind. In Zürichs Umgebungen findet man ausser den Samen von Süsswasseralgen (Chara), den Schalen von Süsswasserschnecken (Planorbis etc.) den mikroskopisch kleinen Kieselpanzern einzelliger Algen (Diatomeen), welche alle besonders häufig in den bituminös riechenden Kalklagen (z. B. im Trichtenhausentobel beim Balgrist) etc. enthalten sind, recht wenig Versteinerungen.

Der Ütliberg, die Albiskette, der Grundstock des Hügelzuges zwischen Sihl und Zürichsee, der Hügel des Burghölzli, der Zürichberg, sind aus Molasse gebildet, und der Bahntunnel gegen Örlikon ist durch Molasseschichten gehöhlt worden.

Die Oberfläche der Molasse ist nun aber vielfach von lockeren Schuttmaterialien bedeckt. Bald treten dieselben in tonigen oder sandigen mit Steinen durchmischten Massen, bald in Kies- und Sandlagern, bald in Gestalt einzelner grosser Blöcke auf. Die einzelnen Steine dieser Schuttbildungen sind aber grösstenteils von einer unserer Umgebung ganz fremdartigen Beschaffenheit. Ihre Mutterfelsen, von denen sie herstammen, liegen in den Alpen. Da finden wir rote, grobkörnige, quarzreiche Sandsteine und Konglomerate (Sernifit, roter Ackerstein), wie sie südlich vom Walensee, im Linth- und Sernftgebiete vorkommen, weiss und dunkelgrün gesprenkelte zähe Diorite, die aus dem Vorderrheintal oder von der Sandalp stammen, schwarzblaue Alpenkalke des Tödi-, Glärnisch- oder Mürtschenstockgebietes, und zahlreiche andere Gesteine aus dem Sammelgebiete von Sihl, Linth und Vorderrhein. Sie führen ihren Heimatschein mit sich; wer aber hat sie selbst in so gewaltigen Blöcken über das Seebecken und hoch hinauf bis auf den Rücken des Zürichberges und sogar der Albiskette getragen? Es sind alte grosse Gletscher gewesen, die von den Alpen bis in die Niederung hinabgestiegen waren und diesen Alpenschutt hier abgeladen haben. Das ist keine blosse Vermutung, das ist eine tausendfach bewiesene Tatsache, der Beweis freilich gehört nicht in den Rahmen dieser Übersicht. Hier kann nur noch erwähnt werden, dass sich die grösseren („erratischen“) Blöcke oder Fündlinge durch ihre Lage oft hoch oben an den Abhängen und durch ihre eckige ungerollte Gestalt auszeichnen. Grosse Sernifitfündlinge finden sich besonders in dem kleinen Mühletobel ob Fällanden, der Pflugstein ob Erlenbach misst zirka 1940 m^3, bei Wipkingen ist vor vielen Jahren ein ganzes Haus aus einem Sernifitfündling gebaut worden. Beim Gerichtsgebäude im Selnau und an der Ötenbachergasse sind grosse Kalkblöcke, die dort gefunden worden sind, aufgestellt. Auch in der Limmat lagen grosse erratische Blöcke. Im ganzen Gebiet kann man sie zu Hunderten aufzählen.

Für das Relief unserer Gegend sind besonders die echten Moränen oder Gletscherschuttwälle von Bedeutung. Die stärkste Moräne macht einen Bogen rings um das Ende des Sees, sie krönt den Hügel zwischen See und Sihl, bildet Bürgliterrasse, Villenquartier von Enge, Brandschenke, setzt dann fort in der „Katz" (botanischer Garten), St. Anna, Lindenhof, obere Zäune, Neustadt, hohe Promenade, Neumünsterkirche und zieht sich unterhalb des Burghölzli über Zollikon weiter. Bei Enge und Wiedikon ist der Gletscherwall mehrfach (Muggenbühl, Brauerei Wiedikon); er wiederholt sich in schwächerer Ausbildung beim Polytechnikum und auf den Terrassen von Fluntern und Hottingen. Diese Wälle, gebildet während einer Zeit, da das untere Gletscherende in Zürich stand, sind dann vom Ausfluss des Sees und von der Sihl mehrfach durchbrochen, haben aber selbst den See höher gestaut. Wo man ihr Inneres entblösst, zeigt sich dasselbe aus schichtungslosen ganz ungeordneten Massen von Sand und Ton mit eingestreuten kleinen und grossen Blöcken alpiner Herkunft gebildet, welch letztere entweder eckig scharfkantig geblieben, oder dann in der für Gletscher so bezeichnenden Weise polirt und geschrammt worden sind. Beim Bau des landwirtschaftlichen Gebändes (beim Polytechnikum) wurde eine zur Molasse gehörige Sandsteinbank abgedeckt, deren Oberfläche vom Gletscher gehobelt und in der Talrichtung geschürft und geschrammt war.

Diese vom Gletscher gebrachten sogenannten erratischen Bildungen haben grosse Bedeutung für die Schweiz. Die Molasse ist wenig fruchtbar, die Fruchtbarkeit ist vielmehr durch die erratische Schuttschicht bedingt. Zahlreiche Häuser und Dörfer unserer Gegend sind ausschliesslich aus erratischen Steinen gebaut und viele Kiesgruben zur Beschotterung der Strassen sind in diesen erratischen von den damaligen und den späteren Bächen und Flüssen weiter verschwemmten und dadurch geschichteten Gebilden geöffnet. Der erratische Kies ist an einzelnen Stellen wie auf der Au, besonders auffällig aber auf dem Gipfel des Ütliberges zu einem festen Konglomerate, der „löchrigen Nagelfluh" verkittet, welche aber oft von der Molasseunterlage noch durch lockere Moräne getrennt ist. Auf dem Ütliberg und dem Albiskamm mischt sich der Gletscherschutt des Linthgebietes mit demjenigen des Reussgebietes.

Nun gibt es in unseren Gegenden noch jüngere Bildungen: Die Kiesablagerungen der Sihl haben die Limmat mehr und mehr gegen Nordost an den Fuss des Molassehügels hinübergedrängt und gleichzeitig in alter Zeit das Niveau des Sees dadurch höher gestaut. Der Zürichhornbach, der Kuosenbach haben Land in den See hinausgebaut. Am Grunde des Sees lagerte sich ein feiner Schlamm in dicken Schichten ab, bestehend aus dem Schlamm der in den See mündenden Bäche und auch aus den Resten zahlreicher zum Teil sehr kleiner Organismen, die im See leben (vergl. z. B. die Seekreide, welche bei Enge und bei den Pfeilern der neuen Quaibrücke gebaggert worden ist). An manchen Stellen ist der Seegrund viele Meter hoch mit diesem Schlamme bedeckt. Im Limmatgrunde bei der untern Brücke fand sich über erratischem und Sihlkies ein Lager hellgelben Kalktuffes, der aus Schnecken und Muschelschalen und durch Diatomeen (Algen) abgelagerten Kalk gebildet ist, und allerlei Gegenstände nachrömischer Zeit einschliesst. Darüber lag bis zu 1 m Wolfbachkies.

Die jetzigen Veränderungen.

Die Umbildung arbeitet fort und fort. Das Relief der Erdoberfläche ist nie vollendet — als ob es noch nicht gefiele, arbeitet die Verwitterung mit ihren Meisseln ununterbrochen weiter. Wir werden dessen in hohem Masse gewahr, wenn wir zu Hochwasserzeiten in die scheinbar so unschuldigen Bachrinnen im Zürichberge gehen. Die Sohle der Bäche vertieft sich von Jahr zu Jahr. Die kleinen Wasserfälle des Zürichhornbaches z. B. sind in 34 Jahren durch Abbröckeln der Sandsteinschwellen im Mittel um 6 m talaufwärts gewandert. Ein einziges Hochwasser, wie dasjenige vom Juni 1878, hat genügt, die Bachrinnen des Zürichberges durchschnittlich um 1 m zu vertiefen. Bald gleitet da, bald dort das Gehänge in kleinen Rutschungen nach, die allmälig am Bach weiter seitlich greifen. Nach und nach vernarben die Risse wieder und neue entstehen an anderen Orten. Die Schluchten aber greifen weiter bergeinwärts. Langsam und unregelmässig fliesst gewissermassen auch der Untergrund die Wege des Wassers. In Zeit von 50 Jahren musste die über unserem grossartigsten Auswitterungstrichter, der Falletsche an der Albiskette, hinführende Strasse schon mehrere Male jeweilen um einige Meter einwärts verlegt werden, und Zaun und Marchsteine stürzten unterhöhlt in die Schlucht, die allmälig dort eine Bresche in den Albiskamm schneiden wird, ähnlich wie eine solche in der grossen Schnabellücke schon früher entstanden ist. Am Ütliberg treten die Abrutschungen oft recht erschreckend auf; es ist Zeit, dass die gefährlichsten Schluchten etwas verbaut werden. Unvorsichtiges Abholzen hat oft die Bewegung vermehrt. Dadurch, dass die Schluchten beiderseits immer weiter hinanfgreifen, ist der Bergkamm stets schmaler und schmaler geworden und hat seine so durchfurchte Gestalt erhalten. Die zahlreichen, rippenförmigen Seitengräte sind nur die Reste, welche früher noch lebhafter tätige Schluchten zwischen sich übrig gelassen haben. Die vielen Narben am Leibe des Ütliberges, die man schon von Zürich aus sieht, zeigen, wie sehr der gleiche Prozess fortarbeitet. Was dort ausgespült worden ist, hat sich als Sand und als Lehmlager am Fusse angehäuft und bildet das flach geneigte Terrain, auf welchem die zahlreichen Ziegelfabriken stehen und von welchem die letzteren ihr Rohmaterial beziehen. Aufrecht stehend, eingehüllt vom Lehm, findet man dort noch oft die Stämme alter Bäume, die auf der früher tieferen Oberfläche gewachsen waren. Unsere gefährlichsten Wildwasser sind der Kuosenbach bei Küsnacht, der Hornbach (oder kurzweg „Wildbach" genannt), und vor allen die Sihl. Bei Hochwassern wie 1874, Juli 31., führte die Sihl durch jeden Querschnitt 400 m³ Wasser per Sekunde, in welchem Quantum über 3000 kg feiner Schlamm enthalten war, während der viel bedeutendere Kiestransport am Grunde des Flusses sich direkter Messung entzog.

Die Schluchten werden weiter ausgefurcht, die Höhen abgetragen, das Seebecken mehr und mehr ausgefüllt.

Die Geschichte.

Unsere Gegend hat viele Wandlungen im Verlaufe der Zeit erlitten. Versetzen wir uns hinter die Zeit der Pfahlbaudörfer weit zurück, so finden wir hochnordische Pflanzen und Tiere und ausgestorbene, pelzbekleidete Elefantenarten (Mammut) und Rhinocerosse am Rande mächtiger Gletscher, die zeitweise bis an den Ütliberg hinaufreichten und das Land in einen nasskalten Eismantel hüllten. Die Talbildung war damals zur Zeit der Ablagerung der Moränen in den grossen Zügen schon vollendet, die Schichten vom Ütli- und Zürichberg, die ursprünglich zusammenhingen, waren schon durch Ausspülung dazwischen zerschnitten und getrennt. Noch früher lag der Talboden noch höher, der See war noch nicht da, Flüsse sägten langsam und mühsam stets tiefere und weitere Furchen in die mächtigen Molasselager. Greifen wir noch weiter zurück, so finden wir die Alpen noch weniger breit und weniger mächtig; unsere Gegenden waren von weiten flachen Seen erfüllt, in welche die Flüsse der werdenden Alpen Kies, Sand und Ton schwemmten, während an deren Ufer Torf sich bildete. Wir stehen in der Bildungszeit der Molasse.

Einige ferner liegende Orte, wie besonders die Kohlen von Käpfnach, die Kalkbrüche von Öhningen und Wangen und Steinbrüche bei Rüti haben uns Aufschluss über die Pflanzen und Tiere gegeben, welche unsere Gegend zur Zeit bewohnten, da die Molasse in den weiten Süsswasserseen sich bildete. In den Sammlungen des Polytechnikums sind viele dieser Funde ausgestellt, und ein grosses Gemälde „Öhningen zur Tertiärzeit“ * vergegenwärtigt uns den damaligen Charakter unseres Landes. Die Pflanzen und Tiere weisen auf ein wärmeres Klima hin. Wir finden mächtige Ahorne, Kampher- und Zimmtbäume, Palmen verschiedener Art und riesige Salamander und Schildkröten, Elefanten, langarmige Affen durch die ganze Schweiz verbreitet.

Aber viel tiefer greifende Wandlungen begegnen uns, wenn wir hinter die Bildungszeit unserer Molasse zurückgehen. Unter der Molasse unter unseren Füssen muss eine an zahlreichen anderen Stellen (St. Gallen, Bäch, Luzern, Würenlos, im Aargau etc.) zu Tage tretende Bildung liegen, welche voll Meertierreste steckt. Darunter folgt eine untere Süsswassermolasse, noch tiefer wieder Meeresabsätze von wechselnder Beschaffenheit aus einer Zeit, da auch Sentis, Glärnisch und Tödi noch tiefer Meeresgrund waren.

An die Geschichte eines Ortes könnte man diejenige der ganzen Erde knüpfen, denn die Erscheinungen bedingten sich gegenseitig. Wir brechen hier ab, nachdem wir die Erkenntnis gewonnen haben: wechselnde Geschicke haben unsere Gegend so gestaltet, wie sie jetzt ist; das Klima, die Verteilung von Land und Meer, Berg und Tal, die Bewohner, alles hat sich verändert; und auf der Erde ist keine Ruhe: immer noch dauern die Veränderungen fort, unmerklich und doch gewaltig!

---

* Gemalt von Herrn Prof. A. HOLZHALB.

III. Klimatische Verhältnisse.

Im Jahre 1863 wurde ein Netz von meteorologischen Stationen über die Schweiz errichtet; als Zentralstation fungirt Zürich, wo auf der Sternwarte seither regelmässig beobachtet wurde. — Herr Direktor Billwiller war so freundlich, mir die Jahresübersichten zur Verfügung zu stellen, und es liegen den nachfolgenden 17jährigen Mitteln die einzelnen Monatsmittel aus den Jahren 1864 bis 1880 zu Grunde.

Die klimatischen Elemente werden natürlich von der Lage eines Beobachtungsortes lokal beeinflusst*. Zürich umsäumt das untere Ende des nach ihm benannten freundlichen Sees, an der Vereinigungsstelle des ganzen Sihltales mit dem breitern und flachen Limmattal. Beide haben in ihrem alpinen Teile nördliche Richtung, in dem, hier aber namentlich in Betracht kommenden, Teile auf der schweizerischen Hochebene nordwestliche. In diesem letzteren Teile kann das Sihltal als zum Limmattal gehörend betrachtet werden, und stellt eine durch die, Jahrtausende lange, Auswaschungsarbeit der Sihl im Abhange der Albiskette gegen das Seebecken entstandene Rinne dar. Dieses gemeinsame Tal wird also durch zwei Hügelreihen gebildet; im Nordosten durch die Zürichbergkette, welche in der Nähe von Zürich auf dem vielbesuchten Känzeli 703 m erreicht und nördlich von der Stadt eine Einsenkung bis auf 476 m erleidet, durch welche die Verkehrswege nach dem äussern Landesteil führen. Durch diese Einsenkung haben die kalten, nordischen Winde (Bise) Zutritt ins Tal. Im Südwesten erstreckt sich die höhere Albiskette, in dem bekannten Lieblingspunkt der Züricher, dem Ütliberg, 873 m hoch. Die Nordwest- und Westwinde haben durch das Limmattal

* Es ist daher hier durchaus am Ort einige Bemerkungen über die Lage unserer Station vorauszuschicken.

aufwärts ungehinderten Zutritt, während die Südwinde die Albiskette übersteigen, oder dem Tale auswärts folgend, als Südost auftreten. Nordost und Ost übersteigen den sanft gerundeten Rücken der Zürichbergkette und letztere können auch in Südost umschlagend dem Limmattal folgen.

Der Seespiegel hat eine Höhe von 409 m. Die Stadt mit ihren Vorstädten dehnt sich zu beiden Seiten der Limmat und der Sihl aus und zieht sich an den Abhängen des Zürichbergs hinauf. Hier, am südlichen Abhang des Berges, liegt die Beobachtungsstation in einer Höhe von 470 m, also 61 m über dem Seespiegel. Diese höhere Lage hat natürlich Einfluss auf die meteorologischen Elemente; abgesehen vom Luftdruck, wo sich der Unterschied leicht berechnen lässt, macht sich dieser Einfluss namentlich in der Temperatur und der Häufigkeit der Nebel geltend. Die Temperatur wird während des Grossteils des Jahres auf der Sternwarte etwas tiefer sein, als in der Talsohle, kann aber im Winter bei ruhigem Nebelwetter auch wesentlich höher steigen, indem die Sternwarte öfters schon über dem Nebel liegt. Genaue Anhaltspunkte, um diese Unterschiede zu beurteilen, fehlen indessen.

Ich gebe nun nachfolgend die Mittel und Extreme für die einzelnen meteorologischen Elemente. Bekanntlich wird auf den schweizerischen Stationen täglich dreimal beobachtet, morgens 7 Uhr, mittags 1 Uhr und abends 9 Uhr und daraus das Tagesmittel gezogen.

Luftdruck in Millimetern.

	Mittel aus 17 Jahren				Absolute Extreme			Mittlere Extreme		
1864—80	7 h	1 h	9 h	Mittel	Minimum	Maximum	Schwankung	Minima	Maxima	Schwankung
	700+	700+	700+	700+						
Januar	22,78	22,49	22,95	22,74	**695,8**	737,6	**41,8**	708,13	**732,73**	24,60
Februar . . .	21,98	21,67	21,88	21,84	697,8	737,8	40,0	708,36	732,08	23,72
März	18,94	18,62	18,99	18,85	697,7	735,5	37,8	**705,56**	730,06	24,50
April	19,90	19,45	19,79	19,71	700,3	731,7	31,4	708,54	728,21	19,67
Mai	20,84	20,33	20,68	20,62	707,0	730,5	23,5	712,09	727,82	15,73
Juni	22,46	21,95	22,35	22,25	708,2	730,6	22,4	714,11	728,34	14,23
Juli	22,69	22,22	22,50	22,47	712,6	730,4	17,8	715,49	728,29	12,80
August . . .	22,34	22,02	22,34	22,24	711,7	730,7	19,0	715,13	727,97	12,84
September .	23,15	22,75	23,05	**22,98**	710,0	731,8	21,8	714,39	729,49	15,10
Oktober . . .	21,24	20,86	21,24	21,11	695,9	733,9	38,0	708,42	729,73	21,31
November . .	20,68	20,36	20,72	20,59	701,5	734,9	33,4	707,35	731,10	23,75
Dezember . .	21,45	21,29	21,72	21,49	699,3	**738,7**	39,4	706,44	731,84	**25,40**
Jahr	21,54	21,17	21,52	21,41	695,8	738,7	42,9			

Die Mittagsmittel sind also durchwegs tiefer als die Morgen- und Abendmittel, diese letzteren aber zeigen unter sich kein durch das ganze Jahr konstantes Verhältnis. Für die drei aufeinander folgenden Monate November, Dezember und Januar ist das Abendmittel höher als das Morgenmittel, für die übrigen Monate entweder gleich oder tiefer.

Das Jahr beginnt mit einem hohen Barometermittel im Januar, welches aber sehr rasch durch den Februar zum Minimum im März sinkt. Von da steigt der Luftdruck ziemlich gleichmässig bis zum Juni, und behält durch die Sommermonate den höchsten Stand, das eigentliche Maximum aber erst im schönen und ruhigen September erreichend. Auf Oktober und November findet wieder ein Sinken statt, auf Dezember und Januar das zweite Steigen. Wir haben also in den Monatsmitteln deutlich ausgesprochen zwei Maxima und zwei Minima. Das grössere Maximum fällt auf den September, das kleinere auf den Januar, das grössere Minimum auf den März, das kleinere auf den November.

Die zweite Abteilung der Tabelle enthält die Extreme des Luftdruckes und zwar die mittleren Extreme und die absoluten, d. h. die höchsten und tiefsten Barometerstände, welche überhaupt während der ganzen Zeit beobachtet wurden. Die Mittel

Wir erfahren auch aus dem 4. und 5. Bericht, dass es für zweckmässig erachtet worden sei, unter Consens der Obrigkeit den „Bodmerischen Musensitz" zu verkaufen (um 6250 fl. an Junker Rathsherr Meyer von Knonau) und den Ankauf eines Hauses in Aussicht zu nehmen, das durch seine Lage allen Töchtern der verschiedenen Quartiere den Zugang so viel möglich erleichtere*, ebenso, dass man sich verständigte, nicht eine zweite Schule zu errichten, sondern die vermehrten Mittel zur Aussteuer der ersten zu verwenden und in Bodmers Sinn 6 Plätze auch den bisher ausgeschlossenen nichtbürgerlichen Töchtern einzuräumen, ferner, dass die Kosten für die einzelne Schülerin jährlich 28 fl. betrugen, „eine Summe, welche noch nicht hinreichte, nur eine Stunde täglichen Privat-Unterrichtes zu bezahlen." —

So konnte Usteri mit dem befriedigenden Gefühl sein Haupt zur Ruhe legen, dass das Kind seiner Sorge mit irdischen Gütern hinlänglich ausgesteuert der Zukunft entgegengehe. Als ein schöner Beweis für Zürichs Opferwilligkeit aber mag es gelten, dass in so kurzer Zeit auf völlig freiwilligem Wege die schöne Summe von wohl 100,000 Fr. nach jetzigem Geldwerth zusammengeflossen war, und dass von Anfang der Grundsatz der Unentgeltlichkeit des Unterrichts unverbrüchlich festgehalten werden konnte. Ehre diesen Gründern! Wir kommen später auf dies Verhältniss zurück.

Freilich waren auch die Ausgaben bescheiden. Folgende Notizen darüber sind von allgemeinem Interesse.

Als Besoldung erscheinen in den ersten Rechnungen für die erste Lehrerin fl. 400 bis 430 für 24 Stunden, für die zweite fl. 160 bis 200 für 12 Stunden, als Miethzins für je ein Schullokal fl. 30 bis 40, für Bücher und Buchbinder-Conto fl. 45, für Tinte, Federn und Papier fl. 25. Druckkosten (Berichte) fl. 10. Gesammtausgabe im Jahr 1784: 716 fl. 31 Schill., im Jahr 1791: 771 fl. 11 Schill. —

Die jährlichen freiwilligen Beiträge betrugen 1774 fl. 988. 50 von 150 Gebern, sie steigen von Jahr zu Jahr und betragen 1783: fl. 1123. 45 von 171 Gebern. Daneben erscheinen als Extra-

* Diesem Beschluss gemäss wurde 1796 das Haus zum Napf um 10000 fl. angekauft.

2

Verehrungen in den ersten 10 Jahren fl. 749, als Vermächtnisse: fl. 1350, als Zinsen: fl. 1625.

Was die Frequenz betrifft, so waren schon in den ersten drei Jahren 65 Töchter eingetreten; da in einer Klasse in der Regel nicht mehr als 20 Töchter aufgenommen wurden, so betrug die Frequenz zuerst bei 2 Klassen 40 bis 50, später bei 3 Klassen 60 bis 70 Schülerinnen. Nach den ersten 15 Jahren hatten 342 Töchter die Anstalt besucht.

Dem Gründer der Töchterschule folgte nach einigen Jahren (1794) die erste Lehrerin Jungfrau Susanna Gossweiler im Tode nach. Sie hatte das Vertrauen, welches Leonhard Usteri in sie gesetzt, während 19jähriger Wirksamkeit glänzend gerechtfertigt, sich stets, wie der ihr gewidmete Nekrolog* sagt „als eine talent- und geistvolle, fromme, tugendhafte, redlich und treugesinnte, — für den glücklichen Fortgang ihrer Schülerinnen unermüdliche Lehrerin" erwiesen. Geboren 1740, hatte sie nur den gewöhnlichen bürgerlichen Unterricht genossen, aber durch besondre Gaben und seltenen Wissenstrieb sich früh hervorgethan. Eigene Beobachtung, Erfahrung, Unterredungen mit helldenkenden Personen und Lesen guter Bücher förderten sie so weit, dass sie die ihr von Usteri angebotene Stelle mit männlicher Entschlossenheit übernehmen konnte. Immer vorwärts strebend, nie mit sich selbst zufrieden, entwickelte sie sich inmitten ihrer Lehrthätigkeit zur Meisterin ihres Faches. Nicht handwerksmässig trieb sie ihren Beruf, sondern mit warmen Antheil ihres Herzens und hohem sittlichem Ernste. So wurde sie zur mütterlichen Freundin der ihr anvertrauten Töchter und trug durch die Achtung und Liebe, die sie sich erwarb, Vieles dazu bei, dass der Anstalt von allen Seiten ein so reiches Vertrauen entgegenkam.

Dass sie übrigens eine selbständige Natur war und nicht von gewöhnlichem Schlage, geht nicht blos aus dem Urtheil von L. Usteri hervor, der etwas überschwänglich an einen Freund schrieb: „Hätte ich dazu Hoffnung gemacht (nämlich alle vorher genannten Eigenschaften in einer Lehrerin vereinigt zu sehen) alle Welt würde gesagt haben, ich hätte mein Ideal aus einer höhern Sphäre entlehnt", — sondern auch aus den Reden und

---

* Neujahrsbl. S. 20.

Aufzeichnungen, die sie selbst hinterlassen. Es fehlte ihr nicht an dem nöthigen Muth, bei passender Gelegenheit mit einer Ansprache vor ihre Schülerinnen hinzutreten und auch in Gegenwart der hochgeachteten und grossmüthigen Herren Stifter und Gründer der Anstalt ihre würdige und gedankenreiche Rede unerschrocken zu Ende zu führen. Wenn, was auch damals schon vorkam, im öffentlichen Gespräch ungünstige Urtheile über die Schule gefällt wurden, so war sie um die Art der Vertheidigung nicht verlegen. So hatte man z. B. in der Anstalt eine kleine Bibliothek zum Gebrauch der Schülerinnen begründet; eine vornehme Dame nahm davon Anlass zu dem Vorwurf, es werde so nur zum Nachtheil der häuslichen Geschäftigkeit eitle Lesesucht in die weiblichen Herzen gepflanzt. Die Lehrerin wendet sich zu ihrer Rechtfertigung brieflich an Usteri und sagt*: „Ich glaube keck behaupten zu dürfen, dass diese Dame weder vom Wesentlichen dieser Anstalt, noch von meiner Wenigkeit, noch von dem, worauf die Töchter gewiesen werden, nur die Oberfläche kenne"; in Bezug auf den Vorwurf selbst äussert sie sich: „Wie oft sage ich den Töchtern, dass, wenn sie über dem Lesen ein aufgetragenes Geschäft vernachlässigen würden, es ihnen zu ebenso grosser Schande gereiche, als wenn sie unterdessen mit der Puppe spielen oder auf der Gasse herumlaufen würden, dass alle diejenigen, die durch das Lesen nicht zu besserer Erfüllung ihrer häuslichen und kindlichen Pflichten angetrieben werden, die Zeit, die sie mit dem Lesen zubringen, gleichsam tödten, und das für sich in Gift verwandeln, was zu ihrer Erholung dienen und vor jugendlichen Unarten sichern sollte. — Unlängst sagte ich einer, die einen zerrissenen Rock trug, ins Ohr: Töchter von ihrem Alter, die entweder noch nicht die Geschicklichkeit hätten, ihre Kleider auszubessern, oder sagen möchten, sie haben dazu keine Zeit, denen stehe das Bücherlesen sehr übel an." — Oft und viel, fährt sie fort, rede sie zu den Schülerinnen von dem Nutzen und der Ehre der Arbeitsamkeit und häuslichen Geschäftigkeit. „Ist das nicht mein Steckenpferd, auf dem ich vielleicht nur allzuviel herumgallopiere?" — Dennoch will sie nicht absolut Recht behalten und fügt hinzu: „Uebrigens bitte ich Sie, verehrungswürdiger Freund, so angelegentlich, als ich Gott um die Er-

---

* Neujahrsbl. p. 21.

haltung Ihres theuren Lebens bitte, dass Sie da, wo Sie Tadel nöthig finden, denselben an mir nicht sparen. Das ist die grösste Wohlthat, die mir erwiesen werden kann."

Es bedarf wohl keines weiteren Beweises, dass in dieser energischen, geistesgewandten und doch so anspruchslosen Frauennatur für die junge Anstalt die beste Leiterin gefunden worden war. Das sollte auch bestätigt werden durch den wohlgemeinten „Trauer- und Lobgesang"*, den die Schülerinnen ihr am Grabe sangen, welcher mit den Worten eingeleitet wurde:

---

* „Trauer- und Lobgesang dem Andenken der Jungfrau Susanna Gossweiler, weiland erste Lehrerin der Töchterschule in Zürich, geweiht von ihren dankbaren Schülerinnen, nebst biographischen Anzeigen", — die darin enthaltene Poesie ist freilich von minderer Qualität, wie folgende Proben zeigen:

„Was ein Mädchen und ein Weib soll wissen,
Sagte sie uns klar und einfaltsvoll,
Lehrend, wie in jedem Stand beflissen
Kluge Treu' sich üben soll.
Lehrt' uns schreiben, rechnen, Bilanz halten,
Zeigend da, wo Ordnung nöthig ist,
Wenn geschickt man etwas soll verwalten, u. s. w.

Auch während sie in ihrer vollen Wirksamkeit stand, wurden ihr aus dem Kreise ihrer Schülerinnen poetische Huldigungen dargebracht. Im 8. Stück des „Schweizerischen Museums" von 1784 (Zürich, Orell, Gessner, Füssli & Comp.) findet sich ein Gedicht: „Die Töchterschule in Zürich. Von einer Schülerin besungen." — welches fast nur dem Wirken dieser hochverehrten Lehrerin gewidmet ist. Die Dichterin sagt am Eingang, zwar seien Genie und Kunst ihr fremd, und doch erhebe sich ihr Gesang, beseelt von frohem Dankgefühl; sie gedenkt des Stifters der Schule und fährt dann fort:

Und du, o theure Lehrerin,
Du bist des schönsten Liedes werth!
Wer dich nicht liebt, wer dich nicht ehrt,
Der kennt dich nicht, der sah dich nie
In unserm Kreis, wenn du mit uns
Von Tugend und von Weisheit sprichst.

Ferner:

Seht, wie sie unermüdlich ist
Im liebevollen Unterricht,
Der nicht, gemacht zum Schein, den Stolz
Erweckt. Genau passt er auf uns,
Aufs Glück des weiblichen Geschlechts.
Was macht ein Haus beglückt? Wie wird
Darin für jedes Glied gesorgt,
Für Mann und Kind, für Hausgenoss, —

„Billig fliessen unsre heissen Thränen
Um den Tod der theuren Lehrerin“ u. s. w.

Auch Obmann Hans Heinrich Füssli* setzte ihr in einer am Schluss des Jahres gehaltenen Rede ein schönes Denkmal, wenn er sagt, dass diese ausserordentliche Person nicht sowohl etwas Hervorstechendes in einzelnen Theilen des Unterrichts als das richtige Ebenmass aller dieser Theile auszuzeichnen schien, und dass sie ihrem Beruf unausgesetzt mit jener Leidenschaft obgelegen, die in jeder Kunst eigentlich den Meister macht.

Da nach dem Tode des Stifters und der ersten Lehrerin auch gleichsam die erste Periode in der Geschichte der Schule sich abschloss, mag es hier am Platze sein, die Grundsätze, welche sich bis dahin in der aufblühenden Anstalt verkörpert hatten, etwas näher ins Auge zu fassen. Wir finden sie zusammengestellt in der von Herrn Diakon Nüscheler** entworfenen „Ordnung für die Töchterschule in Zürich“ vom Jahre 1794. Sie ist mit der jener Zeit eigenen Umständlichkeit verfasst, die auch viele

---

O wie sie uns dies treulich lehrt,
So still, so sanft, so mütterlich! —
Ein Blick von ihr, ein einzig Wort
Zeigt uns ihr ganzes Herz, und ihr
Steht offen ganz auch unser Herz.

Wer von uns, heisst es weiter, sich später im Kreis geliebter Kinder glücklich fühlt, denke mit Wonne daran zurück, wie einst in der Gespielen Kreis an der Hand der Lehrerin des Lebens Frühling froh verfloss,

So schwesterlich und so vertraut
Ohn' eiteln Rang und Unterscheid,
Wie man da ungebeten sich
Zuvorkam mit Gefälligkeit!

Nicht als Proben geschmackvoller Poesie, sondern als Zeugnisse der Anerkennung, welche der Besungenen zu Theil wurde, seien diese Stellen mitgetheilt.

* Hs. Heinrich Füssli (1735—1832), der bekannte Freund Joh. v. Müllers, an den dessen „Briefe an seinen ältesten Freund in der Schweiz“ gerichtet sind, mit vielen Männern der damaligen Literatur bekannt, besonders auch mit Winckelmann, lange in politischen Stellungen thätig, ein geistvoller, den neuen Ideen zugewandter Mann, der mit warmer Vaterlandsliebe Thatkraft und kluge Besonnenheit verband.

** Jakob Christoph Nüscheler (1743—1803), von dem auch ein Katalog der Stadtbibliothek stammt und eine Anzahl gedruckter Predigten (1791—1802) vorhanden sind, war von 1775—1803 Archidiakon am Grossmünster.

Dinge sagt, welche sich von selbst verstehen; wir heben nur dasjenige heraus, was als charakteristisch oder als pädagogisch bedeutend erscheint.

Vorangestellt ist die Erklärung, das Institut soll eigentliche Töchterschule sein und bleiben, vornehmlich in dem Sinn, dass der zu ertheilende Unterricht auf die weibliche Bestimmung den möglichst nahen Bezug haben soll. Die Theilung der Schülerinnen in drei Jahresklassen (vom 13.—15. Jahr) und die Unterscheidung von drei Hauptfächern: Lesen, Schreiben, Rechnen, die mit je 4 wöchentlichen Stunden bedacht waren, wurde unverändert festgehalten. Die Aufgabe der einzelnen Fächer in den einzelnen Klassen wird ungefähr so formulirt:

I. Lesen. Cl. 1. Richtiges, wohlartikulirtes und -modulirtes Aussprechen der Sylben und Wörter, besonders auch der Vokale (nicht d i n, sondern d e i n, nicht F r ü n d i n, sondern F r e u n d i n), Abgewöhnung alles Affektirten und Gezwungenen. Lesestoff: Fabeln, Erzählungen, Anekdoten aus dem gemeinen Leben.

Cl. 2. Lesen grösserer Abschnitte, Analysirung nach Form und Inhalt, Reproduktion des Gelesenen. Lesestoff: Ernsthafte Schriften, biblische Erzählungen, die Evangelien.

Cl. 3. Fortsetzung der genannten Uebungen und monatlich zweimal Ausarbeitung gelesener Erzählungen zu Hause. Ausführliche Erklärung und Anwendung, Denkübungen, doch mit Fernhaltung aller eigentlichen Katechisation und alles Dozirens.

Zum Lese-Unterricht gehören auch Gedächtnissübungen, welche auf geistliche Lieder zu beschränken sind, die mit der ihrem Inhalt gebührenden „Bedächtlichkeit und Decenz" vorgetragen werden sollen.

II. Schreiben. Cl. 1. Uebungen im eigentlichen Schönschreiben, verbunden mit Diktirübungen zur Einprägung der Orthographie*. Benutzung schöner, von Wüstischer** Hand geschriebener Vorschriften, enthaltend Taufscheine, Obligationen, Miethverträge etc., wobei diese Schriftstücke gehörig zu erklären sind. (Eintragung der fehlerhaften Buchstaben und Wörter jeder Tochter in ein eigenes Büchelchen zum Zweck der Verbesserung.)

Cl. 2. Fortsetzung des Schönschreibens. Die Orthographie soll mehr in den Vordergrund treten. Abzuschreiben sind z. B. Berechnung eines Herrenkleides, Rechnung über ein einschläfiges Bett, über ein Dienstenbett, ein Waschrodel, ein Haushaltungs-Journal. Diktirt werden: Kleine moralische Aufsätze, leicht fassliche Briefe. — Dazu sollen kommen Versuche eigener Aufsätze (d. h. an Quittungen, Verträgen etc. nach Analogie der Schreibvorlagen.)

* „Für die wohlgezogene Tochter ist es ebenso nothwendig als anständig, dass sie allen groben Verstoss gegen die allgemeinen Regeln der Orthographie zu vermeiden wisse." Ordnung, pag. 15.

** Wüst, ein damals in Zürich rühmlichst bekannter Meister der Schönschreibekunst.

Cl. 3. Zu kopieren sind u. A. Anleitung zu einem Theilrodel. Verzeichniss des Vermögens einer Frauensperson bei ihrer Verehelichung u. A. Fortgesetzte Diktirübungen, auch mit Abbreviaturen. Themata eigener Aufsätze. Ein Haushaltungs-Unkostenbuch und allerlei „wirthschaftliche" Aufsätze. Das Beste dieser Art, was die Tochter in allen drei Klassen verfertigt hat, ist in ein vollständiges Schriftenbuch zu vereinigen, dessen Schluss ein Register bilden soll. Nur deutsche Schrift soll geübt und gebraucht werden.

III. Rechnen. Cl. 1. Zahlenschreiben und die 4 Spezies (NB. Jede Lektion soll mit Repetiren des Einmaleins oder wenigstens eines Stücks desselben angefangen werden).

Cl. 2. Die 4 Spezies mit benannten Zahlen, Abkürzung, Auflösung und Reduktion der Brüche. (Auswendig zu lernen ist die Tafel von der Eintheilung der Masse, Gewichte und Geldsorten.)

Cl. 3. Die 4 Spezies mit Brüchen. Die „Regel Detri." Die fertigen Rechnungen sind gemeinsam zu korrigiren.

In dem Abschnitt: „Erforderliche Eigenschaften einer Lehrerin", wird ausdrücklich gesagt: Sie bedarf keiner gelehrten Kenntnisse, es könnte im Gegentheil dies für den vorliegenden Zweck leicht sehr hinderlich sein. Dagegen wird besonders verlangt ein gesunder Verstand, fern von mechanischem Wesen, ein moralisch guter Charakter, Freiheit von Stolz, Schalkhaftigkeit und anderen Unarten, Sanftmuth, Freundlichkeit, praktischer Sinn, Belesenheit, Liebe zur Lektur und tüchtige Kenntnisse in den drei Hauptfächern, worüber sie bei einer Anmeldung durch Lehr-Proben sich auszuweisen hat.

Von andern Bestimmungen des Reglements sind noch hervorzuheben:

In der Regel soll die Schülerinnenzahl einer Klasse 20 nicht übersteigen.

Von den 2 Lehrerinnen übernimmt die eine 24 Stunden und erhält dafür eine Besoldung von 400 Gulden, die andere 12 Stunden mit 200 Gulden Gehalt; sie dürfen am Neujahr und bei Entlassung der Schülerinnen von letztern bescheidentliche Geschenke annehmen, die zu $^2/_3$ und $^1/_3$ zwischen ihnen genau zu vertheilen sind. Die angemeldeten Töchter haben eine Aufnahmsprüfung zu bestehen; bei einer Ueberzahl von Meldungen entscheidet bei gleichen Leistungen die Priorität der Meldung. Sechs Plätze bleiben unverbürgerten Töchtern vorbehalten.

Als Lehrmittel sind vorgeschrieben:

1. Das neue Testament mit Osterwalds*) Anmerkungen und Betrachtungen. 2. Die biblischen Erzählungen. 3. Das Gesangbuch. 4. Wasers Angenehmes und Nützliches.**) 5. Erste Anfangsgründe der Rechenkunst, gedruckt bei H. Bürkli.

In Betreff der äussern Erscheinung wird den Mädchen ein zwar reinlicher, aber nicht kostbarer, sondern bescheidener Anzug empfohlen und zu bedenken gegeben, dass, wer sich durch eiteln Kleiderputz auszuzeichnen

---

*) Johann Friedrich Osterwald (1663—1747) in Neuenburg geboren und dort Pfarrer, wirkt wie S. Werenfels in Basel und J. A. Turretin in Genf im Sinn einer gemilderten Orthodoxie.

**) Eine in den Schulen viel gebrauchte Sammlung von Lesestücken.

suche, durch diese Kinderei bei den Vorstehern eine schlechte Meinung von seinem Verstand und Herzen veranlasse und auch bei den Mitschülerinnen sich übel empfehle.

In Bezug auf eine Bibliothek, welche angelegt worden, „um der so allgemein gewordenen Lesesucht eine, wo nicht vortheilhafte, wenigstens Schaden verhütende Richtung zu geben", wird bemerkt, man habe gefunden, dass der Nutzen, welchen diese Sammlung stiftet, mit dem Aufwand, den sie verursacht, gar nicht in dem gewünschten Verhältniss stehe, und man sehe auch jetzt noch keine Gründe, seine Gedanken darüber zu ändern. Es sollen also zwar aus der Sammlung unter gewissen Beschränkungen den Töchtern Bücher ausgegeben, doch für Vermehrung derselben nicht viel weitere Opfer gebracht werden.

Die Schule wird überwacht durch ein aus 8 Mitgliedern bestehendes Kollegium von Kuratoren, zu welchen noch ein Quästor und Akuar kommt. Dasselbe ergänzt sich durch Kooptation und bestellt zwei Spezial-Aufseher, welche die Schule regelmässig zu besuchen haben. Je vor dem Austritt der Schülerinnen der Oberklasse ist mit sämmtlichen 3 Klassen ein Examen abzuhalten, zu welchem ausser den Kuratoren auch Väter und Gönner des Instituts Zutritt haben; die Resultate desselben werden nachher von dem Kollegium beurtheilt.

Nicht nur Eltern und Gönnern der Anstalt, auch Fremden steht der Besuch der Schule offen, vorausgesetzt, dass dadurch in keiner Weise der Gang des Schulunterrichts unterbrochen wird.

Wir werfen einen Rückblick auf das, was L. Usteri und seine Freunde vor hundert Jahren erstrebten. Fassen wir nur den Lehrplan ins Auge, so enthält er um Weniges mehr und in Bezug auf Realien bedeutend weniger, als was heutzutage in der Primar- und Ergänzungsschule geboten wird. Aber doch wollte Usteri mehr. Mit den denkbar einfachsten Mitteln wollte er den Mädchen seiner Zeit eine Bildung überliefern, wie sie den damaligen Anforderungen einer städtischen bürgerlichen Bevölkerung entsprach; eine solche Bildung musste einen vorwiegend praktischen Charakter haben. Aber es kam ein wichtiges erzieherisches Moment hinzu, und damit dieses nicht in den Hintergrund trete, blieb grundsätzlich für jede Klasse die Schülerinnenzahl auf 20 beschränkt. Tüchtige, gewissenhafte, ächt menschenfreundliche Gesinnung sollte mit als eine Frucht in der Anstalt gezogen, und auch schon darauf sollte Bedacht genommen werden, wie solche Gesinnung durch die Schülerinnen wieder der jüngern Generation einzupflanzen sei.

So beschränkt auch der Umfang des Wissens war, das man überlieferte, so ausdrücklich unterschieden von aller gelehrten Bildung, so angelegentlich wurde doch eine Geistesbildung betont, die befähigt, denkend auf die Dinge einzugehen und aller mechanischen Einlernung und Auffassung sich zu entschlagen. In dieser Beziehung stand jedenfalls die Usteri'sche Töchterschule ebenso hoch über der damaligen Volksschule, als heutzutage irgend eine höhere Mädchenanstalt über der jetzigen Volksschule stehen mag. Sie brachte also im Geiste der mächtig um sich greifenden pädagogischen Bewegung wirklich etwas Neues und zeigte den Weg nach vorwärts, wenn auch noch in der schlichtesten und anspruchslosesten Weise. Der höchsten Anerkennung werth ist der von Anfang an aufgestellte Grundsatz, dass weder der Staat, noch die Eltern der Töchter mit Ausgaben für die Schule belastet werden sollten, der Staat nicht, da er eben für andere Anstalten grosse Opfer gebracht hat und da man in die Trefflichkeit der Sache ein so grosses Vertrauen setzt, dass man dafür unbedenklich an die öffentliche Opferwilligkeit glaubt appelliren zu dürfen; die Eltern nicht, da die Wohlthat des bessern Mädchenunterrichts wo möglich allen, die Lust hätten, zu Statten kommen sollte. So wird die Begründung der Usteri'schen Töchterschule durch solche Mittel und nach solchen Grundsätzen immer ein schönes Blatt in der Schulgeschichte Zürichs bleiben.

Und dass der edle Begründer nicht bei dem stehen bleiben wollte, was ihm ins Leben zu rufen gelungen, dass ihm noch ein anderes Ideal vorschwebte, davon zeugt eine in seinem handschriftlichen Nachlasse vorgefundene Schrift: „Unterricht für Frauenzimmer", deren Inhalt der damaligen Zeit weit vorauseilt. Er sagt in einem Briefe an seinen Freund Eberhard, Professor der schönen Literatur in Halle: „Ich bin noch nicht am Ende meiner Entwürfe. Die gegenwärtige Anstalt ist für alle Stände gleich nothwendig und für den Bürgerstand hinlänglich. Aber es gibt bei uns eine Klasse von Frauenzimmern, die noch mehr Kultur des Geistes nöthig haben; für die möchte ich auch noch gesorgt wissen. Ich habe einen Entwurf gemacht, der das horazische: nonum in annum (bis ins neunte Jahr!) schon überlebt hat, und warte der gelegenen Zeit, um denselben ins Werk zu setzen. Dieser Entwurf ist zu einer Abhandlung erwachsen, in welcher ich mich bemühe, zu zeigen, zu was für Absichten

Frauenzimmer mehrerer Kultur bedürfen, und auf was für eine Art ihnen dieselbe mitgetheilt werden müsse". — Hier erscheinen nun die Fächer der französischen Sprache, Erdbeschreibung, Geschichte mit zweckmässiger Auswahl, Lesen ausgewählter Stellen der besten deutschen Dichter, die Musik und die Zeichenkunst. Es sollte noch lange währen bis zur Verwirklichung dieses Plans; aber es ist von Werth, zu wissen, dass Usteri mit jener ersten und einfachsten Gestalt der Töchterschule noch nicht alles Wünschenswerthe geleistet zu haben glaubte.

Von besonderer Bedeutung für unsern Gegenstand sind auch die Ansichten des staatsmännisch gebildeten und im edelsten Sinn des Wortes aufgeklärten Dr. Paul Usteri,*) der, mit weiterem Blick begabt als sein Vater und dessen Wirken in hohem Grade anerkennend, seine Bestrebungen noch von einem allgemeinern Gesichtspunkt aus darstellt. Was anders ist der Zweck der weiblichen Erziehung, sagt er, als der, Mädchen die Kunst zu lehren, ihres Lebens recht froh zu werden, und insbesondere ihnen durch eine darauf angelegte Bildung die Fähigkeit zu geben, vortreffliche Gattinnen, Vorsteherinnen

*) Paul Usteri wurde als L. Usteris älterer Sohn 1768 in Zürich geboren, erhielt eine vielseitige literarische Bildung im Gymnasium und dem medizinischen Institut und erwarb sich auf der Hochschule Göttingen die medizinische Doktorwürde. In die Heimat zurückgekehrt, wirkte der reichbegabte Mann zuerst als praktischer Arzt und als Lehrer am medizinischen Institut. Von den politischen Zeitfragen lebhaft bewegt, wurde er 1798 in den Senat der helvetischen Regierung gewählt und wirkte in gleichem Sinn und Geist, wie sein Freund Escher von der Linth an der Befestigung der neuen Verhältnisse. Auch in der Consulta von 1802/03 in Paris wirkte er mit, seit der Konstitution von 1814 wurde er Staatsrath des Kantons Zürich. Als ausgezeichneter Publizist liess er im Republikaner, in der Aarauer- und in der Neuen Zürcher-Zeitung oft seine gewichtige Stimme hören, und, während er vorher vom eigentlichen Staatsleben sich zurückgezogen, führte ihn die Bewegung der Dreissiger Jahre aufs neue auf den politischen Schauplatz. Er war's, der die neue Verfassung entwarf, die 1831 einmüthig angenommen wurde; zum Bürgermeister und Präsident des Grossen Rathes gewählt, wurde er 1831 durch einen schnellen Tod seiner segensreichen Thätigkeit entrissen. Auch als Mitglied schweizerischer Vereine, z. B. der helvetischen Gesellschaft, erwarb er sich Verdienste und unermüdlich war er auch schriftstellerisch thätig; davon zeugten theils medizinische Schriften, theils sein Handbuch des schweizerischen Staatsrechts (1813), theils Artikel in in- und ausländischen Zeitschriften (Allg. Zeitung, Morgenblatt, Zschokkes Miszellen u. a.). Siehe Ehrenkranz, geflochten auf der Ruhestätte des sel. Herrn Paul Usteri. Zürich, Orell & Füssli 1831.

des Hauswesens und Mütter zu werden und so zum Wohl des ganzen menschlichen Geschlechts unendlich viel beizutragen. Sollte nun dieser Zweck erfüllt werden können ohne Bildung des Geistes? — Ich denke: Nein. — Daran schliesst er die bedeutenden Worte: „Glücklich genug, dass man in unsern Tagen zurückgekommen ist von dem der ganzen menschlichen Gesellschaft so verderblichen Grundsatz, dass Bildung des Geistes weiblicher Jugend keiner öffentlichen Aufmerksamkeit des Staates würdig — und höchstens in einzelnen Fällen der Privaterziehung überlassen sein möge — und an manchen Orten wenigstens einsehen lernte, dass die Verbindung der Privat- oder Familien-Erziehung und eines öffentlichen gemeinsamen Unterrichts im Allgemeinen die beste und wünschenswertheste Erziehung aller Stände wäre und Vortheile verbände, die nie sich bei blosser Privaterziehung und zehnmal weniger bei noch so hoch und sehr belobten Pensionsanstalten fänden.“ — Mit begeisterten Worten preist er dann die Wechselwirkung zwischen Familie und öffentlicher Schule. Einige Stunden täglich öffentlicher Unterricht und zugleich Einführung durch die Mutter in die unendliche Manigfaltigkeit des häuslichen Lebens, — dort Weckung des Sinnes für das Wahre und Gute und gleichzeitig hier Nahrung der süssesten und heiligsten Empfindungen, die aus der Familie entspringen, — dort Umgang mit den Töchtern verschiedener Stände und dadurch Wetteifer, vortheilhaft für Verstandes- und Charakterbildung, und hier tägliche Lebenserfahrung, die wieder zum Verständniss des Lehrstoffs der Schule geschickter macht, — diese beiden Elemente richtig verbunden, sind die sicher wirkenden Mittel gegen phantastische, romanhafte Erwartungen und Hoffnungen, gegen all' die träumerische Lust, zu der die junge Seele so viel natürlichen Hang hat. —

Wer hört nicht aus diesen Worten die Stimme des Menschenkenners, des Weltmanns von ächt menschlichem Sinn und weitem Blick? — Nicht nur Wahrheit für jene Zeit liegt darin, sondern auch solche, die wir auf die unsrige anwenden können, wenn es sich darum handelt, Töchter im jungfräulichen Alter auf den Beruf der Hausfrau, der Gattin, der Mutter vorzubereiten. Mit gleicher Werthschätzung redet der oben erwähnte Rathsherr und Obmann Hans Heinrich Füssli, in einer Ansprache vom 14. Januar

1794 von der Aufgabe der Töchterbildung. So hielten es Männer, die in den einflussreichsten Stellungen standen, nicht unter ihrer Würde, sich thatkräftig an diesem Theil der öffentlichen Erziehung zu betheiligen und mit dem ganzen Gewicht ihres Ansehens den Mitbürgern die Förderung der edlen Sache zu empfehlen. Ist es nicht ein ehrenwerther Zug im Leben eines ächten Republikaners, wenn er mit Worten ernster Mahnung und freundlicher Ermunterung am Eröffnungstage des Schuljahres* vor die blühende Töchterschaar hintritt, den Lehrerinnen den Flor seiner Vaterstadt zu treuer Pflege und Wartung empfiehlt, sie an ihre grosse Verantwortung erinnert und ohne Umschweife, mit Freimuth, doch auch ohne jede verletzende Zuthat, den Lehrenden und Lernenden auf den Weg durch's neue Schuljahr die treffendsten Winke mitgibt. „Hüten Sie sich, ruft er den Lehrerinnen zu, vor der Versuchung, Ihrem Unterricht einen eiteln Schimmer zu geben, der Ihr wahres Verdienst erniedrigen würde, und ebenso vergaumen sie Ihre Schülerinnen von dem ungesunden Gelüste, jenes gefährliche Geschenk des gefirnissten Vielwissens unnützer Dinge, von Ihrer oder irgend einer andern Hand zu erhalten! — Ihre Freundlichkeit werden Sie mit Anstand zu würzen, Ihren Ernst durch Sanftmuth zu mildern bemüht sein!" Und den Schülerinnen ruft er zu: „Die Gelegenheit, welche sich in unserer Schule euch darbietet, die für euer Geschlecht und euer ganzes künftiges Leben allernützlichsten Kenntnisse euch zu erwerben, und zwar so leicht, so zweckmässig, so ohne allen Kostenaufwand eurer geliebten Eltern bei dieser ohnehin für Reiche und Arme so beschwerten Zeit, ist, glaubt mir's, beinahe ganz einzig in ihrer Art, und, einmal versäumt, auf immer unwiederbringlich." — Darauf empfiehlt er ihnen die ächt weiblichen Tugenden Fleiss, Ordnung, Reinlichkeit bis ins Kleinste hinein und vergisst nicht, ihnen zu sagen, dass Alles, was irgend Eitelkeit heisst und ist, von ihrem Verstand und Charakter bei Vorstehern, Lehrerinnen und Gespielinnen die schlechteste Meinung veranlassen würde, die beste dagegen ein gleichmässig sanftes, bescheidenes Wesen und jene ungezwungene dienstbeflissene Freundlichkeit, die aus zartem, unbefangenem Herzen kommt! —

*) Anrede an die Zürcher'sche Töchterschule. Gehalten den 14. Jenner 1794. Von H. H. Füssli, des Täglichen und Geheimen Raths.

Endlich entspricht es dem ganzen Tenor der würdigen Ansprache, wenn der wackere Patriot kurz vor dem Schluss mit einigem Nachdruck bei folgenden Gedanken verweilt:

„Es ist der ganz eigene rühmliche Nationalzug Eurer guten zürcherischen Vaterstadt, gel. Töchter, dass sich darin immer Männer von vorzüglichen Talenten finden, die neben ihren nächsten Berufsgeschäften sonst noch irgend eine wichtige Arbeit auf ihre geprüften Schultern nehmen und sich dabei statt alles andern Vortheils mit dem reinen Bewusstsein begnügen, die edelste aller bürgerlichen Tugenden, eine gänzlich uneigennützige Gemeinnützigkeit, nicht blos im Munde zu führen, sondern dieselbe wirklich auszuüben.“ — Und weiter: „Möget ihr es nie vergessen, dass schon auf unsrer Wanderschaft hienieden nicht unser Können, sondern unser Thun uns selig macht, und dass vollends, wenn der Traum dieses Lebens einst aus ist, nicht unser Wissen, sondern unsere Werke uns nachfolgen werden.“

Wir dürfen wohl mit diesen goldenen Worten die Geschichte der Gründung und Jugendzeit der Zürcher Töchterschule schliessen, war sie doch selbst ein schönes Denkmal dieses in Zürich waltenden kräftigen Gemeinsinns.

Biographische Notizen über die auf Seite 9 genannten Förderer der zürcherischen Töchterschule.

1. J. J. Steinbrüchel (1729—96), erst Pfarrer in einer würtembergischen Hugenotten-Kolonie, seit 1756 Professor des Griechischen am untern, später am obern Collegium und Chorherr 1776, Verfasser folgender Schriften: Uebersetzung einiger Tragödien des Sophokles 1760, Sophokles, ein Trauerspiel, 1763, Tragisches Theater der Griechen, 2 Thle., 1773.

2. Joh. Konrad Heidegger (1710—78), Bürgermeister, von 1741 Mitglied des Grossen, 1752 des Kleinen Raths, 1759 Staatsseckelmeister, übt von 1768—78 als Bürgermeister grossen Einfluss auf das Staatswesen, auch als Gesandter auf die politischen Verhältnisse der Eidgenossenschaft, und wirkt bei der Durchführung der bedeutenden Reformen im Schulwesen von 1773 kräftig mit. Sein ehernes Brustbild ziert die Stadtbibliothek; seine Verdienste sind gewürdigt in der Denkrede von Dr. J. C. Hirzel (1779), im Neujahrsblatt des Waisenhauses von 1861 und denen der Stadtbibliothek von 1779 und 1841.

3. Hans Kaspar und Hans Heinrich Landolt (ersterer 1702—81, letzterer 1721—80) Verwandte, beide nach einander Bürgermeister in Zürich, nämlich von 1762—78 und von 1778—80, letzterer von 1762 an Rathsherr, von 1768 Standesseckelmeister.

4) Hans Kaspar Meyer v. Knonau (1737—1808), Rathsherr seit 1778, Sohn des Fabeldichters Meyer v. Knonau, charakterisirt im Neujahrsblatt des Waisenhauses von 1876 und im Zürcher Taschenbuch von 1879.

5) Hans Heinrich Keller (1717—76), Offizier in fremden, wahrscheinlich holländischen Diensten, steigt bis zum Generalmajor 1772, verlebt die letzten Lebensjahre in Zürich.

Zweiter Abschnitt:

Von 1794—1833.

Die Anfänge des höhern Mädchenunterrichtes, wie sie sich nach der bisherigen Darstellung in Zürich gestalteten, schienen eine glückliche Weiterentwicklung zu versprechen. Wenn wir aber nun den geschichtlichen Verlauf verfolgen, so müssen wir der allfälligen Erwartung, dass dem ersten Abschnitt eine gleich einlässliche Fortsetzung folgen werde, von vornherein durch die Erklärung begegnen, dass von 1794 an theils die Quellen für unsere Darstellung sehr spärlich fliessen, theils auch in der That nicht viel Neues geschehen ist, wovon Wissenswerthes erzählt werden könnte. Wenn wir sämmtliches zu Gebote stehendes Material über die Zeit von 1794—1833 zusammennehmen, so lässt sich daraus doch nur ein sehr dünner Faden weiterspinnen.* Die Welt hatte an der Wende der Jahrhunderte anderes zu thun als über die Mädchenerziehung nachzusinnen, zum Theil war man froh, wenn man das bisher Gegründete im Sturm der Zeit unter sicheres Dach bringen und dem Untergang entreissen konnte. — Im Stillen bereitete sich freilich ein Umschwung aller Grundsätze der Erziehung, gleichviel ob der Knaben oder Mädchen, vor, der allmälig auch für die spezielle Mädchenbildung mancherlei Frucht abwarf. Auch scheinen in der Methode der von Usteri ins Leben gerufenen Töchterschule allerlei Schattenseiten zu Tage getreten zu sein; besonders genügte nicht mehr der sogenannte individuelle Unterricht, der sich in einzelnen

*) Wohl dürfte vielleicht bei genauerm Nachforschen, wozu es dem Verfasser an der nöthigen Musse fehlte, noch dies und jenes zu finden sein; aber auffallend ist es, dass im Schularchiv mit Ausnahme einer kleinen Broschüre von 1816 und einiger Schülerverzeichnisse von 1812—1833 alle Akten über diese Zeit fehlen.

Fächern mit jeder einzelnen Schülerin speziell abgab, womit zusammenhieng, dass die Schülerinnen derselben Klasse auf sehr verschiedenen Stufen standen und die Gesammtschaar nicht gleichmässig vorrückte. Mit diesen Schwierigkeiten hatte die Schule beim Uebergang ins neue Jahrhundert zu kämpfen, doch wurde ihr stattlich angewachsenes Vermögen (28,556 fl. 3 kr. 6 Hlr.) bei der Ausscheidung der verschiedenen Güter kraft der Aussteuerungsurkunde von 1803 als städtisches Eigenthum erklärt und so für alle Zukunft eine Verwendung im Sinne der edlen Stifter gesichert.

Es war der vielverdiente Antistes Dr. Georg Gessner,* welcher als Freund des Fortschritts im Schulwesen am Anfang des Jahrhunderts auch der Mädchenbildung seine Aufmerksamkeit zuwandte. Die auf Anschauung sich gründende Methode des Elementarunterrichts, welche, von Pestalozzi erfunden, damals sich Bahn brach, hatte auch seinen Beifall gefunden, dagegen hatte man, wie es scheint, in der Zürcher Töchterschule, die indessen durch Unterklassen erweitert worden war, davon keine Notiz genommen, sondern war bei der ältern schwerfälligen Lehrpraxis geblieben. Gessner war bald entschlossen, auf eigene Hand einen Versuch mit der Pestalozzischen Methode zu wagen.** Wir entnehmen folgende Notizen theils der angeführten Biographie, theils dem Neujahrsblatt des Waisenhauses vom Jahr 1848 (verfasst von Dekan Locher in Wytikon): „Zu diesem Ende bildete Gessner selbst eine junge Lehrerin heran. Er sammelte zu seinen eigenen eine Anzahl Kinder von Verwandten und Freunden und liess die Lehrerin unter seiner Aufsicht und Leitung in seiner Studierstube Unterricht ertheilen. Nachher wurde der Unterricht mit der Lehrerin von ihm durchgesprochen, und er scheute keine Mühe, passende Lehrmittel selbst zu verfertigen. Eigenhändig schrieb er ein grösseres Tabellenwerk, aus dem die Schülerinnen Geschriebenes lesen lernten, und gab Veranlassung zu einem andern Werke, zu einer Sammlung von gedruckten

* Geb. in Dübendorf 1765, 1787 ordinirt, erst Vikar seines Vaters, dann Diakon am Waisenhaus Zürich, 1795 Diakon, 1799 Pfarrer am Fraumünster, in zweiter Ehe Schwiegersohn Lavaters, 1828 Antistes und Pfarrer am Grossmünster, 1834 Dr. der Theologie, † 1843.

** Vgl. Dr. G. Finsler, Georg Gessner, ein Lebensbild aus der zürcherischen Kirche, Basel 1862, pag. 119 ff.

Buchstaben, die, einzeln auf Karton aufgezogen, von den Schülerinnen zu Wörtern zusammengesetzt wurden. Ebenso schrieb er — was ihm bei seiner zierlichen Handschrift wohl möglich war — eigenhändig eine Reihe von Schreibvorlagen, die dann durch Kupferdruck vervielfältigt wurden, und gab ein Lesebüchlein heraus u. s. w. Nach Verfluss eines halben Jahres etwa traten die Gründer der neuen Schule mit derselben in die Oeffentlichkeit. In einem beschränkten Lokal auf dem sogenannten Steinhause und nachher in weiterem Raum auf dem Zunfthause zur Meise wurden zwei Klassen errichtet und für die obere eine bei Pestalozzi selbst gebildete Lehrerin angestellt. Gessner nahm sich der Schule in jeder Weise an. Nicht nur stand er den Lehrerinnen stets zur Seite, sondern er ertheilte auch selbst Unterricht in der Geschichte und Geographie, besonders aber in der Religion. Für diesen Religionsunterricht zunächst verfasste Gessner seine „christliche Religionslehre für die zartere Jugend.“ Dieses Büchlein allein schon ist ein lebendiger Beweis von Gessners tiefer pädagogischer Einsicht. Es fand auch vielfache Verbreitung und erschien noch 1825 in fünfter Auflage. Es konnte nicht fehlen: die neue Methode musste auch auf die schon bisher bestehende Töchterschule eine Rückwirkung ausüben. Dies geschah namentlich, als die beiden Töchterschulen im Jahr 1806 vereinigt und unter eine gemeinsame Leitung gestellt wurden. — - - - Der Stadtrath setzte sich mit der Verwaltung der Töchterschule in Verbindung, arbeitete auf eine Erweiterung der Schule hin und übernahm in dem genannten Jahre auch die Gessner'sche Schule mit der Verpflichtung, sie aus dem Stadtärar zu unterhalten. Beide Schulen wurden demgemäss in das gleiche Lokal verlegt und der gleichen Aufsichtsbehörde unterstellt. Die neue Vorsteherschaft wurde aus den beiden bisherigen gewählt. Gessners Erfahrung und Thätigkeit übte auch hier einen sehr wohlthätigen Einfluss, und als 1809 der bisherige Präsident starb, wurde er einstimmig zum Präsidenten der „Kuratel“ und der engern Schulkommission gewählt. Auch den Religionsunterricht an der untern Abtheilung behielt er bei, bis die Vermehrung seiner anderweitigen Arbeiten ihn nöthigte, denselben aufzugeben.

Während so für einen bessern Aufbau der Mädchenschule von unten gesorgt worden war, beschäftigte andere Freunde der weiblichen Bildung der Gedanke, wie man den der Schule ent-

die mittlere Stufe zwischen beiden andern liegend, einen breiten Gürtel bildend, bei dem die Haupteigentümlichkeiten des schweizerischen Molasselandes ganz besonders hervortreten. Gut gepflegte Wälder, Wiesen, Felder berühren sich meist ohne Übergänge, überall sehen wir intensive Bodenkultur und fast nirgends mehr ursprüngliche, urwüchsige, sich selbst überlassene Vegetation. Dieses Gebiet ist in floristischer Hinsicht eines der am wenigsten interessanten unsers Vaterlandes. Zürich, zwar geographisch hieher gehörend, bildet gleichsam wiederum eine Ausnahme, eine Oase inmitten der Gleichförmigkeit dieser mittlern Stufe, und diese Besonderheit verdankt es seiner relativ tiefen Lage — der Zürchersee ist der am tiefsten gelegene unter den schweizerischen Plateauseen — und dieser Umstand wird am nachhaltigsten erkennbar in dem ausgedehnten Weinbau, der an seinen Geländen und im Tale der Limmat sich seit ältesten Zeiten verbreitet hat. Hier nun, wo sich aus dem Tal des Sees der wilde Uto mit seinem alpinen Anstrich erhebt, wo sich noch zahlreiche Sumpfgebiete ausdehnen, finden sich auf kleinem Raum Standorte der allerverschiedensten Art, die eine Menge seltener Gewächse beherbergen, und dazu tritt noch der Umstand, dass diese Gegend seit Jahrhunderten von den Botanikern durchforscht und somit ziemlich wohlbekanntes Terrain aufweist.

Trotz des grossen Reichtums finden sich endemische Pflanzen, d. h. solche, die nur hier vorkommen, nicht vor. Eine Zeitlang konnte der am Ende der Dreissigerjahre am Katzensee entdeckte und von Herrn Prof. Heer, dem Entdecker zu Ehren benannte Bremische Wasserschlauch (Utricularia Bremii) als endemische, dem Gebiet eigentümliche Pflanze gelten, bis er später auch noch anderwärts in der Schweiz, so auf dem Bünzenermoos, und in Deutschland aufgefunden wurde.

Einzig in unserer Gegend dürften aber, so weit wir uns wenigstens erinnern, bis jetzt nur zwei sogenannte Pelorienbildungen* von Orchideen, mit horizontalstehenden, nicht pronirten Blüten, gefunden worden sein, nämlich die mückentragende Ragwurz (Ophrys myodes) und die gemeine Stendelwurz (Orchis morio), beide mit regelmässigen, drei Labelle und letztere auch drei

* Unter Pelorienbildung versteht man Pflanzenindividuen, die ausnahmsweise regelmässige Blüten bilden, während sonst dieselbe Art typisch immer nur unregelmässige, hier seitlich-symmetrische Blumen trägt.

Sporne aufweisenden Blüten*. Die Pelorie von Ophrys, eine äusserst liebliche und zugleich frappirende Erscheinung, brachte uns Herr Prof. Lasius am 29. Mai 1875 vom Zürichberg, diejenige von Orchis morio Herr Apotheker Weber im Juni 1882 von einer Wiese in der Nähe der Faletsche.

In Beziehung auf Vegetationsgrenzen darf erwähnt werden, dass das geschnäbelte Leinblatt (Thesium rostratum), eine Pflanze des europäischen Ostens, am Uto bei Zürich die Westgrenze, und Vaillants Alant (Inula Vaillantii), eine Pflanze des europäischen Westens, in unserer Gegend beim Wengibad und am Greifensee die Ostgrenze ihres Verbreitungsbezirkes erreichen.

Zur bessern Übersicht im einzelnen wollen wir nun die Zürcher Vegetation nach folgenden Gebieten betrachten:

1) die Flora unserer Molasseberge, Uto und Zürichberg;
2) die Flora der Sumpf- und Ufergebiete am Zürchersee, im Sihltal, Limmattal und bei Altstetten, im Glattal bei Örlikon und am Katzensee;
3) die Flora der Kulturflächen, vorab die Ackerflora;
4) die Flora der unkultivirten Schuttstellen, alten Mauern etc., d. h. die Ruderalflora;
5) die Gartenflora.

Die Flora der Berge.

Der Uto, dieser vorgeschobene Posten der Voralpen, ist die an Pflanzen reichste Lokalität und bildet eine unerschöpfliche Fundgrube für den Botaniker. Es erklärt sich dies aus seiner relativen Höhe (873 Meter über Meer) und aus der äussert mannigfachen Gestaltung seiner Bodenoberfläche, die an vielen Stellen jede Kultur unmöglich macht, und es nicht einmal dem Förster erlaubt, dem Botaniker durch Anlage geschlossenen Waldes die freie urwüchsige Natur zu verdrängen. In buntem Wechsel finden sich sonnige Gräte und tief eingeschnittene feuchte Schluchten, Laubwälder und Nadelwälder, an den Kämmen Mischwälder** und

* Herr Prof. Dr. Reichenbach fils in Hamburg, der erste Orchideenkenner, dem wir diese zwei Bildungen vorgewiesen haben, hat erklärt, dass er solche bis jetzt noch nicht gesehen habe.

** Der Wald des Uto im allgemeinen besteht aus fast sämtlichen Bäumen und Sträuchern des schweizerischen Plateaus, von den hochstämmigen Tannen

Gebüsche, sonnige und schattige Abhänge, dazwischen dehnen sich sowohl nasse als trockene Wald- und Bergwiesen aus, die oft allmälig in wilde Riedwiesen übergehen; in den höhern Partieen aber treffen wir abschüssige Stellen, an denen die Oberfläche des Erdreiches in steter Bewegung ist, und zu oberst an vielen Orten Felspartieen, sowohl trockene als feuchte — alles in allem ein wahres Labyrinth, in welchem man sich oft erst lange orientiren muss, um eine gewisse Stelle später sicher wieder zu finden.

Die ergibigsten Stellen am Uto sind die am Abhang gelegenen Bergmatten, die niemals umgebrochen und nur einmal im Jahre und spät erst gemäht werden, sowie die zum Kamm des Berges emporsteigenden steilen Gräte, an welchen der abschüssige Boden, das Gebüsch und der Föhrenwald den Gebrauch der Sense nicht zulassen, und doch das Gebüsch so licht und der Föhrenwald so locker und niedrig ist, dass dadurch eine üppige Gras- und Krautvegetation eher geschützt als verdrängt wird. Das sind die freien wilden Gärten, die nicht nur vom Botaniker, sondern auch vom blumenliebenden Städter häufig begangen werden, — die Stellen, wo der Frauenschuh, die Insektenorchis, die Maililie und so viele andere Pflanzen wachsen, die in grossen und kleinen Botanisirkapseln und in frei von Hand getragenen Sträussen jeden Sommer zahllos vom Berge heruntergebracht werden.

Für den Botaniker ist das Auffallendste an der Vegetation des Uto der alpine Anstrich. Wir finden nämlich daselbst eine Anzahl Pflanzen, die wir sonst nur in den Alpen zu sehen gewohnt sind, — Kolonieen von Alpenpflanzen, die sich seit der Eiszeit, als Überbleibsel der damals bis ins Tiefland vorgedrungenen alpinen Vegetation an günstigen Orten bis jetzt erhalten haben. „Sie erscheinen da wie verlorene, von lauter Ebenenbewohnern umringte Kinder der Alpen.“ (Heer, Urwelt der Schweiz, p. 582.)

So findet sich an den höhern Gräten in Menge die Bergföhre (Pinus montana uncinata), dann die alpige Rose (Rosa alpina); in feuchten, schwer zugänglichen Schluchten, aber nur an einer Stelle: Fleischers Weidenröschen (Epilobium Fleischeri) und daneben das Alpenleinkraut (Linaria alpina); an nassen Abhängen

---

und Fichten, Eichen, Buchen, Hagenbuchen, Ulmen, Ahorn, Linden, Birken bis hinunter zur niedrigen Felsenbirne (Amelanchier) und dem noch niedrigern Felsenapfel (Cotoneaster). An der Manegg stehen viele Eibenbäume (Taxus).

hin und wieder das Alpen-Fettkraut (Pinguicula alpina) und der gelbe niedrige Steinbrech (Saxifraga aizoides); an den Felsen der Höhe die kleine Glockenblume (Campanula pusilla) und an abschüssigen kahlen Stellen der obern Partie der schneeweisse Huflattig (Petasites niveus), nicht zu verwechseln mit dem ebenfalls vorkommenden weissen Huflattig (Petasites albus). Dieser Petasites niveus kommt an zwei Stellen am Uto vor, über dem Friesenberg und über dem Kolbenhof, an dem einen Ort sogar in grosser Menge, wenn auch wenig blühend, — und doch wurde er erst in neuerer Zeit (ob dem Friesenberg 1875 und ob dem Kolbenhof 1882) beobachtet. Wenn man bedenkt, wie viele Botaniker schon, in alter und neuer Zeit, den Uto (Hütleinberg bei Joh. von Muralt, Mons Uetliacus bei Gessner, Scheuchzer, Haller und Gaudin) abgesucht haben, so gibt das nur einen Beweis für den unerschöpflichen Reichtum unseres Berges.

Neben diesen, so eben aufgezählten Pflanzen finden sich weiter: die grossblättrige Weide (Salix grandifolia), die Bergflockenblume (Centaurea montana), das Alpen-Geissblatt (Lonicera alpigena), die gelben Fingerhüte (Digitalis ambigua, lutea und vereinzelt media), die Wald-Distel (Carduus defloratus), gelber Aconit (Aconitum Lycoctonum), die klebrige Salbei (Salvia glutinosa), Alpenziest (Stachys alpina), die Türkenbundlilie (Lilium Martagon), zwar nicht eigentliche Alpenpflanzen, aber doch vorzugsweise Bewohner der Gebirgsgegenden unserer Voralpen.

Gross ist die Zahl der übrigen Pflanzenarten, die am Uto wachsen; wir wollen jedoch nur einige der bemerkenswertesten aufzählen. Am Uto und Albis finden sich die klassischen Stellen, wo Joh. Scheuchzer unter andern Gräsern mit grossem Scharfblick den amethyst-farbenen Schwingel (Festuca amethystina) entdeckt hat, der nachher in Vergessenheit geriet und den wir am 9. Juni 1880 in Menge wieder nachgewiesen haben.

Im Frühjahr bringt eine Exkursion: Frühlings-Knotenblume oder Märzenglöckchen (Leucojum vernum), zweiblättrige Meerzwiebel oder wilde Gläsli (Scilla bifolia, am Abhang gegen Uitikon), Wunderveilchen (Viola mirabilis), Lungenkraut (Pulmonaria officinalis), weisser Huflattig (Petasites albus), gefingerte Zahnwurz (Dentaria digitata), Schuppenwurz (Lathræa Squamaria), — alles Gewächse, deren Zwiebeln und Rhizome den Winter über von der Laubdecke des Waldes geschützt sind, und die zu einer Zeit hervorbrechen, da der Laubwald noch nicht viel Schatten bringt,

d. h. noch nicht belaubt ist. die freie Bergwiese aber noch tot und fuchsfarbig sich zeigt.

Später erwachen dann auch die Wiese und der Graswuchs um die lichten Gebüsche und es erscheinen namentlich an sonnigen Abhängen: Frühlings-Enzian (Gentiana verna), immergrüne Kreuzblume (Polygala Chamæbuxus), Fettkraut (Pinguicula), Mehlprimel (Primula farinosa), letztere zwei gern an feuchten Stellen.

Im Mai rücken die Orchideen in die Linie, wie braune und angebrannte Orchis (Orchis fusca und ustulata), Frauenschuh (Cypripedium), Insektenorchis und andere; ferner geschnäbeltes Leinblatt (Thesium rostratum), Maililie (Convallaria majalis), niedrige Scorzonere (Scorzonera humilis), Felsenbirne (Amelanchier vulgaris) etc.

Im Sommer findet man: Knollige Spierstaude (Spiræa Filipendula), Christophskraut (Actæa spicata), Gamander-Ehrenpreis (Veronica Teucrium), Immenblatt (Melittis Melissophyllum), grüngelben Klee (Trifolium ochroleucum), Ochsenauge (Buphthalmum salicifolium), abgebissenen Pippau (Crepis præmorsa), knollige Kratzdistel (Cirsium bulbosum), Waldwicke (Vicia sylvatica), weidenblättrigen Alant (Inula salicina), grossen gelben Steinbrech (Saxifraga mutata), durchwachsenen Bitterling (Chlora perfoliata), Schmeerwurz (Tamus communis), Preisselbeere (Vaccinium Vitis Idæa), Schattenblume oder Zweiblatt (Majanthemum bifolium), viele Orchideen, wie: Pyramiden-Orchis (Anacamptis pyramidalis), Gymnadenien, Zungenständel (Platanthera), Insektenständel (Ophrys apifera), Herminie, Kopfanthere, Listere, Gudyere und eine Art Bärlapp (Lycopodium annotinum). Nach Johannes von Muralt muss auch die Natterzunge (Ophioglossum vulgatum) auf „etlichen feuchten Matten am Hütleinberge“ vorkommen.

Gegen den Herbst erscheinen die grossen blauen Enziane, Gentiana asclepiadea und Gentiana Pneumonanthe und die kleine gefranste Gentiana ciliata, wilder Bergaster (Aster amellus), einige Dolden, wie: Laserpitium latifolium und prutenicum, Selinum Carvifolia, Peucedanum Cervaria.

Den Reigen schliesst im September die Herbst-Drehblume (Spiranthes autumnalis), eine Orchidee mit kleinen grünlichweissen Blüten in schlanker gedrehter Ähre, auf den Wiesen über dem Kolbenhof.

Der Zürichberg ist niedriger, viel zahmer als der Uto und entbehrt des alpinen Charakters, nur an nassen Abhängen und auf einzelnen zerstreuten erratischen Blöcken ist etwas davon zurückgeblieben. Die Wälder sind geschlossener und dichter und es fehlen ausgedehnte unkultivirte Abhänge. Doch auch an den Zürichberg lohnt sich eine Exkursion. Bekannt sind die sumpfigen Bergwiesen bei Wytikon, wo im Frühjahr der niedrige Frühlings-Enzian ganze Strecken blau färbt, und die liebliche Mehlprimel (Primula farinosa) und das Alpen-Fettkraut (Pinguicula alpina) in unzähligen Exemplaren das Auge des Pflanzenfreundes anziehen. Wilde Abhänge, die ebenfalls botanisch interessant, aber von geringerer räumlicher Ausdehnung als am Uto sind, treffen wir in den tiefeingeschnittenen Schluchten des Säge- oder Stockentobels am Ostabhang, und des Riesbach- oder Rehtobels am Westabhang des Zürichberges.

Eine ganze Reihe der selteneren Utopflanzen fehlen dem Zürichberg, vorab mit Ausnahme von Pinguicula, Saxifraga aizoides und Rosa alpina, sämtliche eigentlich alpinen; dann Scorzonera humilis, Spiræa Filipendula, Thesium rostratum, Veronica latifolia, Dentaria digitata etc.

Nur wenige dagegen hat der Zürichberg vor dem Uto voraus, so das Waldläusekraut (Pedicularis sylvatica), grüngelblich blühendes Wintergrün (Pyrola chlorantha), die Kugelblume (Globularia vulgaris), kriechende Weide (Salix repens), braunrote Taglilie (Hemerocallis fulva), Wald-Kreuzkraut (Senecio sylvaticus), und auf erratischen Blöcken ob Fällanden den kleinen nordischen Streifenfarrn (Asplenium septentrionale).

Ein Spaziergang nach dem von uns zum Zürichberg gerechneten Käferberg wird im Frühling belohnt durch die zweiblättrige Meerzwiebel (Scilla bifolia), die übrigens auch im Walde auf dem Ausläufer des Uto bei Uitikon wächst.

In den Wäldern bei Örlikon treffen wir die Schuppenwurz (Lathræa Squamaria), gefleckten Aron (Arum maculatum), Schachtelhalm (Equisetum hiemale), goldgelben Hahnenfuss mit unzerteilten Wurzelblättern (Ranunculus auricomus), das Waldschaumkraut (Cardamine sylvatica), verlängerte Segge (Carex elongata), und andere mehr.

Die Flora der Seen, Flüsse und Sumpfgebiete der Ebene.

Der Zürchersee, lacus Tigurinus der ältern Autoren, war früher mit seinen Sumpfgebieten am Horn und in der Enge viel genannt in der botanischen Literatur. Allein im Laufe der Zeiten hat sich da gar vieles geändert; die Flora hat daselbst eine ganze Reihe seltener Repräsentanten verloren. Herr Prof. Heer hat schon im Jahre 1864 in seiner Eröffnungsrede bei der Jahresversammlung der schweizerischen naturforschenden Gesellschaft in Zürich mit folgenden Worten darauf aufmerksam gemacht: „Je mehr die Stadt und die Dörfer längs des Zürichseeufers sich ausbreiten, desto mehr rückt dasselbe in den See hinaus, und nach und nach verschwinden alle seichteren Stellen. Das Festland rückt immer mehr an die Halde, das heisst an den Rand des steil abfallenden Seebodens hinaus. Diese seichteren Stellen des See's und die daran sich anschliessenden Sümpfe sind aber die Wohnstätten zahlreicher Pflanzen, die verschwinden, wie diese ausgetrocknet werden. So ist in den letzten Jahren durch Zuwerfen eines Grabens in der Enge eine seltene Pflanze, die Limosella aquatica, für unsere Flora verloren gegangen, und auch die Ausfüllungen am Horn haben uns mehrerer seltneren Bürger (Lysimachia punctata, Heleocharis acicularis, Nitella syncarpa) beraubt."

Aber nicht nur in diesem Jahrhundert, sondern schon im vorigen, hat sich diese Erscheinung gezeigt, wie aus dem folgenden Beispiel hervorgeht.

Unter den botanischen Reliquien, das heisst zurückgelassenen Pflanzen der beiden Scheuchzer, die in den Herbarien des schweizerischen Polytechnikums aufbewahrt werden, findet sich unter andern eine leicht kenntliche, etwa zwei bis drei Fuss hohe Simse, mit kugeligem Blütenstand, zugespitzten Bälgen und scharf dreikantigem Halm, Scirpus mucronatus L., in mehreren Exemplaren, die Joh. Scheuchzer seinerzeit am Horn gesammelt hat.

Joh. Scheuchzer (1684—1737), der Bruder des bekannteren Joh. Jakob Scheuchzer, schreibt von diesem Scirpus, den er „Scirpocyperus paniculâ glomeratâ" nennt, und über dessen Identität nach der genauen Beschreibung, der Abbildung und den zurückgelassenen Exemplaren des Joh. Scheuchzer nicht der geringste Zweifel sein kann *, in seiner im Jahre 1719 herausgegebenen Agrostographia Folgendes: „Es ist gemein an sumpfigen und nassen Orten um Zürich, besonders am Vorgebirge des Zürchersees, das gemeinhin das Horn genannt wird" **.

Diesen Scirpus hat nach Scheuchzer niemand mehr um Zürich gesehen, und zwar muss derselbe nicht erst in diesem, sondern schon im vorigen Jahrhundert verschwunden sein, denn A. von Haller übergeht diese auffallende Pflanze in seiner Historia stirpum Helvetiæ, Bernæ 1768, mit Stillschweigen, und doch müsste er sicher von seinem Freunde Johannes Gessner in Zürich, mit dem er in Dezennien langem, lebhaftem botanischem Verkehre stand, von dem Vorkommen dieser Pflanze am Horn Nachricht bekommen und Kenntnis erhalten haben, wenn sie zu Gessners († 1790) Zeiten noch vorhanden gewesen wäre. Die Exemplare Scheuchzers tragen an ihren Wurzeln schwarze Torferde, wie sie in diesem Jahrhundert längst nicht mehr am Horn zu sehen war. Wahrscheinlich wurde dieser Torfboden im vorigen Jahrhundert durch die Schutt- und Geröllüberführungen des Hornbaches verdrängt und zugedeckt.

In unserm Jahrhundert aber sind es besonders die Ausfüllungen durch Menschenhand, die auf die Verarmung der Flora eingewirkt haben, und zwar geht dieser Prozess langsam aber sicher vor sich, bis auf den heutigen Tag. Die oben von Prof. Heer erwähnte Lysimachia punctata fand sich noch in den Zwanzigerjahren nach Gaudins Flora Helvetica Vol. I, pag. 71, häufig am Horn (Tiguri, in promontorio Horn, copiose!). Aber schon 1839 muss A. Kölliker in seinem Verzeichnisse der phanerogamen Gewächse des Kantons Zürich schreiben: „Lysimachia punctata findet sich nicht mehr am Horn, sie ist wohl durch Urbarmachung der Sümpfe verschwunden." Dasselbe ist mit dem Pfeilkraut (Sagittaria) der Fall, von dem ebenfalls schon Kölliker sagt: „Jetzt wohl ausgereutet."

---

* Es ist ganz sicher unrichtig, wenn mein l. Freund Prof. Dr. Brügger in seinen Mitteilungen über neue Pflanzenbastarde, Chur 1882, Seite 108 u. ff., diese Scheuchzerische Pflanze nicht als Scirpus mucronatus L. will gelten lassen, sondern dieselbe als Scirpus triqueter Autor. deutet.

** Locis paludosis et udis circa Tigurum communis est, speciatim in udis promontorii Lacus Tigurini, quod vulgo „das Horn" vocatur. Scheuchz. Agrostographia, pag. 405.

Bis in die neuere Zeit, das heisst bis in den Anfang der Siebenzigerjahre hinein, konnte man trotzdem am Horn immer noch finden: Gelbe Wiesenraute (Thalictrum flavum), scharfkantigen Lauch (Allium acutangulum), Sumpfkreuzkraut (Senecio paludosus), Sumpf-Platterbse (Lathyrus palustris), Lachenals Rebendolde (Oenanthe Lachenalii, früher peucedanifolia genannt), Sumpf-Gnadenkraut (Gratiola palustris), Sumpfrispengras (Poa palustris seu serotina), nebst noch anderen weniger wichtigern Sumpfpflanzen. Gegenwärtig wird das meiste davon für immer verschwunden sein, und was etwa noch vorhanden ist, dem wird vollends durch den neuen Seequai das sichere Grab bereitet werden.

Dasselbe ist am See in der Enge der Fall. Bis in die letzten Jahre sah man dort noch hie und da ein vereinzeltes Exemplar des giftigen Hahnenfusses (Ranunculus sceleratus), der daselbst früher häufig war, und nebst allen andern, mit der schon früher erwähnten Limosella auf Nimmerwiedersehen der Vergangenheit angehört.

Im See selbst haben sich an den Stellen, wo man bei niederm Wasserstand und klarem Wasser noch auf den Grund sehen kann, nur die unter Wasser gedeihenden Armleuchtergewächse (Characeen, Nitella hyalina und syncarpa), Hornblatt (Ceratophyllum), hie und da eine Najas und solche Pflanzen erhalten, die aus der Tiefe zur Zeit der Blüte die Oberfläche zu erreichen vermögen, wie das gemeine Schilfrohr (Phragmites communis), die grosse Seebinse (Scirpus lacustris), das glänzende und das durchwachsene Laichkraut (Potamogeton lucens und perfoliatus), das Federkraut oder Tausendblatt (Myriophyllum); und in der Limmat der dem Zuge des Wassers widerstehende flutende Hahnenfuss (Ranunculus fluitans).

Als einziger Ersatz für den zu Grunde gegangenen Reichtum ist die amerikanische Elodea, die bekannte Wasserpest, in den letzten Jahren im See erschienen. Sie fand sich schon vor 1870 als ungerufener Gast im Bassin des hiesigen botanischen Gartens ein, war seither trotz grosser Mühe nicht mehr daraus zu vertreiben und muss sich auf irgend eine Art, wahrscheinlich durch die Vermittlung des Aquariums dem See mitgeteilt haben. Im Jahre 1881 war sie in demselben schon so stark verbreitet, dass sie am Sonnenquai und bei Wollishofen sogar die kleine Schiffahrt beeinträchtigte und in grossen Massen ans Land gezogen werden musste. Es bildeten sich damals ausgedehnte unterseeische Wiesen dieses schon durch kleine Rhizome und Stengelstücke sich rasch vermehrenden See-Unkrautes, das im genannten Jahre infolge des niedern Wasserstandes und der relativ hohen Temperatur des Seewassers in Masse zur Blüte gelangte; es waren aber alles nur weibliche Exemplare, die männlichen Individuen sind auch in ihrer Heimat, Amerika, selten. Die Vermehrung geschieht bei uns also bloss vegetativ.

Im Jahre 1882 waren Wasserstand und Wasserwärme der Elodea nicht günstig. Die Wucherung war viel geringer, und zum Blühen brachte sie es bei uns nirgends. Im Bassin des botanischen Gartens brachte sie überhaupt noch gar nie Blüten hervor.

Die Sihl hat keine Sümpfe und daher auch keine nennenswerten Sumpfpflanzen aufzuweisen; denn das Tal ist zu enge und das Gefälle zu stark. Dafür treten an ihren Ufern und Böschungen einige Alpen- und Bergpflanzen auf, die dem benachbarten Uto und Albis fehlen, und die unbedingt aus dem obern Sihltal, sowohl der Molasse- als Kalkgegend des Kantons Schwyz, heruntergeschwemmt, durch das Medium des Sihlstromes nach abwärts verpflanzt sein müssen — ein Phänomen, das wir auch an andern schweizerischen Flüssen beobachten können. Dahin gehört besonders der Bergranunkel (Ranunculus montanus), der sich bleibend in der Tiefe des untersten Sihltals festgesetzt hat. Wir finden ihn jedes Jahr in zahlreichen Exemplaren hart am Ufer bei der Papiermühle und aufwärts bis an das Ende unseres Gebietes bei Leimbach. Weniger häufig sind das langblättrige Hasenohr (Bupleurum longifolium) und die quirlblättrige Maililie (Convallaria verticillata), die in der Gegend der Teufelsbrücke im Kanton Schwyz zu Hause sind, sowie der blaue Eisenhut (Aconitum Napellus); auch das kriechende Gipskraut (Gypsophila repens) findet sich hin und wieder auf den Schotterbänken und sogar der Alpenranunkel (Ranunculus alpestris) wurde einmal daselbst gefunden. In Gebüschen an der Sihl wachsen ferner, jedoch nicht herabgeschwemmt: Gekielter Lauch (Allium carinatum) und Haselwurz (Asarum europaeum).

Wenn an der Limmat unterhalb Zürich noch heruntergeschwemmte Alpen- und Bergpflanzen vorkommen, so können sie nur der Sihl angehören und nicht durch die Linth heruntergeschwemmt sein, denn den langen Zürchersee vermögen sie nicht zu überschreiten.

Auf der Limmat-Insel bei Altstetten kommt das nordische Darrgras oder Mariengras (Hierochloa borealis) vor, eine wohlriechende Graminee, von der man lange nicht begreifen konnte, wie sie dahin gelangt sei, da sie sonst im ganzen Lande fehlte. Erst als man diese Pflanze in den kalten Sihlsümpfen bei Einsiedeln, wo noch andere nordische Überbleibsel vorkommen, entdeckt hatte, war eine annehmbare Erklärung möglich: die Hierochloa ist mit dem Laufe der Sihl während eines Hochwassers herabgewandert. Sie hatte sich in den Vierzigerjahren in grosser Menge auf der Insel verbreitet. Leider wird dieser interessante Bürger unserer Flora durch die überhandnehmende Bewaldung der Insel wieder verdrängt. Man fand in den jüngsten Jahren nur noch einige wenige Individuen.

Weiter abwärts ist von den Ufern und Inseln der Limmat nichts Bemerkenswertes bekannt.

Mehr landeinwärts, das heisst zu beiden Seiten der Eisenbahn oberhalb Altstetten stossen wir auf ausgedehnte Sumpfflächen, die einige seltenere Pflanzenarten aufweisen, wie sie sonst nur an Seen vorkommen; es wachsen daselbst das Sumpfkreuzkraut (Senecio paludosus), das Sumpf-Gnadenkraut (Gratiola palustris), die sibirische Iris (Iris sibirica), Buxbaums Segge (Carex Buxbaumii) und die fadenförmige Segge (Carex filiformis), nebst andern Cyperaceen, alles Pflanzen, wie wir sie am obern Zürichsee sehen und die den Sumpfwiesen bei Altstetten entschiedenen Seecharakter verleihen. Namentlich Carex filiformis, die daselbst an einer Stelle in Menge vorkommt, aber nur in ganz nassen Sommern in Halme zu schiessen vermag, in trockenen Sommern dagegen bloss noch in schwer zu findenden Rasen fortvegetirt, und die wir sonst nur im seichten Wasser am Rande der Seen antreffen, deutet auf ehemalige offene Wasser- und Seeflächen hin, eine Ansicht, die durch Prof. Heim ihre Bestätigung erhielt.

Etwas ganz Ähnliches ist vom Glattal bei Örlikon zu zu bemerken. Auf den Torfgebieten nahe bei Örlikon, im Winkel zwischen der Bülacher und Winterthurer Bahn, weit ab vom Inundationsgebiet der Glatt, kommen vor: Gelbe und weisse Seerose (Nymphæa alba und Nuphar luteum), der grosse gelbe Wasserhahnenfuss (Ranunculus Lingua), die gelbe Wiesenraute (Thalictrum flavum), Sumpf-Haarstrang (Peucedanum palustre), der Wassernabel (Hydrocotyle vulgaris), das Sumpfkreuzkraut (Senecio paludosus), der scharfkantige Lauch (Allium acutangulum), Hornemanns Laichkraut (Potamogeton Hornemannii), grosse Seebinse (Scirpus lacustris), kleinster Igelkolben (Sparganium minimum), kleiner, mittlerer und gemeiner Wasserschlauch (Utricularia minor, intermedia und vulgaris), — eine Gesellschaft, wie wir sie genau so am Greifensee finden. Also auch bei Örlikon ausgeprägter Seecharakter, worauf schon die Torfbildung hinweist; denn jedes Torfloch wird daselbst zur Wasserfläche. Möglicherweise hatte auch die Glatt früher einen ganz andern Lauf, so dass dadurch eine Ausbreitung der Greifenseepflanzen bis in die Nähe von Örlikon vermittelt wurde.

Während der Zürchersee, wie wir oben gesehen haben, aus der Reihe der bevorzugten botanischen Exkursionsgebiete verschwunden ist, bewahrt dagegen der Katzensee, diese altklassische botanische Lokalität, lacus Felinus bei Gessner, Scheuchzer, Haller, Gaudin, lacus Cati bei Wahlenberg geheissen, — noch immer seine alte Anziehungskraft. Der Katzensee liegt ausser dem Bereiche der zürcherischen Nivellirungswut, und selbst die moderne Nationalbahn, die seine sumpfigen Umgebungen streift, ist an der ruhigen Natur des stillen Geländes vorbeigegangen, ohne sie zu alteriren. Man hat ihn zwar vor einigen Jahren etwas tiefer gelegt, indem man seinen Ausfluss, der früher über Seebach in die Glatt ging, durch einen Kanal in entgegengesetzter Richtung über Buchs und Würenlos in die Limmat leitete; dadurch wurde der Wasserspiegel um etwa zwei Fuss herabgesetzt, allein die neuen Abzugsgräben haben zu wenig Gefälle, verschlammen immer wieder von neuem, und die sumpfigen Stellen sind fast dieselben geblieben wie vorher, so dass wir in der neuesten Zeit gar keine Abnahme des von Alters her bekannten Reichtums an Sumpfpflanzen wahrnehmen konnten, die auf diese Abgrabung zurückzuführen wäre. Im einzelnen freilich macht sich auch selbst an dem abgelegenen Gelände dieses Sees der Wechsel der Zeiten bemerkbar. Lacus et felini tempora mutantur! Auch am Katzensee kommen Pflanzen und verschwinden wieder. Umsonst sucht man daselbst gegenwärtig und seit Jahren, jene kleine Utricularia, die der minor ähnlich ist, aber ein flaches, nicht umgerolltes Labell besitzt, Utricularia Bremii genannt, die lange Zeit nur vom Katzensee bekannt war (siehe Einleitung); umsonst ebenfalls die seltene Isnardia palustris, die in den Vierzigerjahren noch daselbst zu finden war. Die neuere Wissenschaft erklärt sich die Sache so, dass sie sagt, diese Species haben sich überlebt — sie stehen auf dem Aussterbe-Etat. Bevor wir zu dieser Hypothese greifen, suchen wir uns diese Erscheinung durch näherliegende, handgreiflichere Ursachen zu erklären und finden eine Erklärung in der Torfgewinnung. Diese hat ganz gewaltige, tief eingreifende Terrainveränderungen zur Folge. Ist eine grössere oder kleinere Torffläche über das Niveau des Wasserspiegels hinaufgewachsen, so wird die Oberfläche trocken und wir finden dann daselbst die Heide (Erica vulgaris), Hundsveilchen (Viola canina), Tormentill (Tormentilla erecta), Polygala-Arten, Herminie (Herminium Monorchis), Ruchgras (Anthoxanthum) und andere Gräser, Borstengras (Nardus stricta) und rasige Simse (Scirpus cæspitosus), letztere zwei zwar nicht am Katzensee, wohl aber am Pfäffikersee bei Robenhausen. Wird der Torf gegraben, so tritt an die Stelle des festen Landes eine Wasserfläche, die ganze frühere Vegetation muss an dieser Stelle samt und sonders zu Grunde gehen und verschiedenen Wasserpflanzen Platz machen, sowohl schwimmenden, wie Wasserlinsen (Lemna), Wasserschläuchen (Utricularia), als auch solchen, die auf dem Boden des Wassers wurzeln, wie Laichkräutern (Potamogeton, besonders natans), Tausendblättern (Myriophyllum), Armleuchtergewächsen (Characeæ), Seerosen (besonders Nymphæa alba), Schafthalmen (Equisetum limosum), dem Wasserschierling (Cicuta virosa), dann Schilfrohren (Phragmites), grossen Seggen (Carex stricta), Binsen und Simsen. Doch auch diese Vegetation kann nur auf die Dauer einiger Jahre an einer und derselben Stelle ein ungestörtes Dasein fristen. Die Wasserpflanzen bilden allmälig ein dichtes Wurzelgeflecht, welches nach und nach über den ganzen Graben sich hinzieht, denselben zuschliesst und das offene Wasser verdrängt. Die Torfgrube wird auf diese Art ganz mit einer zusammenhängenden Filzdecke überzogen, wie uns das ausführlich Herr Prof. Heer in seiner Urwelt schildert. Eine Zeit lang freilich ist dieselbe noch so dünn, dass Menschen und grössere Tiere, die darauf sich wagen, durchbrechen und in den schwarzen Moderschlamm versinken können. Oder wenn sie auch uns zu tragen vermag, so schwankt doch die Decke auf grosse Strecken weit und lässt das Wasser von unten durchdringen. Das sind die eigentümlichen sogenannten „schwingenden“ Böden der dritten Formation, auf denen sich wieder eine ganz neue Vegetation ansiedelt. Es stellen sich die Torfmoose (Sphagnum) ein, mehrere Seggen: die zweihäusige, die fadenwurzelige, die Schlammsegge (Carex dioica, chordorrhiza, limosa etc.), das Alpen-Wollgras (Eriophorum alpinum), die Moosbeere (Oxycoccos), der sogenannte insektenfressende Sonnentau (Drosera), Lœsels Sturmie oder Zwiebelorche (Sturmia Lœselii).

Doch auch diese Vegetation ist nicht von ewiger Dauer. In der breiartigen Modermasse, welche unter der Filzdecke sich findet, geht die Tortbildung immer fort, die Decke wird immer dicker, bis sich die breiige Masse in Torf verwandelt hat und die feste Masse auf dem Boden aufruht; nachher wächst sie nach oben fort und erhebt sich nach und nach über das Niveau des Wasserspiegels; die charakteristischen Pflanzen des schwingenden Bodens verschwinden mit diesem, und wir bekommen an der nämlichen Stelle wieder die anfangs geschilderte Heidevegetation, bis durch frühern oder spätern Torfstich der soeben dargestellte Cyclus von neuem beginnt.

Da die Torfgewinnung aber niemals zu gleicher Zeit über das ganze Torfgelände, sondern nur in zerstreuten Parzellen, stattfindet, so bevölkern sich die durch den Torfstich veränderten Stellen sehr bald aus der Nachbarschaft mit den, der jeweiligen Bodenformation zusagenden, über das ganze umliegende Torfgebiet vorkommenden Pflanzen. Diese wandern von Heide zu Heide, von Torfloch zu Torfloch, von einem schwingenden Boden zum andern. Findet sich jedoch irgend eine Pflanze nur an einer engbegrenzten Stelle, so kann dieselbe, falls ihre Lokalität mit einem Male von Grund aus verändert wird, für immer verschwinden. Das ist nun am Katzensee mit Utricularia Bremii und Isnardia palustris der Fall. Bei Robenhausen ist das Nämliche für den, nur an sehr circumscripter Stelle wachsenden kammförmigen Schildfarren (Aspidium cristatum) zu befürchten.

Andere Pflanzen kommen und verschwinden, und tauchen nach längerer oder kürzerer Zeit wieder auf. „Das war auch ein guter Griff", sagte der Exkursionsführer am 13. Mai 1876 am Katzensee in der Nähe des Wirtshauses, nachdem er sich gebückt hatte und die fadenwurzelige Segge (Carex chordorrhiza) in der Hand hielt, die der Schwede Wahlenberg am 1. Oktober 1812 am Katzensee entdeckt hatte, und die man nachher wieder Dezennien lang daselbt — bis 1876 — nicht mehr finden konnte. Sie findet sich seither constant an zwei Stellen am Katzensee.

Am 22. Juli 1876 stiessen wir an einer Stelle, die wir seit Jahren regelmässig berührten, unerwartet auf eine ganze Zahl von Exemplaren des grossen, leicht sichtbaren Wasser- oder Rossfenchels (Phellandrium aquaticum), den schon Kölliker im Jahre 1839 für den Katzensee aufführt, den wir aber seit dem Anfang der Fünfzigerjahre bis heute nur an jenem 22. Juli 1876 bemerken konnten. Schon in dem Sommer darauf, 1877, war keine Spur mehr davon zu sehen. Vielleicht war dieser seltene Bürger durch Wasservögel zufällig verschleppt oder durch Botaniker absichtlich ausgesäet.

Doch das sind alles nur wenig ins Gewicht fallende Einzelheiten, und gross ist zu jeder Zeit trotzdem der Reichtum an Pflanzen, welcher die Zürcher-Botaniker immer wieder von neuem zum Katzensee pilgern lässt, wie von Alters her.

Wenn wir nach glücklich beendigter Exkursion dort auf der bekannten Altane am See Rast halten, unsere Blicke zurück über die stillen Ufer gleiten lassen, — fernab vom Geräusche der Hauptstadt kein Laut sich regt, und höchstens ein Wasservogel oder ein Falke durch die Lüfte dahinzieht, so versenkt sich ein sinniges Gemüt gerne zurück in die Vergangenheit; und da steigen sie dann empor vor unserem geistigen Auge, die alten botanischen Heroen vergangener Jahrhunderte. Da erscheinen, um nur die bekanntesten aufzuzählen: Zuerst Gessner, der ältere (Conrad), aus dem sechszehnten Jahrhundert; dann Johannes von Muralt und die beiden Scheuchzer, aus dem Ende des siebzehnten und Anfang des achtzehnten Jahrhunderts; dann Gessner, der jüngere (Johannes, Stifter der naturforschenden Gesellschaft von Zürich), der Chorherr Schinz, J. J. Römer und Paul Usteri, in dessen Annalen schon die insektenfangenden Drosera besprochen werden, aus dem Anfange des gegenwärtigen Säculums der Schwede Wahlenberg, Schulthess, Gaudin, Hegetschweiler, Bremi und der noch unter uns weilende Professor O. Heer. Der letztere hat seit der Gründung der Zürcher Universität 1833 bis zum Jahre 1870 wenigstens zweimal in jedem Sommersemester mit der Schar seiner Schüler den Katzensee besucht. Viele sind da, und auch seither, fröhlich mitgewandert, die längst gestorben oder in alle Welt zerstreut sind. Aber mancher von diesen wird an den lacus Felinus sich erinnern und etwa an den tragikomischen Moment, da dieser oder jener beim Übergang über den bekannten Verbindungsgraben zwischen beiden Seen das morsche Brett verfehlte, oder den Sprung zu kurz nahm und bis an die Hüften in den trügerischen Schlamm versank. Auch mancher ernste und erhebende Moment wäre zu verzeichnen. So legten am Katzensee, auf der Schlussexkursion vom 31. Juli 1869, die Teilnehmer, Studirende des Polytechnikums und der Universität, unter Herrn Professor Heer bei fröhlichem Gelage über hundert Franken für das Humboldt-Denkmal zusammen. (N. Z. Z., 3. Aug. 1869.)

Ausser den früher schon aufgezählten Pflanzen, füllten und füllen die Büchse des Botanikers: Zwei seltene Sumpfveilchen (Viola palustris und stagnina), der knotige Spark (Spergula nodosa), Bittersüss (Solanum Dulcamara), schildfrüchtiger Ehrenpreis (Veronica scutellata), das Helm- oder Schildkraut (Scutellaria galericulata), das vierkantige und das Sumpfweidenröschen (Epilobium tetragonum und palustre), Wasser-Kreuzkraut, richtiger Kreisskraut (Senecio paludosus und aquaticus), die Scheuchzerie (Scheuchzeria palustris), verschiedene Wasser- und Sumpfdolden (Peucedanum palustre, Selinum carvifolia und Hydrocotyle vulgaris), der nickende Zweizahn (Bidens cernua), das einblütige Wintergrün (Pyrola uniflora, an sehr beschränkter Stelle in feuchtem Walde), die Natterzunge (Ophioglossum vulgatum), gelbe Schwertlilie (Iris pseudacorus), Najade (Najas major), dreiteilige und vielwurzelige Wasserlinse (Lemna trisulca und polyrrhiza), kleinster Igelkolben (Sparganium minimum), scheidiges Wollgras (Eriophorum vaginatum) und eine grosse Reihe seltenerer Riedgräser, namentlich Seggen und Simsen und eine eigentümliche Varietät der gemeinen Föhre, Pinus sylvestris var. refl. Heer.

Das Torfmoor von **Bonstetten** dagegen war nie berühmt, und besonders seit seiner Entwässerung wird es von Botanikern nicht mehr besucht.

Die Flora der Kulturflächen.

Die Flora der Kulturflächen bietet wenig Interessantes. Auf den **Getreidefeldern**, die nirgends zu grössern zusammenhängenden Flächen vereinigt sind, finden wir meist nur die gewöhnlichen Getreideunkräuter, die schon in vorhistorischer Zeit mit dem Getreide eingewandert sind, und mit denen sich schon der Pfahlbauer plagen musste, wie die heutige Bäuerin, die aber auch schon damals das einförmige Saatfeld mit bunten Blumen geziert haben, wie heutzutage*. Am bekanntesten sind die blaue

* Heer, Pflanzen der Pfahlbauten.

Kornblume (Centaurea cyanus), der Klatschmohn (Papaver Rhoeas), die Kornrade (früher Agrostemma Githago, jetzt Githago segetum genannt), der Acker-Hahnenfuss (Ranunculus arvensis), der Acker-Wachtelweizen (Melampyrum arvense), Acker-Steinsame (Lithospermum arvense), Saatwicke (Vicia sativa), doldiger Milchstern (Ornithogalum umbellatum). Etwas seltener ist der zur Umbelliferen-Familie gehörende Venuskamm (Scandix pecten Veneris). Nur sporadisch erscheint die Kamille und nicht als ständiger Ackerbewohner, wie in den Niederungen längs der Aare und am Rhein.

Besonders seit die Brachfelder verschwunden sind, und der Wiesenbau den Getreidebau einschränkt, werden die selteneren Ackerpflanzen immer mehr verdrängt.

In den Äckern am Fusse des Uto findet man noch regelmässig im Getreide: dreihörniges Labkraut (Galium tricorne), seltener: Acker-Waldmeister (Asperula arvensis) und die Nachtnelke (Silene noctiflora).

Im Getreide am Katzensee erfreut uns: gelbe Wicke (Vicia lutea), nebenblättrige und Nissolische Platterbse (Lathyrus Aphaca und Nissolia), nebst andern, minder auffallenden Gewächsen.

Noch einförmiger als die Ackerflora ist die Flora der Kunstwiesen, die alle paar Jahre umgebrochen und mehrere Male im Jahre gemäht werden, sowie die Flora der Obstgärten oder Baumgärten. Neben den gewöhnlichen Futtergräsern und Futterkräutern findet man da höchstens die eine oder andere, mit dem Samen eingeschleppte Pflanze, die schnell wieder verschwindet. Namentlich in Kleefeldern sah man auf diese Art: Sommerflockenblume (Centaurea solstitialis), rispige Neslie (Neslia paniculata), Sand-Wegerich (Plantago arenaria). Die Baumgärten sind im ersten Frühling hie und da geziert mit Lerchensporn (Corydalis cava) und gelbem Goldstern (Gagea lutea).

Einzig im Baumgarten des ehemaligen Muralt'schen Gutes unter dem Burghölzchen blüht im ersten Frühling in Menge der zum Niesswurz-Geschlechte gehörende, sternblütige Winterling (Eranthis hiemalis). Schon oft fragte man, ob die Pflanze dort ursprünglich wild, oder nur aus einem Garten ausgewandert sei. Da Johann von Muralt selbst in seinem eidgenössischen Lustgarten, Zürich 1715, zu der leicht kenntlichen Abbildung dieser Pflanze schreibt: „Die kleine Winterwolfswurz wachset bei erster Frühlingszeit in den Gärten“, und dieser Autor genau zwischen

Gärten und Baumgärten, das heisst Matten unter Bäumen unterscheidet, so dürfte zweifellos der obige Winterling im Muralt'schen Gute als ursprünglicher Gartenflüchtling anzusehen sein.

Die Ruderalflora.

Zur Ruderalflora rechnen wir alles, was auf unkultivirten Stellen in und um die Stadt Zürich, also auf Schutt, Bauplätzen, Kiesgruben, Abraumstellen, in Höfen und an alten Mauern, an Strassen- und Wegrändern etc. vorkommt. Die Pflanzen dieser Lokalitäten sind zum grossen Teile Fremdlinge, die in historischer Zeit aus nähern oder ferneren Gegenden, selbst aus Amerika, eingewandert sind. Einige davon haben sich mit der Zeit sehr verbreitet und dauernd angesiedelt, sind zu Niedergelassenen geworden, die oft schwer von einheimischen, an den nämlichen Lokalitäten wachsenden, trivialen Bürgern zu trennen sind; andere, denen unser Klima weniger zusagt, sind immer vorübergehende Aufenthalter geblieben. Besonders seit Eröffnung der Eisenbahnen hat eine vermehrte Invasion des fremden Unkrautes stattgefunden, namentlich in der Umgegend der Bahnhöfe.

Zu den dauernd um Zürich Niedergelassenen rechnen wir: Diplotaxis muralis, Nasturtium sylvestre, Erigeron canadense, Lamium amplexicaule, Stenactis annua, Isatis tinctoria, Amaranthus retroflexus, Atriplex hastatum, Eragrostis pilosa, die an Wegrändern, auf Schutt und in Kiesgruben vorkommen. Die alten Mauern sind sehr reduzirt; an den Mauern des Schanzengrabens und des Sihlkanals hat sich bleibend das Cymbelkraut (Antirrhinum Cymbalaria) und die römische Kamille (Chrysanthemum Parthenium) eingenistet; an einer alten Gartenmauer des Lindenhofes blüht jedes Jahr Corydalis lutea, die früher auch die jetzt verschwundenen Fröschengrabenmauern zierte, und an den Mauern des Baugartens fand man bis zu dessen Abtragung das dickblättrige Fettkraut (Sedum dasyphyllum). Auf dem früher unkultivirten Areal des jetzigen Bahnhofquartiers konnte man im Anfang der Siebenzigerjahre sogar eine ganz ergibige Exkursion machen. Es wuchsen daselbst konstant durch mehrere Jahre: Carduus nutans, Cynoglossum officinale, Diplotaxis muralis, Nasturtium sylvestre, Barkhausia fœtida, Erodium cicutarium, Spergularia rubra, Amaranthus retroflexus, Trifolium resupinatum und hybridum, Lappa-Arten und viele andere.

Gross ist die Zahl der nur vorübergehend erscheinenden Aufenthalter, namentlich auf dem Vorbahnhof, den brachliegenden Hausplätzen und den kiesigen Stellen des Industriequartiers, wir nennen nur: Onopordon Acanthium, Senebiera coronopus, Conringia orientalis, Berteroa incana, Tetragonia expansa, Erysimum cheiranthoides, Xanthium strumarium, Saponaria Vaccaria, Chrysanthemum segetum, Valerianella eriocarpa.

Auf den Lagerungsplätzen der städtischen Abfuhr findet man viele verwilderte Kulturpflanzen, die mit dem Abraum der Küchen und der Vogelkäfige dahin gelangt sind, so Hanf (Cannabis sativa), Canariengras (Phalaris canariensis), Liebesapfel (Solanum Lycopersicum), Hirse (Panicum miliaceum), Vogel-Fench (Setaria italica), Boretsch (Borago officinalis), Sonnenblume (Helianthus), Mais (Zea Mays), dann Weizen, Spelz, Gerste, Hafer.

Die Gartenflora.

Die Gärten von Zürich und Umgebung beherbergen ein buntes Gemisch von einheimischen und fremden Pflanzen. Der Grundstock der althergebrachten Heil-, Küchen- und Zierkräuter wurde vielfach durch neuere Pflanzen verdrängt, wie sie der verschiedene Geschmack der gemischten Bevölkerung und die vielen Kunst- und Handelsgärten eingeführt haben.

In Bauerngärten trifft man von den alten Heil- und Küchenkräutern noch hie und da: Eibisch, Käsepappel, Rauten, Wollkraut, Liebstöckel, Fenchel, Strenze, Meisterwurz, Koriander, Körbelkraut, Lavendel, Münzen, Salbei, Majoran, Saturei, Melisse, Isop, Wermut, Kamille, Alant etc. In der Stadt selbst hat sich die Heilzwiebel, „Heilbölle“ genannt (Scilla maritima), erhalten, da sie leicht in Töpfen auf dem Fenstergesimse gefristet werden kann. Von den ältern Zierpflanzen sind immer noch beliebt, wenn auch oft in neueren Varietäten, worin die heutige Kunstgärtnerei ganz Erstaunliches leistet: Rosen, Goldlack, Levkojen, Winterviolen, Pfingstrosen, Reseda, Veilchen, Primeln, Aurikeln, Sinngrün, Nelken, Lilien, Narcissen, Tulpen.

In den Anlagen und Lustgebüschen bemerkt man sehr viele neuere Bäume und Sträucher neben altem Flieder, Pfeifenstrauch etc. Als einigermassen für das milde Seeklima Zürichs bezeichnend, wollen wir von den Bäumen überhaupt Folgendes erwähnen:

In den tiefern Lagen, besonders nahe am See, kommen gut fort: Paulownie, Trompetenbaum (Catalpa), Kastanienbaum (Castanea vesca, ein Exemplar im Sparenberg bringt in guten Jahren viele essbare Früchte), Libanon-Tamariske, Libanon-Ceder (das Exemplar in den Stadthausanlagen trägt seit einigen Jahren viele Zapfen, dasjenige im botanischen Garten verlor im strengen Winter 1879/80 sämtliche Nadeln, ohne weiteren Schaden zu nehmen und begrünte sich im Frühling rasch wieder), japanische Cryptomerie (hat im botanischen Garten den kalten Winter ohne Nachteil überstanden).

Nur in geschützten Lagen und hart am See kommen unter ausnahmsweise günstigen Verhältnissen hie und da fort: Spiesstanne (Cunninghamia sinensis, ein Exemplar im Muralten-Gut hat bei 25 Fuss Höhe am Boden einen Stammdurchmesser von 1½ Fuss und ist 1879/80 nicht erfroren), immergrüne Sequoje (Sequoia sempervirens, bei Thalweil ein 16 Fuss hoher Baum, — im botanischen Garten dagegen fristet sie nur ein kümmerliches Dasein, ohne jedoch im strengen Winter erfroren zu sein), Kirschlorbeer (Prunus Laurocerasus, hat hart am See 1879/80 nicht gelitten, im botanischen Garten dagegen ist sie stark zurückgefroren).

Nur eine beschränkte Reihe von Jahren können aushalten und erfrieren von Zeit zu Zeit immer wieder: Portugiesische Kirsche (Prunus Lusitanica), gemeiner Laurustin (Viburnum Tinus), japanischer Spindelbaum (Evonymus japonica), Deodara-Ceder (Cedrus Deodara) *.

Der Feigenbaum hingegen erfriert alle Jahre bis auf die Wurzelstöcke und muss niedergelegt und bedeckt werden, wenn man mehrjährige Stämme im Freien ziehen will.

* Einige dieser Angaben stützen sich auf die Erfahrungen des Herrn Fröbel, Handelsgärtner im Seefeld.

V. Die Tierwelt.

Die Tierwelt eines Gebietes steht mit der Pflanzenwelt in engem Zusammenhang, ja in einem gewissen Abhängigkeitsverhältnis. Wo die Flora einförmig und wenig gegliedert erscheint, da begegnen wir im allgemeinen auch einer formenarmen Tierbevölkerung, wo aber die Bedingungen für die Entwicklung des Pflanzenlebens günstig sind, da nimmt auch der Reichtum an Tieren, an Arten zu.

Wir werden, dem Charakter der Fauna entsprechend und anschliessend an die Beobachtungen des Botanikers, drei getrennte Gruppen unterscheiden:

die Tierwelt des Ütlibergs, Zürichbergs und des Tales.
die Tierwelt des Sees und der Limmat,
die Tierwelt des Katzensees und seiner Umgebung.

Wir haben schon in dem vierten Kapitel gesehen, welche vielgestaltige Entfaltung die Vegetation in unserer Gegend aufweist; Ähnliches lässt sich auch von der Tierwelt behaupten. In der Umgebung des Sees und längs des Ufers der Limmat treffen wir die allbekannten Formen der Ebene, der Ütliberg und der Zürichberg mit ihren Wiesen, ihren waldigen Abhängen und offenen Waldlichtungen, reichen mit ihrer Fauna ebenfalls in die subalpine Region hinein; See und Limmat beherbergen verschiedene Arten und auf den Sumpfgebieten des Katzensees haben wir auch für den Zoologen wie für den Botaniker eine klassische Fundstelle, die seit den Zeiten eines Joh. Casp. Füsslin in hohem Rufe steht.

Nach den Zusammenstellungen von Prof. H. Schinz, der sich um die Naturgeschichte Zürichs besondere Verdienste erworben hat, beherbergt der Kanton 38 Arten Säugetiere, 200 Arten Vögel, 16 Arten Reptilien und Amphibien, 26 Arten Fische und mehr als 6000 Arten niedere Tiere und diese Zahl darf man, ohne fehl zu gehen, auch für Zürich und seine Umgebung annehmen.

Die Tierwelt des Ütlibergs, des Zürichbergs und des Tales.

Im grossen und ganzen stimmt unsere Fauna mit derjenigen des mittlern Europa überein, einzelne Gattungen jedoch fehlen, andere sind nur spärlich vertreten. Es kann nicht Aufgabe dieser Arbeit sein, alle hier vorkommenden Arten in systematischer Reihenfolge aufzuzählen, nur einige Blicke wollen wir werfen in das bunte Treiben der uns umgebenden Tierwelt und einzelne wenige Erscheinungen hervorheben.

Zur Sommerszeit wird man oft überrascht durch die zahlreich umherschwirrenden Fledermäuse. Bei Anbruch der Nacht verlassen sie die Schlupfwinkel, die sie in unsern alten Gebäuden, den Scheunen, den Türmen, den Magazinen und Hallen finden und beginnen ihren Raubzug. Bisher sind fünf Arten von Fledermäusen zur Beobachtung gelangt, und von diesen ist Vespertilio murinus die häufigst vorkommende, während V. discolor nur ausnahmsweise angetroffen wird.

Wie diese Flatterer führt auch der Igel ein nächtliches Leben, er wird noch ziemlich oft gesehen, etwa unter Scheunen und Ställen. Leider verfolgt der Mensch dieses nützliche Tier. Der kleinen Spitzmaus und dem Maulwurf, beides auch Insektenfresser, geht es nicht besser.

In der Stadt, auf Feld und Wald, hausen die Mäuse, die Ratten, die unliebsamen Nager, unsere Wälder belebt das muntere Eichhörnchen, ja die ihm verwandten Tierchen, der Siebenschläfer und die Haselmaus, sind nicht gerade Seltenheiten.

Unter den Raubtieren haben wir nicht viele Arten aufzuführen, aus kultivirten Gegenden verschwinden sie eben, häufig sind bei uns noch die beiden Wiesel, (Mustela erminea) das grosse und (M. vulg.) das kleine; dass noch Marder verschiedener Art, der Fuchs, der Iltis, ja am Ütliberg und Zürichberg sogar der Dachs vorkommen, davon wissen gewiss unsere Jäger, vielleicht auch die Bauern zu erzählen. Die Fischotter (Lutra vulg.) zeigt sich in der Limmat und in der Glatt, sie wagt sich sogar bis mitten in die Stadt hinauf und stiftet grossen Schaden. Letzthin wurde ein gewaltiges Tier bei den Mühlen am Mühlesteg eingefangen und erlegt. Die freilebenden Huftiere sind aus unserem Gebiete verschwunden, unsere Wälder beherbergen weder Wildschwein, noch Hirsch, noch Reh; dagegen hat sich unter der

Fürsorge des Forstmeisters Orelli im Langenberg an der Sihl eine stattliche Kolonie von Edelwild und Damwild angesiedelt und wird im Wildpark sorgfältig gehegt und gepflegt.

Die Vogelwelt ist zunächst durch mehrere Tagraubvögel, durch den Bussard, Turmfalken, Sperber, Habicht und den roten Milan vertreten.

An Nachtraubvögeln werden die Nachteule (Strix aluco), der Nachtkauz (Strix noctua), die Ohreule (Strix otus) und die kurzohrige Eule (Strix brachyotus) beobachtet, dagegen fehlt der Uhu.

Die Singvögel, durch den Menschen gepflegt und zur Winterszeit gefüttert, beleben in erfreulicher Zahl unsere Umgebung.

Die freilebenden Tauben- und Hühnervögel sind weniger zahlreich. Von Feldhühnern ist die Seltenheit des Rebhuhnes bemerkenswert, während die Wachteln und Haselhühner am Ütliberg und Zürichberg häufig getroffen werden. Unlängst hat sich sogar ein Haselhuhn in die Kirche von Oberstrass verirrt. In den Wäldern der Umgebung kommt das Birkhuhn (Tetrao tetrix) hinzu.

Die Sumpfvögel sind mehr auf das Flussgebiet der Limmat und in die Gegend des Katzensees angewiesen. Früher fanden sie auch günstige Lebensbedingungen im „Venedigli". Bemerkenswert sind mehrere Reiherarten und der Kiebitz, welcher bei Altstetten vorkommt. Der Kranich und die Trappe (Otis tarda) haben sich ausnahmsweise schon im Sihlfeld gezeigt.

Die Schwimmvögel beleben den See und das Gebiet der Limmat. Einer besondern Aufmerksamkeit der Bevölkerung erfreut sich die von Freunden der Tierwelt unterhaltene Schwanenkolonie, in welcher auch ausländische Arten gehalten werden. Seeschwalben, Möven, Taucher und Steissfüsse gehören unserm Gebiete an, gelegentlich erscheint auch der Kormoran.

Arm an Arten ist die Klasse der Kriechtiere. Ringelnatter, glatte Natter, Zauneidechse und Blindschleiche sind die wenigen Vertreter. Die giftige Viper fehlt dagegen unserm Gebiete.

Auch die Zahl der Lurche oder Amphibien ist nicht gross. Zur Sommerszeit beobachtet man an feuchten Tagen den Feuersalamander (Salamandra maculata) häufig. Seine mit federförmigen Kiemen an den Seiten des Halses versehenen Larven trifft man im Mai und Juni an ruhigen Stellen des hinter dem

Kantonsspitale vorbeifliessenden Baches in grosser Zahl. An Molchen leben in stehenden Gewässern der Kamm-Molch und der Alpen-Molch. In grosser Zahl trifft man im Gemäuer versteckt die merkwürdige Geburtshelferkröte (Alytes obstetricans), bei welcher das Männchen die Eischnüre um die Hinterbeine wickelt und sie später im Wasser absetzt. In der Gegend von Hottingen, Fluntern und Oberstrass ist sie besonders häufig und lässt gegen Abend ihren angenehm klingenden, glockenhellen Ruf ertönen. In dem Teiche bei der Kirche in Fluntern ist die grossköpfige, mit breitem Ruderschwanz versehene Larve oft in unglaublicher Zahl vorhanden.

Formenreich ist die grosse Abteilung niederer Tiere, insbesondere die Klasse der Insekten. Im Garten und auf Wiesen, im schattigen Walde wie auf offener, blumenreicher Lichtung, unter Moos, unter Steinen und unter der Rinde unserer Holzpflanzen, kurz überall, wo noch etwas Raum für ein bescheidenes Dasein vorhanden ist, finden wir ihre Vertreter. Es sind meist die Arten der Ebene, doch viele unter ihnen nur an gewissen Punkten der Umgebung vorkommend. Von Schmetterlingen bewohnen die schönen Limenitis-Arten vorzugsweise den Sihlwald, der seltene Augsburger-Bär (Euprepia matronula) den Hönggerberg und der berüchtigte Prozessionsspinner (Gastroparcha processionea) das Burghölzli. Daselbst kommt auch der erbitterste Feind der Prozessionsraupe vor und stellt sich mit dieser häufig ein. Es ist der Puppenräuber (Calosoma inquisitor), ein Laufkäfer, welcher auf die Bäume steigt und den Raupen nachgeht. Auch andere Laufkäferarten, wie Nebria brevicollis, Chlænius vestitus sind dort auffallend häufig. Auf dem Zürichberg und Ütliberg finden sich zwei der Bergregion angehörige Laufkäfer von ansehnlicher Grösse, Carabus auroniteus und C. irregularis. Ähnlich wie die Pflanzenwelt einzelne Vertreter der alpinen Region aufweist, so zeigen sich um Zürich auch Insekten von alpiner Herkunft. Bei Wollishofen wird z. B. Pararge Hiera beobachtet, und am Zürichberg lebt die alpine Form von Melitæa artemis. An der Sihl wird Nebria picicollis, ein Laufkäfer unserer Alpen, beobachtet; die Annahme liegt auch hier nicht allzufern, dass er auf irgend eine Weise, vielleicht passiv, von dem Gebirge her die Sihl hinabtransportirt wurde. Seltsamerweise tritt bei Hottingen ein Schmetterling von südlicher Herkunft auf, die Lycæna bætica. Seine zufällige Einschleppung ist mehr als wahrscheinlich.

Vereinzelt steht dieser Fall nicht da, denn im zürcherischen botanischen Garten trat in den Gewächshäusern eine ausländische Ameise (Brachymyrmea Heeri, Forel.) auf, welche hinterher im Gebiete der westindischen Inseln wieder gefunden wurde. Offenbar mit Pflanzensendungen eingeschleppt, hat sie sich bei der Treibhauswärme weiter entwickeln können.

Die Fauna im See und in der Limmat.

Die ersten Angaben über die tierische Bevölkerung unserer Gewässer hat Hans Erhard Escher in seiner Beschreibung des Zürichsees aus dem Jahre 1692 zusammengestellt. Freilich war damals eine genauere Bestimmung der Arten noch nicht möglich. Seit jener Zeit hat sich die Kenntnis der Tierwelt des Sees und der Limmat um vieles erweitert.

Sehen wir uns zunächst die Fischarten an, so leben in unserem Gebiete mehrere nutzbringende Geschöpfe von besonderer Bedeutung. Ein recht gutes Bild der einheimischen Fischfauna gewähren die in Öl gemalten Abbildungen, welche im Jahr 1709 von einem gewissen Melchior Füssli recht naturgetreu ausgeführt wurden und heute noch im zürcherischen Rathause zu sehen sind.

Aus der Gruppe der Stachelflosser ist der Flussbarsch (Perca fluviatilis) zu nennen, ein über dem Rücken zebraartig gestreifter Fisch, welchen man in der Nähe der Badanstalt häufig zu Gesicht bekommt und welcher ein weisses und wohlschmeckendes Fleisch liefert.

Die salmenartigen Fische weisen mehrere Vertreter auf. Der Meerlachs (Salmo salar), welcher zur Laichzeit in die Flüsse eintritt und namentlich im Rheine in bedeutender Zahl gefangen wird, steigt auch die Limmat herauf und hat sich schon bis in die nächste Nähe der Stadt gewagt. Früher muss er jedoch noch zahlreicher gewesen sein, denn alte Erzählungen beschreiben uns ausführlich das Lachsstechen.

Ihm nahe verwandt sind die Forellenarten. Während die Bachforelle mehr fliessendes Wasser liebt, ist die Seeforelle (Salmo trutta) ausserhalb ihrer Laichzeit auf den See beschränkt. Der wohlschmeckende und gefrässige Fisch erreicht eine bedeutende Grösse; man hat schon Exemplare von 10 bis 17 Kilogramm gefangen. Mehr in der Tiefe des Sees lebt die Rotforelle, bei uns „Röteli“ genannt. In der Nähe der Stadt wird sie nicht gefangen, dagegen auf der Au und bei Meilen. Ihres Fleisches wegen werden die ebenfalls im See lebenden Felchen (Coregonus) hoch geschätzt.

Ein eigentlicher Flussfisch, der in der Limmat lebt und nie in den See geht, ist die Äsche (Thymallus vexillifer). Sie besitzt eine ungewöhnlich grosse, lebhaft gefärbte Rückenflosse, daneben noch wie die übrigen Salmoniden eine strahlenlose Fettflosse. Ihr Lieblingsaufenthalt ist kiesiger Grund mit rasch fliessendem Wasser.

Die karpfenartigen Fische (Cyprinoidei) weisen als gewöhnlichsten Repräsentanten Cyprinus carpio auf, welcher zwar mehr im obern Seegebiet lebt, doch haben wir schon in nächster Nähe der Stadt Scharen ungewöhnlich grosser Karpfen beobachtet.

Die Barbe (Cyprinus barbus) ist in der Limmat nicht selten.

Diesen Arten an Nutzungswert nachstehend sind Alet, Schleie, Haseln, „Laugeli“ u. s. w.

Von den übrigen Familien sind der Hecht, der Aal und namentlich die Trüsche (Lota vulgaris) erwähnenswert. Das Neunauge (Petromyzon) scheint nicht häufig zu sein und wird nicht auf den Markt gebracht, obschon das Fleisch wohlschmeckend ist. Die Fischer behaupten, den Fisch zu kennen, und sein Vorkommen am Ausflusse des Zürichsees und in der Limmat wird von früheren Beobachtern erwähnt. Das kleine Flussneunauge (Petromyzon Planeri) haben wir hinter dem Uto aus den Zuflüssen der Reppisch in grossen Mengen als Larve erhalten.

Da die Mehrzahl unserer Fische auf tierische Nahrung angewiesen ist und vom Raube kleiner Tiere lebt, so lässt sich denken, dass die verschiedensten Wasserinsekten, Krebstiere, Würmer und Weichtiere den See bevölkern. In der Tat finden wir denn auch in der bewachsenen Uferzone ein erstaunlich reiches Tierleben. Bringt man eine herausgefischte Pflanze in ein Glas mit klarem Wasser, so wimmelt dasselbe von Insektenlarven, meist sind es die Jugendzustände von Mücken, Eintagsfliegen, Wasserfliegen und Köcherfliegen. Zwischen ihnen beobachtet man auch zahlreiche niedere Krebse und kleine Borstenwürmer (Nais), auch Strudelwürmer in mehreren Arten werden unter einer solchen Gesellschaft gefunden.

Kleinere Raubtiere siedeln sich naturgemäss in solchen ergibigen Revieren an, unter denen an Zahl die nie fehlende Hydra fusca, ein Armpolyp des süssen Wassers hervorragt. Beim Ausfluss der Limmat aus dem See hat sie sich in Tausenden von Exemplaren angesiedelt.

Daselbst wohnen auch auf schlammigem Boden unsere Süsswassermuscheln, welche den Gattungen Anodonta und Unio angehören.

Aber auch die grösseren Tiefen sind nicht unbelebt, wie man schon aus dem Vorkommen der Fische auf tieferen Gründen schliessen muss.

Der feine Schlamm, welcher schon in geringer Entfernung von den Ufern den Seegrund bildet, beherbergt oft Tiere in überraschender Zahl.

Aus der Gruppe der Würmer hat sich Lumbriculus, Ligula und Caryophyllaeus im Schlamme des Sees gezeigt. Mückenlarven gehen in beträchtliche Tiefen hinab, trotzdem die Temperatur am Grunde eine niedrige ist. Auch sind es vorwiegend die tiefern Regionen, welche die moosartigen Kolonien der Fredericella beherbergen.

Endlich müssen wir noch einer Tiergesellschaft Erwähnung tun, welche sich in der Nähe der Oberfläche im offenen See aufhält und die als pelagische Fauna bezeichnet wird. Ihr Dasein wurde lange übersehen und ist heute noch Wenigen bekannt und doch spielt sie eine gewisse Rolle im Naturhaushalt. — Bei Tage hält sich die pelagische Tiergesellschaft mehr in der Tiefe auf, weil sie gegen zu starke Beleuchtung empfindlich ist und dieselbe vermeidet. — Erst mit Einbruch der Dunkelheit steigt sie an die Oberfläche und wenn man in einer mondlosen und ruhigen Nacht die Wasserschichten mit einem feinen Netz bei langsamem Vorwärtsrudern des Bootes durchstreicht, findet man in demselben oft überraschende Mengen pelagischer Tiere. Sie zeichnen sich alle durch grosse Durchsichtigkeit und glasartige Körperbeschaffenheit aus, wodurch sie der Beobachtung leicht entgehen. Sie sind gewandte Schwimmer und in fortwährender Bewegung begriffen. Die Zahl der Arten ist nicht gross, diejenige der Individuen dagegen ganz enorm. Es sind meist Vertreter der niederen Krebse, wie ihre Verwandten am Ufer.

Für die Ernährung der feinern Seefische, namentlich der Salmoniden, sind diese kleinen Wesen unentbehrlich.

Die Fauna am Katzensee und seiner Umgebung.

Weniger von der Kultur heimgesucht als die städtische Umgebung, daher auch in seiner Tierwelt noch ursprünglicher, beherbergt der Katzensee mit seinen schilfbewachsenen Ufern, seinen zahlreichen Tümpeln und Moorgründen eine eigenartige und namentlich mit Bezug auf die niedere Lebewelt reich entwickelte Fauna.

Besonders finden die Sumpfvögel hier günstige Lebensbedingungen. Neben dem häufigen Fischreiher lebt im Röhricht die Rohrdommel (Ardea stellaris), sowie der Zwergreiher (Ardea minuta); auch der Nachtreiher (Ardea nycticorax) hat auf seinem Zuge dort schon Quartier genommen.

An wirbellosen Tieren beherbergen der See und seine Umgebung eine eigentümliche Insektenwelt.

An der Wasseroberfläche kreist der kleine Taumelkäfer (Gyrinus). Der pechschwarze Wasserkäfer (Hydrophilus piceus) ist keine Seltenheit und seine mit gewaltigen Fresszangen versehene Larve macht sich an Fischbrut und verschiedene Wassertiere. Von seltenern Arten hat Caspar Füsslin schon im vorigen Jahrhundert den breiten Schwimmkäfer (Dystiscus latissimus) und den Rösel'schen Schwimmkäfer (Cybister Roeselii) erwähnt.

Auf dem Röhricht erhält man eine reiche Ausbeute an Donacien. Von seltenen Käfern an Ufern lebt Cryptarcha strigata auf Eichenbüschen, ferner Pterostichus aterrimus und Olisthopus Sturmii.

Als eigentümliche Schmetterlinge können einige Motten und der Schilfbohrer (Cossus arundinis) genannt werden.

Die Wasserjungfern oder Libellen, welche in raschem Fluge Jagd auf Insekten machen, sind in der Umgebung des Katzensees so stark vertreten, wie kaum irgendwo in der Schweiz. Am bemerkenswertesten Formen sind zu nennen: Libellula caudalis, L. meridionalis, L. albifrons, L. Fonscolombi, Anax formosus und Epithera bimaculata.

Weichtiere sind nach Zahl der Arten und Individuen reicher als irgend ein anderer Punkt unserer Umgebung. An gewissen Stellen ist der Seegrund übersäet mit Teichmuscheln (Anodonta cygnea) von seltener Grösse. Da die Schalen dieser Art, sowie auch andere Weichtiere, nach dem Tode zerfallen und der kohlensaure Kalk derselben sich anhäuft, wurde an manchen Stellen eine reinweisse Süsswasserkreide gebildet, welche sich von unserer Schreibkreide nur durch grössere Weichheit unterscheidet. Neben der Hornmuschel (Cyclas cornea) sind noch Sumpfschnecken häufig, so Limnæus stagnalis, L. palustris u. L. ovatus. Häufig werden diese Weichtiere von Schmarotzern heimgesucht. Auf der Oberfläche ihres Körpers leben kleine Blutegelarten (Clepsine) und das Tiere beherbergt zuweilen Saugwürmerlarven (Keimschläuche und Cercarien) in unglaublichen Mengen.

Die Pflanzentiere sind im Katzensee durch drei Arten vertreten. Der grüne Armpolyp (Hydra viridis) ist in den kleineren Tümpeln nicht selten, an Wasserlinsen festsitzend hat sich auch schon der weniger häufige graue Armpolyp (Hydra grisea) vorgefunden. An besonders geschützten Stellen wuchert der spangrün gefärbte Süsswasserschwamm (Spongilla lacustris) und erzeugt in seinem durch Kieselnadeln gestützten Gewebe den ganzen Sommer hindurch gelbgefärbte Gemmulæ.

Die Rädertiere und Infusorien, kleine Organismen, und daher nur mit bewaffnetem Auge zu untersuchen, leben in grosser Zahl in den Gewässern. Eine grüne Infusorienart, Ophridium versatile, durch Gallerte in grössern Gesellschaften vereinigt, schwimmt zu gewissen Zeiten in wallnussgrossen Kolonien an der Oberfläche, in den kleinen Tümpeln begegnet man den Kolonien des merkwürdigen Kugeltierchens (Volvox globator).

Wintergäste aus dem Norden.

Im Herbst und Frühjahr treten jene allbekannten Erscheinungen in unserer Tierwelt auf, welche man als Zug oder Wanderung gewisser Arten bezeichnet.

Viele unserer gemeinsten Vögel, wie die Schwalben, „Spyre“, Staren u. s. w., verlassen mit Eintritt der kältern Jahreszeit unsere Gegend, sie ziehen nach Süden und verbringen den Winter teils in Südeuropa, teils in Nordafrika. Der Mangel an Nahrung treibt sie fort und lässt sie bestimmte Wanderstrassen oder Zugstrassen verfolgen. Sie kehren, falls ihnen inzwischen kein Unfall zugestossen, im Frühjahr wieder zurück. Eine ähnliche Bewegung und durch die gleichen Ursachen veranlasst, findet auch bei der nordischen Vogelwelt statt, auch sie wandert nach Süden und besonders die nordischen Schwimmvögel suchen mit Einbruch des

Winters die eisfreien Gebiete der mitteleuropäischen Seen und Flüsse auf, um diese als Winterstation zu beziehen.

Daher erhält auch die Umgebung von Zürich bald regelmässige, bald aussergewöhnliche Wintergäste aus dem Norden.

Am bekanntesten sind wohl die Möven, jene taubenähnlichen Schwimmvögel von zierlichem Körperbau, welche alljährlich in grossen Scharen in die Stadt einziehen und die Limmat zwischen den Brücken beleben. In steter Bewegung, bald scharenweise die Limmat auf- und abschwimmend, bald unter heiserem Geschrei die Luft durchschwirrend, sind sie die Lieblinge des Publikums geworden. Die Scharen bestehen meist nur aus Lachmöven (Larus ridibundus); in gewissen Jahren mischen sich unter dieselben aber auch andere Arten, so die Raubmöve, die dreizehige Möve (Larus tridactylus).

Auf dem See erscheinen die nordischen Taucher.

Der im hohen Norden heimische Eistaucher (Colymbus glacialis), welcher die Grösse einer Gans erreicht, wurde im Winter 1882 bei Wollishofen geschossen, auch der rotkelchige Seetaucher (Colymbus rufogularis) stellt sich in unserer Nähe ein.

Selten dagegen erscheint bei uns ein hochnordischer Gast, der Seidenschwanz (Bombycilla garrula). Dieser prächtig gefärbte Vogel von der Grösse einer Drossel erscheint im November und Dezember und zwar stets in unglaublicher Menge. Das Volk bezeichnet diesen ungewöhnlichen Gast als Kriegsvogel oder Pestvogel, und der Aberglaube erblickt in ihm den Vorboten von Teuerung, Hunger, Krieg, Pestilenz und sonstigen ausnahmsweisen Ereignissen. So berichtet ein alter Chronist: „Im Jahre 1570 kamen viele fremde Vögel, darauf folgte grosse Kälte, Hungersnot und eine gefährliche Rebellion im Luzernischen. Man hat sie gesehen vor dem Concilio in Konstanz, desgleichen vor dem Waldmannischen Auflauf.“ In diesem Jahrhundert erschien der Seidenschwanz auf unserem Gebiete im Jahr 1806 und zwar in solchen Mengen, dass die Fuhrleute ihn mit der Peitsche von den Bäumen herabschlagen konnten. Der Vogel ist schmackhaft und wurde deswegen gejagt. Im genannten Jahre wurden auf dem Markte der Stadt ganze Körbe und Säcke voll Seidenschwänze feilgeboten. Seit vielen Jahren vermissen wir den Besuch dieses seltenen Gastes.

Endlich darf noch einer andern ungewöhnlichen Erscheinung erwähnt werden — des Kranichs (Grus cinerea). Der stattliche, den Reihern und Störchen nahe verwandte Vogel ist im Nordosten von Europa zu Hause und zieht im Winter nach Süden, berührt aber unsere Gegenden nur selten. Im April 1858 liessen sich sieben Kraniche im Sihlfeld nieder, um dort ihrer Nahrung nachzugehen. Ein Mann kam damals vom Sihlfeld in die Stadt und meldete die Ankunft dieser Tiere, die er nicht kannte und für „Wildsäue“ ausgab — ein Beweis, wie wenig bekannt der Kranich unseren Bewohnern ist. Die Kraniche wandten sich dann nach Wetzikon, wo am 8. April ein Stück erlegt wurde, welches nunmehr in den Sammlungen des schweizerischen Polytechnikums aufbewahrt ist. Auch im Jahre 1826 berührte der Kranich auf seinem Zuge den Kanton Zürich.

Veränderungen, welche in der Tierwelt der Umgebung beobachtet wurden.

Es ist ein unabänderliches Gesetz in der Natur, dass dieselbe stetigen Veränderungen unterworfen ist. Bald sind diese unmerklich, bald sehr in die Augen fallend. Es gibt zahlreiche Einflüsse, welche bestimmend auf die organische Welt einwirken, deren Gedeihen und Entwickeln bald begünstigen, bald hemmen oder völlig vernichten.

In vorgeschichtlicher Zeit war unsere Umgebung Zeuge von zahlreichen Veränderungen in der Tierwelt, einst lebten ganz andere Arten und Gattungen, neue Arten wurden herrschend, andere verschwanden vom Schauplatze. Dieses eherne Gesetz eines veränderten Charakters der Fauna ist auch heute noch wirksam.

Ist der Zeitraum, welcher uns verbürgte Beobachtungen über Veränderungen bietet, verhältnismässig sehr kurz, so sind uns doch zahlreiche und bemerkenswerte Tatsachen mit Rücksicht auf das Herrschendwerden und Verschwinden gewisser Arten bekannt geworden.

Unter den verschiedenen Ursachen ist es vorzugsweise der Mensch, welcher teils direkt, teils indirekt durch seine Eingriffe in die Natur den Charakter der Fauna der nächsten Umgebung von Zürich verändert hat.

Die bauliche Entwicklung der Stadt hat eine ungewöhnliche Ausdehnung gewonnen. Die Mauern, Türme und Tore mit ihrem altertümlichen Aussehen sind verschwunden, die schilfbewachsenen

Sümpfe und Tümpel der nächsten Umgebung sind meist nicht mehr, der „Fröschengraben" und das „Venedigli" existiren nur noch dem Namen nach, in ihrer ursprünglichen Form sind diese für den Zoologen einst ergibigen Gebiete der jüngeren Generation nicht mehr bekannt, sie mussten fruchtbarem Kulturland oder belebten Quartieren weichen.

Die Ufer des Sees wurden verschönert und die fliessenden Gewässer sind vielfach von der Industrie mit Beschlag belegt worden.

Damit gingen aber zahlreiche Schlupfwinkel und Brutstätten für die Tierwelt verloren, viele idyllische Wohnplätze zu Wasser und zu Lande wurden ihr entzogen.

Der Mensch hat hier mit seiner Hand vielfach vernichtend in den Haushalt der grösseren, wie der winzig kleinen Lebensformen eingegriffen.

Das alte Mauerwerk der verschiedenen Stadttürme bot einst zahllosen Fledermäusen ein sicheres Versteck; seit man diese abgetragen, hat sich ihre Zahl sehr vermindert. Ein Gleiches gilt für die Marder und Iltisse.

Ein auffallendes Verhältnis bieten die Ratten dar. Im Anfang dieses Jahrhunderts beherbergte die Stadt die einfärbige schwarze Ratte oder Hausratte, an deren Stelle nunmehr die zweifarbige Wanderratte (Mus decumanus) getreten ist. Letztere ist grösser als die Hausratte, oben bräunlichgrau, unten weisslich gefärbt. Sie ist aus dem Osten eingewandert, bei ihrer fabelhaften Gefrässigkeit und starken Vermehrung war es naturgemäss, dass sie die völlige Oberherrschaft erlangte. Man weiss, dass die Wanderratte von Schaffhausen her über den Rhein nach Feuertalen kam und von dort aus in die Kantone Zürich und Thurgau eindrang. Sie wurde schon zu Ende der Dreissigerjahre in der Stadt bemerkt, war in den Vierzigerjahren gegenüber der Hausratte noch in Minderzahl, hat aber seit vielen Jahren die letztere vollständig verdrängt.

Auch in der Vogelwelt sind Veränderungen bemerkbar geworden. Die Eulen, welche als nächtliche Raubvögel den Tag über in einem sicheren Verstecke leben, sind nicht mehr so häufig, seit ihnen ihre Schlupfwinkel mehr und mehr entzogen werden. Der Mauerspecht, an der Ringmauer früher häufig, ist verschwunden. Das Röhricht der Sümpfe im „Venedigli" sah vormals als seltenen Gast den Silberreiher (Ardea ægretta). Die

Rohrdommel (Ardea stellaris), auch unter dem Namen Rohrrind bekannt, liess einst hinter dem Stadthause ihr sonderbares Gebrüll ertönen und erschreckte die Anwohner — heute werden die Bewohner von Enge durch den Vogel nicht mehr in ihrer nächtlichen Ruhe gestört, mit dem Röhricht ist er längst verschwunden.

Unter den Singvögeln nistete vordem der Zaun-Ammer (Emberiza cirlus) in den Dornhecken beim Kantonsspital, in Neumünster und im Burghölzli häufig; aber aus unbekannten Gründen hat er seit etwa zehn Jahren die Umgebung von Zürich beim Brüten vermieden.

Das direkte Eingreifen des Menschen hat einen schönen Vogel unserer Umgebung, die Elster vertrieben. Seit man begann, ihres Schadens wegen dieselbe systematisch zu vertilgen, meidet der geistig begabte Vogel sorgfältig die Nähe von Zürich.

Dafür ist eine verwandte Art, die Dohle (Corvus monedula) in die Stadt eingezogen. Während sie vordem unserem Gebiete fremd war, ist sie seit Ende der Sechszigerjahre häufig geworden.

Unter den Amphibien ist der Kamm-Molch (Triton cristatus) in neuerer Zeit nicht mehr so häufig wie früher.

Im See und in der Limmat hat sich unter dem Einflusse des Menschen die Tierwelt ebenfalls vermindert. Der Fischmarkt von Zürich wäre ziemlich arm, würde sein Bedarf nur durch einheimische Produkte gedeckt. Wenn Erhard Escher im Jahre 1692 uns von einem unglaublichen Reichtum an Fischen aus dem Zürichsee berichtet und uns schildert, welche Massen von Fischen nach Einsiedeln gebracht und auch in den Gemeinden Rappersweil, Uznach, Schmerikon und Lachen während der Fastenzeit verzehrt wurden, so sind jene gesegneten Zeiten längst vorüber und werden schwerlich wieder zurückkehren, denn die Lebens- und Entwicklungsbedingungen für die Fische unserer Gewässer sind nicht mehr dieselben wie früher. Zahlreiche mit Schilf und anderen Sumpfpflanzen bewachsene Laichplätze am Ufer sind und bleiben vernichtet, wurden doch allein in den Vierziger- und Fünfzigerjahren gegen siebenzig Jucharten sumpfiges Uferland dem See für Kulturzwecke abgenommen. Hierin liegt die Hauptursache der Abnahme unseres Fischreichtums, und die künstliche Fischzucht wird diesen Ausfall nicht zu decken imstande sein. Man gebe den Fischen ihre frühern Lebensbedingungen und Laichplätze wieder zurück, so werden auch die Klagen über die Fischarmut unserer Gewässer verstummen.

Aber auch mit Rücksicht auf niedere und kleine Lebensformen hat die Umgebung von Zürich vielfach an ihrem Reichtum eingebüsst. Beispielsweise sind auf den Wiesen die zahlreichen Insekten, welche im Dunge leben, teils selten geworden, teils verschwunden, seit der Landmann sein Vieh nicht mehr auf die Weide treibt, sondern in die Ställe bannt. Während z. B. Caspar Füsslin im vorigen Jahrhundert das Einhorn (Copris lunaris) als sehr häufig um Zürich bezeichnet, ist dieser Dungkäfer zu Zeiten verschwunden und erst in neuerer Zeit wieder zur Beobachtung gelangt, weil Schafe auf die Weide getrieben werden.

Die kleinen, nur mit bewaffnetem Auge sichtbaren Wesen haben an Zahl fühlbar abgenommen.

Die Alcyonella fungosa, ein zierliches Moostier des süssen Wassers, einst häufig, ist nunmehr für die Umgebung von Zürich verloren gegangen.

So sehen wir in einem kleinen Rahmen sich starke Veränderungen abspielen. Zwei Umstände wirken mit, dass diese uns offenkundig wurden. Einmal haben auf kleinem Gebiete die Lebensverhältnisse für viele Arten einen starken Wechsel erfahren und sodann besass Zürich von jeher berühmte Namen, welche die Erscheinungen und Gesetze der Natur genauer verfolgten.

Inhaltsverzeichnis.

Seite

I. Topographische Übersicht. Von J. J. Müller.

II. Geologische Verhältnisse. Von Prof. Heim.

III. Klimatische Verhältnisse. Von Rektor St. Wanner.

IV. Die Flora. Von Conservator J. Jäggi.

V. Die Tierwelt. Von Dr. C. Keller.

Zweiter Abschnitt.

I. Überblick der historischen Entwicklung.

Die Überreste, die uns von der ältesten Bevölkerung unserer Gegenden Kunde geben, weisen auf eine Zeit zurück, für die keine Jahreszahlen den Abstand von der Gegenwart anschaulich machen können. Es sind dies die Pfahlbauten. „Sie befinden

sich in Seen und kleinen Gewässern (bei uns am Ausfluss der Limmat aus dem Zürchersee); eine Anzahl Pfähle aus jüngern Baumstämmen wurden so tief in den Grund getrieben, dass sie tragfähig wurden; dann legte man auf die Pfahlköpfe den Wohnboden. Wo dieses Mittel nicht ausreichte, wurden die Pfähle mit schweren Steinen umstellt, oder in wagrecht liegenden Schwellen von Eichenholz befestigt, die einen Rost bildeten. Diese schwierigste Bauart findet sich in den drei Pfahlbauten bei Zürich (grosser Hafner, kleiner Hafner, vor der Bauschanze) angewendet. Die gruppenweise darüber errichteten Hütten waren nur einstöckig, enthielten aber Raum genug für eine Familie und ihren Viehstand. Die Verbindung mit dem trockenen Land bildete ein Steg, der sich leicht zurückziehen liess. Wie aus den zahlreich vorhandenen Überresten von Abfällen zu ersehen ist, ernährten sich die Pfahlbaubewohner nicht bloss durch Jagd und Fischerei, sondern in immer steigendem Masse durch Viehzucht und Ackerbau. Nach dem Material, aus dem die Werkzeuge gefertigt wurden, unterscheidet man ältere und jüngere Pfahlbauniederlassungen; die ältesten Pfahlbauten weisen bloss Werkzeuge von Stein auf; spätere solche aus Bronze, die jüngsten auch solche von Eisen; mit der Bereitung eiserner Werkzeuge und Waffen verschwand die Notwendigkeit durch den Aufenthalt auf dem Wasser sich vor Feinden und wilden Tieren zu schützen; die Einwohner vertauschten allmälig die Pfahlbauten mit Wohnstätten auf dem festen Lande." Die Pfahlbauten bei Zürich haben Stein und Bronze, noch kein Eisen.

Die Entdeckung der Bedeutung und die bahnbrechende wissenschaftliche Würdigung der Pfahlbauten ist das Verdienst des unlängst (1881) verstorbenen Dr. Ferd. Keller von Zürich, des Begründers der antiquarischen Gesellschaft, welche eine überaus reiche und wohlgeordnete Sammlung von Überresten aus Pfahlbauten besitzt.

Zur Zeit, als die Römer mit den Völkern des mittlern Europa in Berührung kamen, lichtet sich zum ersten Mal das Dunkel, das uns die frühern Schicksale unserer Gegenden verhüllt. Damals wohnte hier gallisches oder keltisches Volk. Der Stamm der Helvetier, der Süddeutschland bis zum Main und die Schweiz bewohnte, beteiligte sich mit Ruhm und Sieg an den Kriegszügen der Cimbern und Teutonen; im Jahr 107 v. Chr. schlug ihr junger Führer Divico ein römisches Heer an der Garonne. Aber in den Tagen des Alters erlebte Divico selbst noch den Umschlag des Schicksals. Als die Helvetier, die im Laufe der Zeit das Land nördlich vom Rhein verloren hatten und von dem germanischen Stamm der Alemannen auch an

der Rheingrenze bedroht waren, in ein besseres Land im südlichen Gallien unter seiner Führung auswanderten, wurden sie 58 v. Chr. durch Julius Cäsar bei Bibrakte (südwestlich von Autun) besiegt und zur Rückkehr in die alte Heimat gezwungen. Helvetien kam dadurch unter die Botmässigkeit der Römer und wurde wenig später *römische Provinz*.

Aus dieser gallisch-römischen Zeit haben sich noch manche Überreste erhalten. Zunächst einmal solche, die der eingebornen *gallischen* Bevölkerung angehören: *Steindenkmäler* (der Kindlistein im Hermetsloo bei Altstetten, *Gräber* (im Hard bei Altstetten, bei Schlieren, auf dem Gabler in Enge), *Grabhügel* (zu Äsch im Bursthau, bei Unter-Engstringen, Höngg, bei der Binzmühle in Örlikon, im Asp bei Regensdorf, im Kriegsholz bei Ringlikon, im Seebacher Hölzli, im Weidholz bei Wallisellen, im Fünfbühel bei Zollikon, im Burghölzli in Hirslanden): *Refugien* d. h. Zufluchtsstätten bei feindlichen Einfällen (Ütliberg).

Aber auch Überreste der *römischen* Kultur sind nicht selten. Zwar zog sich die alte Römerstrasse von Genf nach dem Bodensee nicht der Limmat entlang, sondern ging von Baden (Aquä) aus dem südlichen Abhang der Lägern nach durch das Furttal, überschritt dann zwischen Rümlang und Kloten (Clandia) die Glatt und führte von da weiter über Ober-Winterthur (Vitodurum) und Pfyn (Ad fines) nach Arbon (Arbor felix). Eine Seitenstrasse aber wird wohl mit der Hauptstrasse auch Zürich (Turicum) verbunden haben. Daselbst hatten die Römer ein Kastell und Zollamt (Bezug von $2^1/_2$ % des Werts der — von Bünden über die Seen nach dem Rhein — durchgehenden Waren). Der Grabstein, den der römische Freigelassene Unio, kaiserlicher Zollpräfekt bei der Station Zürich, und seine Gattin ihrem Söhnlein Lälius Urbicus setzten und der sich gegenwärtig auf der Stadtbibliothek befindet, gibt uns von diesen Verhältnissen Kunde. Aber auch ausserdem sind vielfache Spuren römischer Ansiedlung zu Tage getreten: *Reste von Gebäuden* (so in

Adlikon-Regensdorf, im Althoos bei Affoltern, beim ehemaligen Hochgericht in Albisrieden, in Altstetten, bei Birmensdorf, Schlieren, Uitikon, bei Wettsweil und Zwillikon, auf dem Lindenhof in Zürich, wo das Kastell stand), römische Inschriften (auf dem Lindenhof und bei der Strafanstalt), Legionsziegel, Münzen, Goldgeschmeide, Bronzebildwerke, Stücke von Mosaikfussböden; in der Stadt und am Ütliberg kamen Reste römischer Wasserleitungen zum Vorschein; Reste einer römischen Brücke über die Limmat bei der jetzigen untern Brücke; Ziegelbrennereien in Wiedikon und Birmensdorf; römische Gräber auf dem Münsterhof, bei der alten Post in Zürich und auf dem Sihlfeld.

Der Kultur, deren sich unsere Gegenden in der Römerzeit erfreuten, drohte bereits in der zweiten Hälfte des 3. Jahrhunderts der Untergang. Das altersschwach gewordene Reich vermochte die Rheingrenze nicht mehr mit durchgreifendem Erfolge gegen die immer stürmischer werdenden Angriffe der Alemannen zu behaupten, und diese drangen in verheerenden Streif- und Kriegszügen in die nördliche Schweiz ein. Aber unter Kaiser Diokletian (284–305 v. Chr.), seinen Mitkaisern und Nachfolgern erhob sich die römische Herrschaft noch einmal zu festerm Bestand. Konstantius Chlorus, der Vater Konstantins des Grossen, schlug die Alemannen bei Windisch (Vindonissa) aufs Haupt, die verödeten und verbrannten Kastelle und Ansiedlungen wurden wieder hergestellt und noch ein volles Jahrhundert behaupteten sich die Römer im nördlichen Helvetien. In diesem Jahrhundert drang nun auch das Christentum in unsere Gegenden vor; die Sage (siehe V: „Felix und Regula, die Schutzheiligen Zürichs“) verlegt das Martyrium der zürcherischen Stadtheiligen, Felix und Regula, in die Zeit Diokletians. Unter Kaiser Konstantin dem Grossen und seinen Nachfolgern ist es zur Herrschaft gelangt.

Der Untergang der römischen Kultur in der Schweiz war besiegelt, als die Römer zu Anfang des 5. Jahrhunderts ihre Heere nördlich der Alpen zurückriefen, um sich der Westgoten im Stammlande des Reichs, in Italien, zu erwehren. Von unsern Landschaften nahmen die heidnischen Alemannen Besitz; ein grosser Teil des Landes verödete und wurde wieder zu Wald. Als stumme Zeugen dieser Zeit treten uns mancherorts alemannische **Gräber** entgegen, so in Ober-Affoltern, in Ober- und Unter-Engstringen, Regensdorf, Riesbach, Stallikon, auf dem Sihlfeld, auf dem Balgrist in Hirslanden. Als im 7. Jahrhundert der hl. Kolumban an den obern Zürichsee kam, fand er bei den Bewohnern das Heidentum noch in ungestörter Herrschaft; und nicht sicher ist, ob die aus diesen Zeiten rührenden Kultstätten, die vom Volk mit dem Namen „**Betbur**" (entweder „Altarhaus" oder „Bethaus") bezeichnet wurden und von denen auch eine am Zürichberg (Fluntern) nachgewiesen worden ist, christlicher oder heidnischer Frömmigkeit ihren Ursprung verdanken.

Nur in Kürze sei der äussern Verhältnisse unserer Gegenden in den folgenden Jahrhunderten gedacht. Alemannisches Land, kamen sie zunächst unter ostgotische, dann noch vor Mitte des 6. Jahrhunderts unter fränkische Oberhoheit; über sie walteten zunächst alemannische Herzoge, dann aber ward diese Würde beseitigt, und sie traten in unmittelbare Botmässigkeit der fränkischen Könige. Schon vorher hatte sich das Christentum wieder Bahn gebrochen; beim Ausfluss des Sees, auf einem Hügel am rechten Ufer der Limmat, erhob sich, nach der Überlieferung von einem alemannischen Edeln Ruprecht begründet, die Kirche zu St. Felix und Regula. In Karls des Grossen (768—814) Zeit steigerte sich die Verehrung dieser Heiligen, und die Legende weiss auch manches von dem Aufenthalt des grossen Kaisers in Zürich zu erzählen (siehe V: „Karl der Grosse und die Schlange"); wahrscheinlich ist, dass damals das Chorherrenstift bei der Kirche entstand. Bei der Teilung des karolingischen Reiches zwischen den Enkeln Karls kam unser Land zum ostfränkischen (deutschen) Reich und noch ist die Urkunde vorhanden, mittelst welcher am 21. Juli 853 König Ludwig der Deutsche zu Regensburg dem kleinen Frauenkloster am linken Ufer der Limmat den Hof Zürich und andre seiner Güter schenkte und dasselbe seiner Tochter Hildegard als Äbtissin übergab (s. V: „Gründung des Frauenmünsters" oder der „leuchtende Hirsch"). Die Abtei Zürich (das Frauenmünster) ist durch diese Schenkung zur Herrschaft über den nun rasch aufblühenden, am Handelsweg zwischen Italien und dem Rhein günstig gelegenen Ort gekommen, während auch das Stift am Grossen Münster bedeutende Gefälle und Rechte in der Umgebung besass und auf den Trümmern des alten römischen Kastells, auf dem

Lindenhof, die königliche Pfalz sich erhob, auf der in den folgenden Jahrhunderten nicht selten deutsche Könige und Kaiser, namentlich der mächtigste derselben, Heinrich III. (1039—56), vorübergehend verweilte.

Der Flecken oder das Kastell Zürich selbst (Turicum oder Turegum) war ursprünglich von geringem Umfang. Auf der linken Seite der Limmat umfasste er das Gestade zwischen beiden Brücken bis an den Lindenhof; auf der rechten zog sich die älteste Stadtbefestigung von der Römergasse aufwärts zum Eingang der Münstergasse, dann hinauf zum Brunnenturm, wieder herunter zum Eingang des Neumarkts, dem Wolfbach entlang zur Brunngasse und die Rosengasse hinunter an die Limmat. Die beiden Münster, sowie der Münsterhof, Gassen, Oberdorf und Niederdorf kamen nicht vor dem 11., vielleicht erst im 13. Jahrhundert innerhalb die städtische Befestigung zu stehen. Immerhin war das alte Zürich für die Begriffe damaliger Zeit kein unbedeutender Ort. Schon 870 pries der st. gallische Mönch Radpert den Prachtbau der damaligen Abtei; die Stadt gab dem ganzen südlichen Teil der alemannischen Landschaft Thurgau den Namen; in den Kämpfen um das seit dem 10. Jahrhundert neuerstandene Herzogtum Alemannien oder Schwaben wird der Eroberung Zürichs durch Herzog Friedrich, den nachmaligen Kaiser Friedrich I., Barbarossa (1152—90), ausdrücklich gedacht und Gottfried von Freising nennt es in jenen Zeiten „nobile Turegum, multarum copia rerum —, das edle Zürich, das Überfluss an Vielem hat."

Mit dem Aufblühen der Stadt wuchs auch ihre politische Selbständigkeit. Von der grössten Bedeutung war für sie das Aussterben des zähringischen Herzogshauses, eben in der Zeit, wo dasselbe in der nördlichen und westlichen Schweiz ein zusammenhängendes und mächtiges Fürstentum zu begründen im Begriffe war (1218). Damals ward Zürich reichsfrei; aber das Münzrecht und die Besetzung des Stadtgerichts blieb der Äbtissin und auf dem Lindenhof waltete der Reichsvogt.

In dem Streit zwischen Kaiser und Papst brach die Macht der deutschen Könige zusammen; die Pfalz auf dem Lindenhof kam in Verfall. Ein Teil des Adels der Umgebung war bereits in die Stadt gezogen und hatte sich hier feste Türme zur Behausung erbaut; aber auch der nichtadlige Teil der Bevölkerung war durch Handel und Gewerbe allmälig zu Wohlstand gelangt.

Um die Freiheit des Verkehrs zu sichern und ihre Macht zu mehren, zerstörte die Stadt die Burgen und Schlösser der Adeligen, die nicht zu rechter Zeit noch dem blühenden Gemeinwesen sich angeschlossen: die Sage hat einen ganzen Kranz solcher Kriegstaten mit dem Namen Rudolfs von Habsburg, der zur Zeit des Interregnums (1250—73) ihr Feldhauptmann gegen Leuthold von Regensberg gewesen war, in Verbindung gebracht (siehe V: „Die Regensberger oder Rudolf von Habsburg und die Zürcher"). Gegen das ausschliessliche Recht des Adels auf das Stadtregiment erhob sich die übrige Bürgerschaft unter Ritter Rudolf Brun: die Verfassungsänderung des Jahres 1336 (der erste geschworene Brief) gab den Handwerksinnungen (Zünften) politische Rechte und stellte die Gesamtheit der zünftigen Bürgerschaft im Rat dem Adel ebenbürtig; Brun selber liess sich auf Lebenszeit zum Bürgermeister ernennen und nahm eine fast monarchische Stellung ein; um sein Werk gegen den Adel und das Haus Habsburg zu schützen, trat er mit den IV Waldstätten in Fühlung; am 1. Mai 1351 ward der ewige Bund geschlossen, durch welchen Zürich ein Glied der von jenen begründeten Eidgenossenschaft wurde. In jener Zeit freilich beschränkte sich der ganze Besitz der Stadt auf die zwei Vorstädte ausser ihren Mauern (Oberdorf und Niederdorf), einige zerstreute Höfe, Wald und Weideplätze am westlichen Abhang des Zürichberges, das unmittelbar vor der Stadt sich ausbreitende Sihlfeld und einen Teil des Sihlwaldes. Noch war bei der Brun'schen Verfassung es notwendig erschienen, die Genehmigung der Äbtissin einzuholen: aber wie nunmehr Besitz und Bedeutung der Stadt sich rasch vermehrten, kehrte sich auch das Verhältnis zur Abtei um: aus einer Vormundschaft derselben über die Stadt wurde eine Vormundschaft der Stadt über das allmälig in innern Verfall sinkende Stift, bis die letzte Äbtissin, Katharina von Zimmern, zur Zeit der Reformation dasselbe mit all seinen Rechten der Stadt übergab.

Die mittelalterlichen Verhältnisse, in denen der Bürgerstand nur durch lange Kämpfe zu einer politischen Stellung neben Kirche und Adel sich emporrang, haben sich durch eine Reihe von Denkmälern und lokalen Erinnerungen das Andenken bis auf die Gegenwart gesichert. Auf dem Ütliberg erhob sich die „Ütelenburg": auf niedrigerm Vorsprung zu seinen Seiten die Edelsitze der Manegg und des Friesenberg, an der nordwestlichen Abdachung Uitikon, jetzt noch in schlossähnlichem neuem Bau erhalten, einst Besitzung der Herren von Schönenwerd; im Stallikertal die Burg derer von Sellenbüren, die das Kloster Engelberg gestiftet haben; am Katzensee Alt-Regensberg; am linken Ufer der Limmat, da wo bis in die Mitte des 14. Jahrhunderts eine hölzerne Brücke über die Limmat führte, der aus grossen unbehauenen Steinen aufgeführte (megalithische) Hardturm, am rechten Ufer näher der Stadt die Besitzung der Edlen

von Beggenhofen. Unbestimmt ist, ob nicht auch in Weiningen Edle gesessen, unsicher die Stelle, wo einst der Stammsitz der Herren von Hottingen gestanden, und unklar, wozu die nun verschwundenen bedeutenden Mauerreste gedient haben, die bis in dieses Jahrhundert hinein auf dem „Bürgli" in Enge sichtbar waren; dagegen verraten noch schwache Spuren den Ort, wo einst die Biberlinsburg auf das Stöckentobel herniederschaute. In der Stadt selbst sind die alten Türme des Adels in den letzten Jahrzehenden modernen Bauten gewichen, nur der Brunnenturm, der Anbau des Hauses zur Schuhmachern, sowie der Grimmenturm, erhalten teilweise noch in den äussern Formen die Erinnerung an jene Zeiten. Bis auf den heutigen Tag besteht das von den Regensbergern gegründete Kloster Fahr an der Limmat; erinnert der Name „Klösterli" auf dem Zürichberg an das ehemalige Stiftsgebäude der Chorherrn zu St. Martin, das auf jenem Berge lag; der Name des ehemaligen Dominikanerinnenklosters zum Ötenbach in der Stadt an die ursprüngliche Behausung dieser Nonnen am Zürichhorn; der Name des „Selnau" an das einst daselbst befindliche Nonnenklösterchen zur „Seldenau". Die Siechenhäuser zu St. Jakob in Aussersihl, zu St. Moritz in der Spanweid führen uns in die primitive Form der Krankenpflege jener Zeit zurück, wie sie nach den Kreuzzügen zur Notwendigkeit wurde. Die Kirchen- und Klosterbauten der Stadt entstammen dieser Zeit: Grossmünster, Fraumünster, St. Peter, Dominikaner-[Prediger]kloster mit der Kirche zum hl. Geist, das Frauenkloster im Ötenbach, die Männerklöster der Barfüsser (Obmannamt und Theater) und Augustiner, sowie die von Waldmann umgebaute und erweiterte Wasserkirche. Die Besitzungen auswärtiger Stifte (Wettingerhaus, Schaffhauserhaus, Kappelerhof, das Haus des Bischofs von Chur an der untern Zäune), die Kirchgasse mit ihren Chorherrnhäusern und der jetzt ebenfalls umgebauten Leutpriesterei zum Grossen Münster wissen von der Macht und dem Wohlstand der Geistlichkeit, die Namen der Zunfthäuser von der durch Brun geordneten Einteilung der handwerksgenössigen Bürgerschaft zu erzählen; ausser den oben genannten Türmen haften auch an einigen jetzt gänzlich bürgerlich umgebauten Häusern Erinnerungen des frühern Mittelalters; älter noch als das durch die Sage verherrlichte Haus zum „Loch" scheint das Haus zur „Winde" am Eingang der Münstergasse zu sein.

Die Geschicke der alten Eidgenossenschaft und Zürichs Anteil an denselben dürfen im allgemeinen als bekannt vorausgesetzt werden. Mit dem Zutritt von Glarus, Zug und Bern ward der Bund schon 1353 auf die sogenannten VIII alten Orte erweitert, und blieb dann über ein Jahrhundert auf diese Bundesgenossenschaft beschränkt, während durch Gebietserwerbungen in Krieg und Frieden deren Besitzungen sich abrundeten und namentlich Zürich, das vorher ein isolirter Vorposten gewesen, durch das Zusammenbrechen der Macht des habsburgischen Hauses in unsern Gegenden mit den übrigen Eidgenossen in einheitlichen räumlichen Zusammenhang trat (1415 Eroberung des Freiamts inclus. Knonaueramts). Im Kampfe mit Habsburg war die Eidgenossenschaft zu Stärke und Selbstbewusstsein gelangt, und der letzte Versuch Zürichs, in Anlehnung an Östreich eine anti-eidgenössische besondere Politik einzuschlagen, wie sie schon Brun in seinen letzten Jahren betrieben, fand im alten Zürichkrieg (1439—50) einen für die Stadt mit schwerem Schaden und harter Demütigung verbundenen Ausgang. Dann kam die Zeit der glänzenden Machtentfaltung der Eidgenossen im Burgunderkrieg (1474—78); vielbewundert und vielgehasst hob Hans Waldmann Zürichs Einfluss zum ersten in der Eidgenossenschaft, bis er selbst der Verbindung seiner persönlichen und politischen Feinde erlag (1489). Der Schwabenkrieg brachte die faktische Unabhängigkeit vom deutschen Reich; durch den Zutritt von Freiburg und Solothurn (1481), Basel und Schaffhausen (1501) und die Erhebung Appenzells zum vollberechtigten Bundesglied (1513) hatte die nunmehr XIIIörtige Eidgenossenschaft die Zahl ihrer eigentlichen Bundesglieder auf diejenige Höhe gebracht, auf der sie von da an bis zum Untergang der alten Eidgenossenschaft (1798) verblieb.

Diese dritte Periode der alten Eidgenossenschaft fügte zu den beiden Gegensätzen, die schon bis dahin die Bundesverhältnisse bewegt, dem Unterschied von Städten und Ländern, der zuerst durch den Eintritt Zürichs von Bedeutung geworden, und demjenigen von regierenden Orten und Untertanengebieten, der durch die Eroberung des habsburgischen Besitzes eingeleitet und durch Waldmanns innere Politik grundsätzlich ausgeprägt worden war, gleich in ihrem Eingang ein neues Moment durch die Glaubensspaltung hinzu. Auch hier ist es wiederum Zürich, welches durch Zwinglis Auftreten das Signal zu Kämpfen gibt, die allerdings einen engern organischen Zusammenschluss der Eidgenossenschaft verhindert, aber durch den Wettkampf und die Eifersucht der den beiden Glaubensrichtungen anhangenden Stände vielleicht mehr als alles andre dazu beigetragen haben, die Eidgenossenschaft von Grossmachtsgelüsten ferne zu halten und ihre Kräfte auf Fragen der innern Kultur zu konzentriren. So blieb sie dann auch inmitten der dreissigjährigen Kämpfe, welche im 17. Jahrhundert Europa verheerten, wie eine Oase verschont; ja sie gewann aus dem Abschluss derselben (1648) die formelle Anerkennung ihrer Unabhängigkeit vom deutschen Reich, weshalb von da an aus den zürcherischen Münzprägungen der Reichsadler verschwindet. Auf dem Gebiete politischer Entwicklung freilich konnte der durch die Reformation gebotene Stillstand nur zum Rückschritt führen: es folgen die dunkeln Blätter der Bürgerkriege (1531 Kappelerkrieg, 1653 Vilmergerkrieg, 1656 Bauernkrieg, 1712 Toggenburgerkrieg), die immer deutlicher werdende Ohnmacht aller Bestrebungen für Verbesserung der Bundesverhältnisse, und bei der in der allgemeinen politischen Entwicklung Europas wurzelnden, immer starrer werdenden Abschliessung der Bevölkerungsschichten gegen einander vermochten auch im kantonalen Leben die wohlmeinenden Reformversuche, sowie die vereinzelten Empörungen und Verschwörungen des 18. Jahrhunderts nicht, eine durchgreifende Wendung hervorzubringen. Hier, wie auf andern Gebieten, erwies sich die Reform ohnmächtig und es kam zur Revolution; die französische Invasion des Jahres 1798 deckte ihr den Rücken und so brach die alte Eidgenossenschaft und damit auch die Organisation des regierenden Standes Zürich zusammen. Aber die nunmehr errichtete Eine und unteilbare helvetische Republik ging nach mehrjährigen innern Kämpfen in der Not der Zeit unter; die „Mediation" (1803) stellte in bedingter Weise, die nach Napoleons Sturze (1815) folgende „Restauration" so ziemlich unbeschränkt die kantonale Souveränetät wieder her, bis endlich die Schweiz aus eigner Kraft nach Niederwerfung des Sonderbundes den losen Staatenbund in einen Bundesstaat umwandelte (1848), wobei Zürich zwar seine bisherige Stellung als einer der Vororte der Schweiz einbüsste, nichts desto weniger aber in der Kräftigung des Gesamtvaterlandes die Verwirklichung eines lange gehegten Ideals freudig begrüsste und als Sitz der eidgenössischen zentralen Schule (Polytechnikum 1855) auch etwelchen äussern Ersatz erhielt.

Der Natur der Sache nach sind es nur einzelne Perioden und Ereignisse der Entwicklung seit Rudolf Bruns Zeit, deren Erinnerung an demjenigen Boden haftet, zu dessen historischer Besprechung diese Blätter dienen sollen. Vor allem ist es die Staatsumwälzung Bruns selber und ihre Folgen. In der Barfüsserkirche schwur die Stadt dem neuen Bürgermeister den Treueid; das Haus zum Strauss am obern Eingang des Niederdorfs erinnert an die Zürcher Mordnacht 1350; die Burg Manegg erzählt von dem Sieger zu Tättweil, Rüdiger Maness; auf unbedeutendem Hügel, am Limmatufer unterhalb Schlieren — die Stelle ist jetzt noch erkennbar — stand Bruns festes Haus „Schönenwerd"; am Zürichberg lagerten sich zu wiederholten Malen die östreichischen Herzoge, selbst Kaiser Karl IV. vergeblich, um das Geschehene rückgängig zu machen (1353–54). Die Stüssihofstatt hinwiederum und die Sihlbrücke bei St. Jakob stellen uns das Bild des Mannes vor Augen, der ein Jahrhundert später die Politik der Leidenschaft durch den Heldentod sühnte beim ehemaligen Chorherrenhaus zum „grünen Schloss" am

Zwingliplatz gedenken wir des geistreichen Propstes Felix Hemmerlin, der an der Fastnacht 1454 aus diesem Hause von den über ihn erbitterten Eidgenossen der innern Kantone herausgerissen und seinen geistlichen Feinden überliefert wurde. — An Waldmann erinnert die Wasserkirche und das Grossmünster (erstere liess er umbauen, die Türme des letztern mit Spitzhelmen versehen, die im vorigen Jahrhundert durch Blitzstrahl eingeäschert wurden) — erinnert das Predigerkloster, wo seine Feinde den Untergang des Übergewaltigen planten, erinnert der Ausfluss der Limmat, wo einst der Wellenberg sich erhob, der Platz beim Pfauen im Eingang des Zeltweg, wo er, von den Städtern und dem Landvolke gesehen, sein Haupt auf den Block legte, erinnert endlich der Grabstein im Fraumünster mit Waldmanns Wappen, den 5 Tannen in der Mitte und der Umschrift: „Uf den 6. Tag Abrel 1489 ward gericht Hans Waldmann". Und wer gedächte nicht, wenn er am Grossmünster vorbeigeht, Zwinglis, dem zu Ehren noch heute in der Helferei zum Grossmünster das „Zwinglistübchen" bei allen Umbauten des Hauses im alten Stand erhalten worden ist, Zwinglis, der auf der Kanzel des Münsters für Reformation der Kirche und des Staatslebens sein gewaltiges Wort erhob und als „Schulherr" in dem angebauten Chorherrngebäude (an dessen Stelle jetzt die Mädchenschule steht) mit sparsamsten Hilfsmitteln eine höhere Schule schuf, die zum ersten Mal dem zürcherischen Schulwesen bis weit in Deutschland hinein Hochachtung und Anerkennung eintrug!

Und nun hinüber auf den Lindenhof. Da, wo einst das römische Kastell stand, wo im Mittelalter die königliche Pfalz herniederschaute, und wo dann nachher die Bürger oft zu Festen und Lustbarkeiten zusammentrafen, fand mitten in einer sonst rückwärts gewendeten Zeit am 8. September 1713 jene Bürgerversammlung statt, die durch ihr energisches und zugleich massvolles Auftreten die Regierung veranlasste, ihre Gewalt einzuschränken, Missbräuche zu beseitigen und sich zu verpflichten. wichtige Angelegenheiten den Zünften d. h. der auf denselben versammelten Bürgerschaft vor dem Entscheid durch den Grossen Rat zur Willensäusserung vorzulegen. Drüben über der grossen Stadt schaut auf dem alten Schanzenterrain das Haus Joh. Jakob Bodmers (1698—1783) uns entgegen, wo einst Klopstock, Wieland, Gœthe den Altmeister aufsuchten, wo die freien Gedanken der Aufklärung die neue Zeit ankündigten, und wir begleiten im Geiste den „Vater der Jünglinge" hinunter in die stillen Baumgänge des Platzes, wo er in der Kühle des Abends mit allen denen in freundschaftlichem und gelehrtem Gespräch umherwandelt, welche die geistige Zierde des damaligen Zürich oder die Hoffnung seiner Zukunft bildeten: die gelehrten Schulmänner Breitinger und Steinbrüchel, der kunst- und geistreiche Dichter Salomon Gessner, der witzige Salomon Landolt, der junge Lavater, Pestalozzi, Füssli, Bluntschli u. a.

Der Staatsumwälzung von 1798 folgte noch einmal eine Zeit, wo Krieg und Kriegsgeschrei um die im 17. Jahrhundert errichteten Festungsmauern und Wälle Zürichs tobten. Im Jahr 1799 kämpften mehrfach die Heere der Grossmächte um den Besitz der Stadt. Von beiden Seiten des Zürichberges, über Schwamendingen und über Wytikon drang in den ersten Junitagen der östreichische Erzherzog Karl vor, um die Franzosen aus Zürich zu vertreiben (erste Schlacht bei Zürich); am 6. Juni räumte der französische General Massena die Stadt, Albis und Ütliberg besetzt haltend; noch mehrere Tage hindurch war das Sihlfeld der Schauplatz blutiger Gefechte. Die Östreicher wurden in der Besetzung Zürichs von ihren Bundesgenossen, den Russen unter Korsakow, abgelöst; aber Massena rüstete sich in aller Stille zu einem neuen Vorstoss. Bei dichtem Nebel ging er in der Frühe des 25. September mit seinem Heer bei Dietikon auf das rechte Limmatufer hinüber; die Russen, zuerst durch einen Scheinangriff bei Wollishofen getäuscht, stellten sich ihm entgegen; unter fortwährenden Kämpfen rückten die Franzosen über Höngg langsam heran — den Nebel hatte inzwischen die Herbstsonne durchbrochen. Noch zeigte bis vor kurzem ein Häuschen bei Wipkingen in den gegenüberstehenden Fensterladen den Weg, den eine russische Kugel durch dasselbe genommen; im Hause zum Beckenhof sind Kanonenkugeln von jenen Zeiten her in der

Aussenseite der Mauern zu sehen. Bis in die Strassen der Stadt hinein wütete der Kampf: auf der Emporkirche des Grossmünsters wurden russische Soldaten, die nicht rechtzeitig hatten entkommen können, von den nachdringenden Franzosen niedergestochen. Die Gefahr für Zürich, der Plünderung anheimzufallen, und alle Schrecken einer eroberten Stadt durchzumachen, war bei dieser „zweiten Schlacht von Zürich" gross, aber sie ging glücklich vorüber. Doch betrauerte die Stadt an jenem Tage das Schicksal Joh. Kaspar Lavaters, der vor seinem Pfarrhause bei St. Peter aus Missverständnis von einem Krieger, dem er hatte helfen wollen, tödlich verwundet wurde.

Ein Nachspiel dieser grössern Kämpfe fand statt, als Zürich, das am 10. September 1802 von der helvetischen Regierung sich losgesagt, drei Tage nachher durch den helvetischen General Andermatt vom Schlössli am Zürichberg aus mit glühenden Kugeln beschossen wurde. Doch wurde mit einer einzigen Ausnahme niemand getötet und durch die Vorsicht der Bürgerschaft konnten entstehende Feuersbrünste im Keime erstickt werden. Andermatt zog unverrichteter Dinge ab, die Frauen und Kinder, die eine bange Zeit in den Kellern der Häuser zugebracht, konnten wieder im frohen Tageslicht aufatmen — und seit dieser Zeit ist Zürich nicht mehr von fremden oder einheimischen Kriegsscharen gefährdet worden.

Noch sei in Kürze dreier ernster aber friedlicher Ereignisse gedacht, die auf unserm Boden vor sich gegangen und auf die Entwicklung der neuen Schweizergeschichte nicht ohne Einfluss geblieben sind. Als im Jahr 1836 die französische Politik sich darin gefiel, in dem sogenannten „Flüchtlingshandel" der kleinen Schweiz gegenüber ihre Grossmachtstellung auf masslose Weise fühlbar zu machen, und die Tagsatzungsmehrheit diesen Ereignissen nur würdelose Schwäche entgegenzustellen wagte, fanden in verschiedenen Kantonen Volksversammlungen statt, um das nationale Bewusstsein zum Ausdruck zu bringen, im Kanton Zürich zu Wiedikon. Auf die Frage, ob man den Übermut eines fremden Botschafters (Herzog von Montebello) dulden wolle, erscholl ein vieltausendfaches Nein, auf die weitere Frage, ob man entschlossen sei, jeder Anmassung, jedem Interventionsversuche des Auslandes mit Aufopferung von Gut und Blut zu begegnen, ein ebenso lautes Ja. Durch die Entschiedenheit, mit der der Volkswille zur Geltung gelangt war, ermutigt, raffte sich auch die Tagsatzung zu energischer Behauptung der nationalen Würde auf und die in Frage stehende Angelegenheit gelangte wenigstens noch zu einem leidlichen Austrag.

Die grossen innern Streitfragen zu Anfang der Vierzigerjahre, die Aufhebung der Klöster im Aargau und die Berufung der Jesuiten nach Luzern, führten im Kanton Zürich umsomehr zu volkstümlichen Kundgebungen, als die am 6. September 1839 zur Regierung gelangte konservative Partei eine unentschiedene, den katholisch-konservativen Miteidgenossen eher günstige Politik verfolgte. Die Volksversammlung zu Schwamendingen (22. August 1841) sprach sich aber mit solcher Entschiedenheit für eine entschieden freisinnige Haltung Zürichs in den eidgenössischen Fragen aus, dass die Regierung einlenken und ihre Opposition gegen das radikale Vorgehen im Aargau aufgeben musste. Und als sie dann drei Jahre später auch gegenüber der Berufung der Jesuiten nach Luzern nicht durchgreifend aufzutreten wagte, verlangte eine nach Unterstrass einberufene Volksversammlung die Ausweisung aller Jesuiten durch den Bund, und zwar wenn nötig mit Gewalt; und der Grosse Rat, der kurz darauf die Instruktion an die zürcherischen Tagsatzungsabgeordneten festzusetzen hatte, sanktionirte nach zweitägiger Debatte am 6. Februar 1845 dieses Begehren. Dadurch trat Zürich wieder mit Entschiedenheit in die Reihen derjenigen Kantone ein, deren Politik zwar zunächst die blutige Krisis des Sonderbundskrieges, durch diese hindurch aber die Möglichkeit einer fortschrittlichen Entwicklung der Gesamteidgenossenschaft auf dem Boden bundesstaatlicher Verhältnisse herbeiführte.

* * *

Wir haben im Verlaufe der Erzählung gesehen, wie zur Zeit Bruns der Besitz der Stadt Zürich sich nicht viel über ihr Weichbild hinaus erstreckte und nur das Sihlfeld und ein Teil des Sihlwaldes, ihr ausser demselben angehörte. Als im Jahr 1798 das zürcherische Staatswesen zusammenbrach, standen die Verhältnisse folgendermassen:

Die regierende Stadt war durch ihre Festungswerke begrenzt, deren Schanzenterrain das einschloss, was wir jetzt noch im engern Sinn als das städtische Gebiet bezeichnen. Unmittelbar ausserhalb desselben begann die von der Stadt regierte Landschaft,* die in innere oder Obervogteien, deren Inhaber in der Stadt wohnten, und in äussere oder Landvogteien eingeteilt war. An die Stadt mauern grenzten folgende Obervogteien:

Küsnach (Seefeld-Riesbach, Hirslanden, Zollikon u. s. w.).

Vier Wachten (Hottingen, Fluntern, Oberstrass, Unterstrass und Wipkingen).

Wiedikon (Sihlfeld, Wiedikon, Albisrieden).

Wollishofen (Enge, Leimbach, Wollishofen).

Darüber hinaus schlossen sich folgende weitere innere oder Obervogteien auf dem in Besprechung fallenden Gebiete an:

Dübendorf (Örlikon, Schwamendingen, Seebach u. s. w.).

Regensdorf (Affoltern, Regensdorf).

Höngg (Höngg).

Altstetten (Altstetten und Äsch bei Birmenstorf).

Birmensdorf (Birmensdorf).

Wettsweil-Bonstetten (Stallikon, Wettsweil).

Dagegen gehörten nicht zum Gebiete des Standes Zürich sondern zu der seit 1415 zur gemeinen Herrschaft gewordenen, von 1712 an nur noch Zürich, Bern und Glarus zustehenden Grafschaft Baden:

Schlieren.

Kloster Fahr (von Einsiedeln abhängig).

Gerichtsherrschaft Weiningen (Weiningen, Ober- und Unterengstringen), im Besitze der Familie Meyer v. Knonau.

Gerichtsherrschaft Uitikon (Uitikon, Ringlikon), im Besitz der Familie Steiner.

Ganz allmälig war* das Gebiet der Obervogteien durch Schenkung und Kauf mit seinen mannigfach verzweigten Rechten und Gerichtsbarkeiten an Zürich gekommen, nämlich:

1358 die hohen und niedern Gerichte über die Höfe Trichtenhausen, Zollikon und Stadelhofen.

1362 der Zürchersee von Zürich bis hinauf zu den Hurden (Schenkung Kaiser Karls IV.).

1384 die Vogtei zu Höngg, die Vogtei über die Dörfer Küsnach und Goldbach nebst hohen und niedern Gerichten.

1387 ein Teil der Vogtei über das Dorf Wiedikon.

---

* Nach G. Meyer von Knonau, der Kanton Zürich I, S. 49.

1406 was diesseits des Albis zur Herrschaft Eschenbach gehörte.
1423 die hohen und niedern Gerichte zu Wollishofen.
1432 die Vogtei zu Altstetten.
1439 die Gerichte zu Wipkingen.
1466 die Gerichte zu Wettsweil, Sellenbüren und Stallikon.
1470 das Schloss Alt-Regensberg mit Gerichten.
1487 ein Teil der Vogtei zu Birmensdorf und Ober-Urdorf.
1491 die übrigen Gerichte zu Wiedikon.
1495 ein Teil der Gerichte zu Birmensdorf und Ober-Urdorf.
1511 noch ein Teil der Vogtei zu Birmensdorf und Ober-Urdorf.
1524 übergab das Chorherrenstift in Zürich seine Rechte an die Regierung, darunter die niedern Gerichte zu Höngg und Schwamendingen, und die hohen und niedern Gerichte zu Albisrieden und Fluntern.

So schloss mit der Reformation der Kreis der unmittelbaren Oberhoheit der Stadt in ihren nächstgelegenen Gebieten ab und damit hatte es bis 1798 für die von uns besprochene Landschaft sein Verbleiben. Mit der helvetischen Staatsumwälzung von 1798 erloschen nunmehr die der Grafschaft Baden zugestandenen Oberhoheitsrechte über Altstetten (und Ober-Urdorf) und zugleich schlossen sich nach der Beseitigung der gerichtsherrlichen Familienrechte die Herrschaften Weiningen und Uitikon an Zürich an. Erst im 19. Jahrhundert, durch die Mediationsakte von 1803, ist endlich Schlieren (und Dietikon), zur Zeit der helvetischen Republik dem Kanton Baden zugewiesen, an Zürich gekommen, während das Kloster Fahr dem Aargau zugeteilt ward.

In den Untertanengebieten der eidgenössischen Orte herrschten die verschiedensten Rechtsverhältnisse; die Abhängigkeit wurde namentlich in den höhern Lebensgebieten: Handel und Industrie, gelehrten Berufsarten, für die die regierende Stadtbürgerschaft das Monopol in Anspruch genommen hatte, schwer empfunden, dagegen ist die Leibeigenschaft überall auf zürcherischem Gebiete seit der Reformationszeit (1525) beseitigt gewesen, und unter städtischer Vormundschaft war den Gemeinden durch Aufstellung von Beamteten und Behörden aus der Mitte der Bevölkerung (Untervögte und Geschworne) eine beschränkte Selbstregierung in Gemeindeangelegenheiten zugestanden. Das Jahr 1798 proklamirte alsdann die volle Freiheit und Gleichheit und seit 1831 (resp. 1837) ist dieselbe auch bezüglich aller politischen Rechte durchgeführt.

* * *

Zum Schlusse nennen wir noch die Quellen, aus denen nähere Kunde der einschlägigen Verhältnisse genommen werden kann.

I. Die Werke und Lehrbücher der Schweizergeschichte.

(Joh. v. Müller und seine Fortsetzer, L. Meyer v. Knonau, Vögelin und Escher, Strickler, Dändliker u. s. w., die Chroniken von Tschudi, Stumpf u. s. w.).

J. C. Vögelin, G. Meyer v. Knonau u. s. w., historisch geographischer Atlas der Schweiz. Zürich 1870.

II. Die antiquarischen Sammlungen und Monographien.

Die Sammlungen der Antiquarischen Gesellschaft auf dem Helmhause in Zürich, einzelne Merkwürdigkeiten der Stadtbibliothek in der Wasserkirche, die Münzsammlungen der Antiquarischen Gesellschaft und der Stadtbibliothek, die Waffensammlung im Zeughause in Aussersihl u. s. w.

Mitteilungen der Antiquarischen Gesellschaft (teilweise* als Neujahrsblätter herausgegeben) und zwar:

Pfahlbauten Bd. IX, 2. Abteilung, 3, XII, 3, XIII, 2. Abteilung, 3, XIV, 1, 6, XV, 7, XIX, 3, XX, 3.

Römisch-gallisch-alemannische Antiquitäten: I, 1,* 3,* II, 7, III, 4, 5,* VII, 6, XII, 7, XV, 2,* 3, XVII, 7, XVIII, 3,* XIX, 2*.

Münzen: I, 7, XII, 2, XV, 1.

Öfen: XV, 4*.

Ortsnamen: VI, 3.

Städte- und Landessiegel: IX, 1. Abteilung, 1.

Mittelalterliche Gebäude, ihre Geschichte und Ausschmückung: Grossmünster I, 4,* 5,* 6, Wandverzierungen in einem Chorherrenhause III, 4,* Abtei Zürich VIII,* Hardturm* XVII, 5,* heraldische Ausschmückung einer ritterlichen Wohnung* XVIII, 4.

Letzinen XVIII, 1.

Hans Waldmanns Jugendzeit und Privatleben XX, 1. Abteilung, 1*.

Anzeiger für schweizerische Altertumskunde. Zeitschrift, herausgegeben von der Antiquarischen Gesellschaft. 1868 ff.

Neujahrsblätter der Stadtbibliothek in Zürich 1842 ff.: Geschichte der Wasserkirche. — 1849 und 1850: Beiträge zur Geschichte der Familie Maness (von Manegg und im Hard).

Keller, F. Archäologische Karte der Ostschweiz. Zürich 1874.

Beust, F. Kleiner historischer Atlas des Kantons Zürich. Zürich 1873.

III. Ortsgeschichten.

Denzler, J. R. Fluntern, die Gemeinde am Zürichberg (historischer Teil von K. Furrer). Horgen 1858.

Weber, H., die Kirchgemeinde Höngg. 1869.

Neujahrsblätter des Waisenhauses Zürich, 1878—80: Zürich in der 2. Hälfte des 18. Jahrhunderts.

IV. Ortslexika geographisch-historischen Inhalts.

Leu, Hs. Jakob, allgemeines helvetisches oder schweizerisches Lexikon, Zürich 1747—65 (20 Bände).

Bluntschli, Hs. H. Memorabilia Tigurina (3. Aufl. Zürich 1742).

Vogel, F. Memorabilia Tigurina, fortgesetzt von G. v. Escher, 1840 ff.

V. Geographisch-historische Darstellungen des Kantons Zürich.

Meyer v. Knonau, G., der Kanton Zürich. 2 Teile. St. Gallen und Bern 1844, 1846.

Bluntschli, J., Dr., Staats- und Rechtsgeschichte der Stadt und Landschaft Zürich. 2 Bände. 1839.

Bluntschli und Hottinger, J. J., Geschichte der Republik Zürich. 3 Bände. Neue Aufl. 1870.

(Wyss, D.) Politisches Handbuch für die erwachsene Jugend der Stadt und Landschaft Zürich 1790.

VI. Geographisch-historische Darstellungen der Stadt Zürich und Umgebung.

Escher, Hans Erhard, Beschreibung des Zürich-Sees. 1692.

Vögelin, S., das alte Zürich 1829. — 2. Aufl. (noch unvollendet, Zürich 1879 ff.).

Arter, J. Bilder aus dem alten Zürich. 60 Tafeln. Zürich.

Zürich und seine Umgebungen. Ein Almanach für Einheimische und Fremde. Zürich 1839.

Hottinger, J. J., die Stadt Zürich in historisch-topographischer Darstellung. Zürich.

Zürichs Gebäude und Sehenswürdigkeiten. Von der Sektion Zürich des Schweizerischen Ingenieur- und Architektenvereins. Zürich 1877.

Binder, J. J., die Ütlibergbahn bei Zürich (Illustr. Wanderbilder). Zürich.

Denzler, J. R. Bilder aus dem alten Zürich.

II. Historische und kunsthistorische Denkmäler der Stadt Zürich.

Die geschichtlichen und kunstgeschichtlichen Denkmäler Zürichs stehen weder ihrer Zahl noch ihrer Bedeutung nach im Verhältnis zur Entwicklung der Stadt. In beiden Hinsichten bleiben sie hinter denjenigen der meisten grössern Schweizerstädte auffallend zurück.

Die ältesten, in Zürich sich vorfindenden Denkmäler sind eine Anzahl von sogenannten **Schalensteinen**, d. h. von mächtigen erratischen Blöcken mit schalenartigen Vertiefungen. Letztere ziehen sich über den ganzen Stein hin, verteilen sich auf die Ober- und Unterseite desselben, und konnten also nicht zur Aufnahme einer Flüssigkeit (von Libationen, wie man sich das dachte) dienen. Wir wissen demnach nur, was der Zweck dieser Steine und ihrer schalenförmigen Vertiefungen *nicht* war, nicht aber, was in Wirklichkeit als ihre Bestimmung zu gelten hat. Man wird sie indessen doch mit der grössten Wahrscheinlichkeit als *religiöse oder historische Denkmäler* aus der ältesten Zeit der Besiedelung unseres Landes in Anspruch nehmen dürfen. Die Vertiefungen erscheinen unter dieser Voraussetzung als Marken zur Fixirung einer Zahl, wie man solche anderswo durch Kerbschnitte, durch Knoten u. dgl. erreichte. Es ist klar, dass diese in einen Felsblock eingehauenen Vertiefungen die dauerhafteste, bleibendste Konstatirung einer Zahl sind, die man wählen konnte. Übrigens darf man diese Steine nicht als Denkmäler der Bevölkerung der Ortschaft Zürich ansehen; sie sind von auswärts nach Zürich gebracht und hier im Interesse der Wissenschaft aufbewahrt worden. Zwei solcher Steine finden sich in der kleinen Anlage hinter der Wasserkirche, ein dritter ist in dieser selbst aufgestellt. Der gewaltige Block dagegen vor dem Bezirksgebäude im Selnau wurde an Ort und Stelle ausgegraben und hat keinerlei künstliche Vertiefungen.

Die in der Hauptsache immer noch in Dunkel gehüllte **Periode der Pfahlbauer** konnte ihrem Wesen nach keine Monumente, nur bescheidene Gerätschaften hinterlassen. Und doch bedeckten die Pfahlbauten einst in weitem Bogen den Halbkreis am Ausfluss der Limmat aus dem See. Bei den in den letzten Jahrzehenten wiederholt vorgenommenen Verebnungen des See- und Flussbettes, bei der Anlage der Badanstalten und der neuen Quaibrücke traten eine Anzahl Fundstücke ans Tageslicht. Besonders ausgibig erweisen sich der sogenannte grosse und kleine Hafner, so genannt nach den hier angehäuften Scherben von Ton- (Hafner-) Geschirr. Hinter den Stadthausanlagen zog man einige Grundschwellen, auf denen einst die Hütten gestanden, aus dem See. Auch das Flussbett der Limmat lieferte bei Anlegung der Wasserwerke im Letten erhebliche Ausbeute. Diese Fundstücke bewahrt die antiquarische Sammlung auf dem Helmhause, doch verschwinden sie dort fast unter der Menge der aus andern Schweizer Seen, namentlich aus dem Pfäffiker See stammenden Denkmäler der Pfahlbautenzeit.

In der **helvetischen** oder **keltischen Periode** bestunden in Zürich selbst — auf dem Lindenhof — und in der Umgebung — z. B. auf dem Ütliberg — sogenannte Refugien d. h. befestigte Plätze. Ihre Bestimmung war wohl eine doppelte: sie bildeten Stützpunkte militärischer Operationen, und sie hatten, im Fall einer feindlichen Invasion als Zufluchtsorte für die Weiber, die Kinder und die bewegliche Habe zu dienen. Erhalten aber sind diese Refugien nicht mehr. Wir können nur aus einzelnen, an Ort und Stelle entdeckten Fundstücken auf die einstige Existenz derselben schliessen.

Auch die **römische Zeit** hat in Zürich keine Bauwerke hinterlassen. Das Kastell auf dem Lindenhof, welches an die

Stelle des dortigen keltischen Refugiums trat, ist gleichfalls spurlos verschwunden; nur Fundamentmauern, auf die man zu verschiedenen Zeiten stiess, und ein ebendaselbst aufgefundener Grabstein, den der Vorstand der römischen Zollstation seinem Söhnlein Lucius Aelius Urbicus setzte (in der Wasserkirche aufbewahrt), geben uns Kunde von den Römerbauten auf dem Hügel. Im übrigen traten an verschiedenen Stellen der Stadt Spuren von römischen Wasserleitungen, Aschenurnen, Geschmeide etc. zu Tage.

Auf die Herrschaft der Römer folgte diejenige der Alemannen und der **Franken**. Auch unter der letztern blieb der Lindenhof das Kastrum und der Sitz der Verwaltung. Aber auch von diesem mittelalterlichen Schloss, das bis ins 13. Jahrhundert bestand, und oft die deutschen Könige und Kaiser — zwar nicht Karl den Grossen — beherbergte, ist nichts auf uns gekommen. Gleicherweise ist auch von den ältesten zürcherischen Kirchen, die in die fränkische Zeit hinaufreichen: von dem ursprünglichen Grossmünster und der ersten St. Peterskirche, als den beiden ältesten Pfarrkirchen für das rechte und linke Limmatufer von Zollikon bis Seebach und von Kilchberg bis Dietikon, nur noch die geschichtliche Kunde übrig. Dasselbe gilt von dem karolingischen Bau des Frauenmünsters, während wir über die gewiss uralte Wasserkirche, die sich aller Wahrscheinlichkeit nach an Stelle einer heidnischen Kultstätte auf dem Inselchen beim Ausfluss der Limmat erhob, nicht einmal eine solche Kunde besitzen.

Die ältesten erhaltenen mittelalterlichen Denkmäler Zürichs sind die ursprünglichen Teile des Grossmünsters und des Frauenmünsters. Sie reichen beide nicht über das 11. Jahrhundert hinauf.

Das Grossmünster. Seit vielen Jahrhunderten pflegte der zürcherische Lokalpatriotismus die Stiftskirche mit dem Bilde Karls des Grossen an dem einen Turme in die Zeiten dieses Kaisers zurückzudatiren, der überhaupt als spezieller Patron Zürichs verehrt und in mancherlei Sagen gefeiert wurde. Eine andere Meinung schrieb den Bau Otto dem Grossen zu. Diesen haltlosen Vermutungen und Ansprüchen gegenüber ist jetzt festgestellt, dass das Münster ein Ersatzbau für die im Jahre 1078 abgebrannte alte Kirche ist. Indessen ist die Baugeschichte des gegenwärtigen Münsters eine sehr komplizirte. Ein grossartiger Plan, dessen Umrisse sich noch aus dem jetzigen Gebäude herstellen lassen, kam nur in sehr verkürzter Form zur Ausführung. Auch wurde der Bau mit grossen Intervallen betrieben. Der Abschluss desselben (abgesehen von den Türmen) zog sich bis zum Schluss des 13. oder gar in den Anfang des 14. Jahrhunderts hin, zu welcher Zeit man den Chor mit Spitzbogengewölben versah.

Das Grossmünster bietet ein interessantes Muster des ältern, noch einfachen romanischen Baustyles dar; aber nicht das Muster eines regelmässigen, sondern eines höchst eigentümlichen, von den gewöhnlichen Normen abweichenden Baues. Vor allem fällt auf die seltsame, nicht nach den Himmelsgegenden orientirte Lage am Rande einer Terrasse, welche dem Schiff die erforderliche Entfaltung nicht gestattete und verhinderte, zwischen den Türmen, dem Chor gegenüber, das Hauptportal anzubringen. Diese befremdliche Disposition wird zusammenhängen mit der gegebenen Lage eines ältern Heiligtums, welches um der Verehrung willen, die es genoss, in das neue Kirchengebäude mit einbezogen werden musste und also die Richtung des letztern bestimmte. Es ist dies die Kapelle auf der Südseite des Chores, welche die Fortsetzung des linken Seitenschiffes bildet, und in der einst die Leiber der Heiligen Felix und Regula lagen. Vielleicht erklärt sich aus der Existenz dieser Kapelle, die man nicht antasten durfte, der Mangel von Chortürmen und der noch auffallendere Mangel eines Querschiffes, dessen Stelle hier gewissermassen der Vorchor vertritt. Beim Chor überrascht sodann der ungewöhnliche Abschluss im rechten Winkel, welcher sich am Frauenmünster wiederholt und somit eine bestimmte Eigentümlichkeit hiesiger romanischer Bauart darstellt. Sie mag auf das Vorbild der bischöflichen Mutterkirche zurückgehen: auch der Dom von Konstanz ist — bei einer Kathedrale doppelt auffallend — nicht im Polygon, sondern im rechten Winkel geschlossen. Im weitern sind bemerkenswert die Kreuzgewölbe des Langschiffes, die nicht, wie sonst meist in frühromanischen Basiliken, als Ersatz der alten hölzernen Flachdecke eingefügt wurden, sondern dem ursprünglichen Bauplan angehören. Endlich sind die Gallerien über den Seitenschiffen nicht ein deutsches, sondern ein lombardisches Motiv, also ein sprechendes Zeugnis für die uralten Beziehungen Zürichs zur Lombardei, mit andern Worten für den bis ins 11. Jahrhundert zurückreichenden Handel der Limmatstadt mit italienischer Seide. Was die Ausführung des Gebäudes anbetrifft, so zeigt sie einen seltsamen Wechsel von Schmucklosigkeit und reicher Ornamentation. Hier bietet die Kirche das Bild völliger Kahlheit, dort tritt uns eine wahre Profusion von Bildwerken entgegen.

Historische Denkmäler weist das Grossmünster keine auf, weder Grabsteine noch anderweitige. Das Bild Karls des Grossen an dem hienach benannten Karlsturm ist die zu Ende des 15. Jahrhunderts gefertigte Wiederholung eines ältern Kaiserbildes, das im 13. Jahrhundert, anlässlich der Heiligsprechung Karls des Grossen und der Aufnahme seines Kultus in Zürich, hier als Wahrzeichen der Stadt mag angebracht worden sein.

Die Erneuerung des Karlsbildes hängt zusammen mit dem Ausbau der bis dahin unvollendeten romanischen Türme, von denen der südliche das Langschiff

Das **Frauenmünster** ist in seinem gegenwärtigen Bestande wohl gleich alt wie das Grossmünster, d. h. es wird in seinen ältesten Teilen ins 11. Jahrhundert oder in den Anfang des 12. hinaufreichen. Diese ältesten Teile sind der ehemalige Südturm und der einzig erhaltene Nordflügel des Kreuzganges. Die frühere Meinung sah in diesen Partien die Überreste des ursprünglichen, unter der Äbtissin Bertha, der Tochter König Ludwigs des Deutschen, in der zweiten Hälfte des 9. Jahrhunderts aufgeführten Baues. Indessen entsprechen die Baugliederung und Ornamentation dieser fraglichen Teile nicht dem karolingischen, sondern dem entwickelten romanischen Stile. Eine zweite Periode der Bautätigkeit am Frauenmünster bezeichnet der Unterbau des Chores mit Einschluss der östlichen Vierungspfeiler. Wieder etwas später fällt die Einwölbung des Chores, die Aufführung des Nordturmes und der westlichen Vierungspfeiler, alles wohl noch im 13. Jahrhundert abgeschlossen. Dem 14. Jahrhundert endlich gehören die successive Einwölbung der Vierung (des quadratischen, gevierten Raumes zwischen dem Chor, dem Langhaus und den Kreuzflügeln) und die Aufführung des Langhauses (Mittelschiff und Seitenschiffe) an. Die Vollendung der letzteren mag sich noch bis ins 15. Jahrhundert hinein erstreckt haben. Damit hatte denn der Bau im wesentlichen seinen Abschluss und diejenige Gestalt gefunden, in welcher er bis an den Anfang des vorigen Jahrhunderts verblieb. 1728 aber erlitt diese Gestalt eine erhebliche Veränderung, indem man den hintern Turm bis auf die Höhe des Querschiffes niederriss und mit diesem unter Ein Dach brachte, den Nordturm dagegen auf das Doppelte seiner ursprünglichen Höhe emporführte.

Von historischen Denkmälern hat die Fraumünsterkirche nur zwei aufzuweisen, und diese beziehen sich auf Wald-

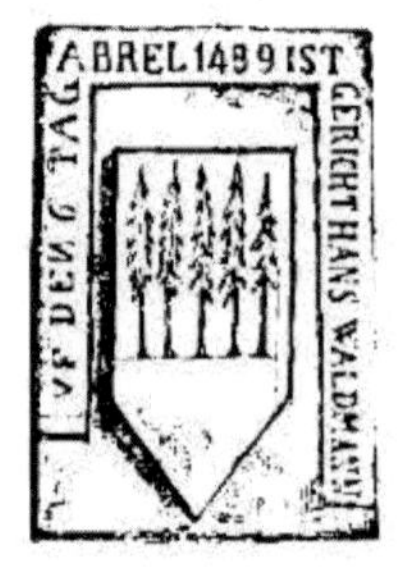

mann. Waldmann war Pfleger und Bauherr der Abtei gewesen und hatte sich in derselben seine Grabstätte gewählt. Sein Wille ward nach seinem gewaltsamen Tode respektirt und sein Leichnam im nördlichen Querflügel beigesetzt. Dort sieht man an der Aussenmauer (nach dem „Münsterhof zu) ein, wohl zur Reformationszeit vermauertes, vor dreissig Jahren wieder aufgedecktes, gegenwärtig unter eisernem Verschluss geschütztes Wandgemälde, das sich auf Waldmanns Tod bezieht. Und im Innern des Querflügels steht an der Mauer ein Grabstein, der sich durch seine Inschrift als derjenige Waldmanns zu erkennen gibt. Es ist wohl nicht mehr das ursprüngliche Denkmal, aber eine spätere, genaue Wiederholung desselben.

Von dem alten romanischen Kreuzgang des Frauenmünsters ist noch die Nordseite (übrigens mit starken Verstümmelungen) stehen geblieben, und es finden sich hier an einem Pfeiler zwei merkwürdige alte Reliefs mit Darstellungen aus der Legende der Zürcher Stadtheiligen Felix und Regula. Diese Seite des Kreuzganges verlor ihr Gewölbe schon im 14. Jahrhundert, als man, wie die Bogenansätze an der Mauer des südlichen Seitenschiffes beweisen, einen gotischen Kreuzgang in Aussicht nahm und zu dem Ende die Bedachung des Nordflügels beseitigte. Der Westflügel wurde wohl im 16., der Süd- und Ostflügel dagegen im 17. Jahrhundert niedergerissen; an ihre Stelle traten die gegenwärtigen Reihen grosser Spitzbogen.

Von der alten, im romanischen Stil erbauten St. Peterskirche ist nur noch der kleine Chor (wohl noch aus dem 13. Jahrhundert), übrigens in ganz verzopfter Form erhalten. Über demselben erhebt sich der gotische Turm. Die Kirche selbst ist ein Neubau aus dem 18. Jahrhundert (S. 107).

Auch an einzelnen Profanbauten haben sich Überreste des romanischen Stiles erhalten. Das frühere Amthaus des Klosters Wettingen am Fuss der Grossmünsterterrasse ruht mit seiner (modernisirten) Fronte gegenwärtig noch auf den alten romanischen Arkaden mit Kreuzgewölben. An dem Hause „zum

Loch", welches ursprünglich wohl die Wohnung der Herzoge von Zähringen, als Inhabern der Reichsgewalt in Zürich, gewesen sein dürfte (daher es dann in der sagenhaften Auffassung einer spätern Zeit zur Wohnung Kaiser Karls des Grossen wurde), sah man noch bis in die 1840er Jahre die alten romanischen Doppelfenster, deren Füllung jetzt freilich ausgebrochen ist. Und das ehemalige Kaplaneihaus des St. Katharinen-Altars beim Grossmünster (obere Kirchgasse 25) zeigt noch heute an seiner Fronte in zwei Stockwerken je ein im spätromanischen Stile gewölbtes Fenster.

Die Zeit der **gotischen Baukunst** hat in Zürich kein Denkmal hinterlassen, das an Bedeutung diesen romanischen Monumenten entspricht. Es ist dies um so befremdlicher angesichts des Umstandes, dass im 15. Jahrhundert in Zürich der Sitz einer der vier grossen Bauhütten war, von denen die Leitung des gesamten Bauwesens in den deutschen Ländern ausging. Nicht minder überraschend ist anderseits die Tatsache, dass in Zürich die Gotik bis an den Schluss des 18. Jahrhunderts als historische Tradition fortlebte (wie man an dem 1728 aufgerichteten neuen Fraumünsterturm und den 1790 den Grossmünstertürmen aufgesetzten Spitzhauben sieht). Man sollte aus diesem auffallend langen Nachleben der Gotik wenigstens Das schliessen, dass dieselbe in Zürich im spätern Mittelalter eine reiche Anwendung gefunden habe.

Davon ist aber gerade das Gegenteil richtig: Zürich hat nicht nur keine gotischen Monumentalbauten, sondern überhaupt sehr wenige Bauten des gotischen Stiles. Das alte Rathaus war ein einfacher Nutzbau, völlig bar jener künstlerischen Pracht, in der sonst das stolze Selbstbewusstsein der Bürgerschaften seinen monumentalen Ausdruck fand. Dass die Ordenskirchen der Barfüsser (um 1230 zu bauen begonnen), der Prediger (um 1240), der Augustiner (um 1270) und der Dominikanerinnen am Ötenbach (um 1280), äusserst einfach gehalten waren, liegt in der Ordensregel und in der Natur der Sache. Immerhin zeigt der dem Kreuzgang des Dominikanerklosters (jetziges Inselhotel) in Konstanz genau entsprechende Kreuzgang der Barfüsser, soweit er noch erhalten ist, einfache hübsche, der hohe Chor der Predigerkirche elegante und durch steten Wechsel gefällige Formen. Letzterer ist sogar nächst dem Chor der Franziskanerkirche in Basel eine der höchsten und schlanksten Bauten solcher Art. Um so seltsamer ist es denn, dass der im 14. Jahrhundert unternommene gotische Ausbau der Fraumünsterkirche so kahl und ärmlich ausfiel; nicht minder überraschend auch, dass die Regierungszeit des prachtliebenden Bürgermeisters Waldmann keine goti-

schen Monumentalbauten hinterlassen hat. Ja die städtische Kapelle der Wasserkirche, die unter Waldmanns persönlicher Leitung 1479—1484 neu aufgeführt wurde, erscheint ausser dem künstlichen Netzgewölbe auffallend kahl und kunstlos angelegt.

Nur im Schmuck einiger Interieurs tritt uns eine phantasievollere Handhabung der Gotik entgegen. So sah man bis auf unsere Zeiten in zwei ehemals der Patrizierfamilie Schwend gehörigen Häusern (im Fronfastenhaus am Limmatquai und im deutschen Hause an der Römergasse) kunstreich geschnitzte, gewölbte Holzdielen mit reichem Wappenschmuck. Beide sind wohl um die Mitte des 15. Jahrhunderts entstanden. Ebenfalls eine geschnitzte Wappendecke, aber eine flache, enthielt die zu Anfang des 16. Jahrhunderts erbaute oder ausgeschmückte Kapelle des Kappelerhofes. In dem ehemaligen (jetzt zur Strafanstalt umgewandelten) Kloster der Dominikanerinnen am Ötenbach haben sich aus der gleichen Zeit ein grösserer Saal und zwei kleinere Gemächer (Gastzimmer) mit hübschen, aber handwerkmässigen Holzschnitzereien erhalten. Ungleich bedeutender sind die beiden Zimmer, welche die letzte Äbtissin zum Frauenmünster in ihrer Wohnung, dem „Hof“, 1506—1508 herstellen liess. Diese beiden Gemächer — das eine wohl ihr Empfangs-, das andere ihr Gastzimmer — mit ihren kunstreichen Fensterpfeilern, mit ihren phantasievollen, zierlichen Holzschnitzereien an Decke, Wand und Türen, sind ein sprechender Beleg dafür, dass der zu Ende des 15. und zu Anfang des 16. Jahrhunderts in Frankreich, Deutschland und andern Ländern herrschende spätgotische Prunkstil für Interieurs auch bei uns mit Geschick zur Verwendung kam.

Das kunstvollste Beispiel aber einer gotischen Zimmerdekoration bietet der 1520 erstellte obere Zunftsaal der Schmiedstube dar. Im 17. Jahrhundert durch eine Renaissance-Täferung, vor kurzem durch Erhöhung der Wände und der Fenster verändert, hat er doch im grossen die ursprüngliche Anlage bewahrt. Die hölzerne Flachdecke ahmt ein Stern- oder Netzgewölbe nach, wobei die sich kreuzenden profilirten Stäbe die Kreuzrippen, die rautenförmigen Felder die Gewölbekappen vorstellen, und die Schlusssteine in der Kreuzung der Stäbe durch geschnitzte Medaillons angedeutet werden. In diesen Medaillons sieht man abenteuerliche Figuren, wie sie als angebliche Bewohner von Afrika und Asien seit dem Altertum die Phantasie des Abendlandes erfüllten, und selbst noch in Sebastian Münsters Kosmographie (Mitte des 16. Jahrhunderts) spuken. Der Fries der Decke zeigt ein Ornament von Ästen, Blatt- und Blumenwerk, dazwischen Vögel, und sechzig aus den Blumenkelchen aufblühende Halbfiguren: laut den Spruchbändern die Vorfahren Christi — Alles in lebendigen Farben, gold, grün und rot auf schwarzem Grunde aufgemalt. Eine ganz besonders kunstreiche Schnitzerei — verschlungenes Laubwerk, zwischen welchem die Zürcher Standes- und Herrschaftswappen angebracht sind — krönt endlich als Superporte die Türe. Als Meister ist Michael Baumgarten genannt.

Ein höchst bedeutsames Werk der gotischen Bauperiode war endlich die städtische Befestigung, deren letzte Überreste erst in den jüngsten Jahren den Neubauten haben weichen müssen. Hier aber war von irgend welcher künstlerischen Ausgestaltung keine Rede. Selbst da, wo Gelegenheit zu architektonischem Schmucke geboten war, zeigte sich doch nirgends eine Erhebung über das absolut Notwendige. Ein Prachtbau, wie das Spalentor in Basel, ist freilich überhaupt ein Unikum, dessen Wiederholung nicht gefordert werden kann. Aber nicht einmal bescheidene Zierden, ein gegliederter Torbogen, ein Zinnenkranz oder Erker, wie wir sie in andern, oft kleinen Städten sehen, waren an unsern Zürcher Toren und Türmen angebracht. Als der Rat 1520 seine Bauverständigen nach Mailand schickte, um für eine Bastion am Rennwegtor das dortige Kastell zu besichtigen, ward allerdings im folgenden Jahre ein rundes Bollwerk vor dem Torturm errichtet, aber auch dieses völlig schmucklos und nüchtern.

Die **Reformation** beseitigte die Bilder, welche in Zürich gewiss so zahlreich als an andern Orten auf den Strassen und an den Häusern ausgemeisselt oder angemalt waren. Von dieser Zeit her schreibt sich der öde, nüchterne Charakter unserer Strassen. Die einzige Erinnerung an den Schmuck derselben vor der Reformation liegt in einigen Häusermauern, die auf einstige Bilderwerke deuten (so namentlich die verschiedenen Häuser

„zum grossen Christoffel“) und in einer erst vor einigen Dezennien entfernten Marmorstatue der Mutter Gottes mit dem Christkinde an dem Hause „zum weissen Fräulein“ hinter den obern Zäunen, das seinen Namen eben nach diesem die Zürcher frappirenden Bildwerk führte. Die Statue ist übrigens eine italienische Arbeit und mag von Rom nach Zürich gekommen sein.

Auch die **Renaissance** änderte das Ansehen der ihres Bilderschmuckes beraubten Stadt nicht. Sie setzte an Stelle der kirchlichen Zierden nur spärliche antike oder sonstige weltliche Figuren. Und noch weniger verlieh sie der von Haus aus nüchternen Architektur Zürichs einen bestimmten künstlerischen Charakter.

Der neue Stil kam überhaupt auffallend spät nach Zürich und fand hier — wie im ganzen Norden — seinen Eingang nicht durch die Architektur, sondern durch die Ornamentik und das Kleingewerbe. Die Architektur behielt vielmehr in der Hauptsache bis zum Schluss des vorigen Jahrhunderts das gotische Schema bei, und die italienischen Formen hefteten sich demselben ohne innere Verbindung, ziemlich regellos, oft in seltsamer Verquickung mit dem Mittelalter an: da gab es über gotischen Fensterreihen italienische Giebel und an gotischen Erkern antik gemeinte Säulen und Bogen. Auch an und über den Haustüren, an Wappenschildern, Cartouchen und namentlich an den Façaden-Malereien drangen die neuen Formen ein. Immerhin blieb das Alles sehr vereinzelt, und Zürich erhob sich niemals zu dem reichen und fröhlichen Bilderschmuck, der so manche kleinen Schweizerstädte, namentlich Schaffhausen und Stein am Rhein, noch heute auszeichnet.

Die ältesten erhaltenen Renaissance-Ornamente solcher Art sieht man am „kleinen Löwenstein“ (an der Münstergasse), an einem den Namen des Hauses verdeutlichenden Steinbild, bezeichnet 1547, sowie am Erker und am Bilde der Kerze an dem gleichnamigen Hause (neben dem Rüden), wohl aus dem Jahre 1550.

Dann kommen die Brunnen mit ihren Säulen und Brunnenfiguren. Unter letztern bemerkt man vorherrschend antike namentlich mythologische Statuen, welche — im Sinne der Renaissance — an die Stelle der mittelalterlichen katholischen Heiligenfiguren getreten waren. Leider aber sind die meisten dieser öffentlichen Zierden in den letzten Dezennien, teils im Zusammenhang mit der Wasserversorgung der Stadt, teils durch die mannigfaltigen Strassenkorrektionen, teils aber und hauptsächlich einfach aus Unverstand und Barbarei, verschwunden. — Von andern öffentlichen Bauten, als Toren, Türmen oder Bastionen hat keine einzige einen irgendwie markirten Renaissance-Charakter.

Dagegen kam nun nach und nach der neue Stil im Innern der Gebäude zur Anwendung. Nur ist es überaus schwierig, zu bestimmen, wann diese Umwandlung des gotischen Interieurs zum Renaissance-Zimmer stattgefunden; denn hier haben ununterbrochen aufeinander folgende Änderungen fast überall die ursprünglichen Einrichtungen verdrängt. Doch scheint es, dass man mit dem Ende des 16. Jahrhunderts wenigstens in öffentlichen Gebäuden oder in Prunkgemächern vornehmer Wohnhäuser mehr und mehr Renaissancetäferungen ausführen liess. Letztere mögen zum Teil freilich von fremden Handwerkern erstellt worden sein. Dagegen sind die Prachtöfen, die einen besonderen Schmuck unserer Wohn- und Prunkgemächer bildeten, Werke heimischer Kunst. In Zürich finden sich noch jetzt, trotz vielfachen Abganges, eine Reihe kostbarer und stilvoller Ofen aus den Werkstätten von Winterthur, welche im 16. und 17. Jahrhundert die ganze Ostschweiz und einen Teil der Mittelschweiz mit ihren kunstreichen Arbeiten versahen. — Das zugleich älteste und kostbarste unter allen erhaltenen Renaissancezimmern Zürichs ist die Ehrenstube des 1596 erbauten alten Seidenhofes mit prachtvoller Wand- und Deckentäferung und vorzüglich schönem Ofen. Der Seidenhof war der Sitz der Familie Werdmüller, welche mehr als irgend eine andere in Zürich die Kunst geschätzt und unterstützt hat. Zu Anfang dieses Jahrhunderts ging das Haus in fremde Hände über und erlitt vor einem Dezennium einen vollständigen Umbau, welcher die Entfernung der Ehrenstube zur Folge hatte. Durch die von den Behörden unterstützten Bemühungen patriotischer Bürger wurde das Prachtzimmer angekauft, der Stadt Zürich erhalten und im Gewerbemuseum aufgestellt, dessen vorzüglichsten Schmuck es bildet.

Immerhin ist von einer eigentlichen Periode der Renaissance-Baukunst in Zürich nicht zu reden. Denn bis zum 18. Jahrhundert fehlt es nahezu vollständig an öffentlichen wie an Privatgebäuden, denen man nicht nur eine stilisirte innere Einrichtung, sondern auch ein in wirklichem Renaissance-Stil durchgeführtes Äussere gegeben hätte. Charakteristisch sind in dieser Beziehung gerade der alte Seidenhof und die Predigerkirche. Bei jenem stund der prunkhafte Reichtum der innern Ausstattung – selbst auf dem Dachboden hatten die Türen noch Felder mit eingelegter Arbeit — in einem ganz auffallenden Kontrast zu der Schmucklosigkeit, ja kahlen Dürftigkeit des Äussern.

Bei der Predigerkirche richtete man 1611 bis 1613 das seit der Reformation vernachlässigte Langhaus wieder zum Gottesdienst her und verzierte das ganze Innere mit einer geschmackvollen und kostbaren Renaissance-Dekoration in Stukkatur. Das Äussere dagegen, ein ganz kahler Bau im Stile der Bettelkirchen des 13. Jahrhunderts, blieb durchaus unverändert, nur dass man nach dem Predigerkirchhof zu eine neue Türe anbrachte; dieselbe ist aber in ganz einfachen und nüchternen Formen ausgeführt, die Vorhalle vor derselben vollends der roheste Notbau, bei dem von einem Baustil überhaupt nicht mehr zu reden ist. Und doch trägt dieses Portal eine prunkende, den Bauherrn verewigende Inschrift. Damals oder im 18. Jahrhundert erhielt das Mittelschiff noch einen hölzernen Aufbau und die plumpen gotischen Strebebogen.

Dagegen zeigt das 1619 und 1620 aufgeführte Kornhaus bei der obern Brücke (nachheriges Kaufhaus) eine, freilich äusserst spärlich geratene Gliederung des Aussenbaus im Renaissancestil. (Das grosse vorspringende Dach, das dem Gebäude hauptsächlich seine charaktervolle Wirkung verleiht, ist ein späterer Zusatz, dagegen hatten die Schmalseiten früher Wimperge d. h. treppenförmig abgestufte Giebel). Es blieb dies denn auch der einzige Versuch einer Renaissance-Façade, den man in Zürich während der ganzen Dauer des 16. und des 17. Jahrhunderts machte. Das Zunfthaus zur „Waag“, ein Neubau von 1636, hat wieder den hergebrachten Aufriss des gotischen Fensterhauses.

Einen Anstoss zum Monumentalen gab erst der Bau des neuen Rathauses, 1694—1698. Dieser Prachtbau ist merk-

würdigerweise keineswegs in dem damals herrschenden üppigen Barockgeschmack, sondern in einem ernsten Renaissancestil aufgeführt. Alle vier Seiten zeigen eine durchgehende Pilastergliederung mit eingekerbten Wandpfeilern, mit den angeblichen drei antiken Säulenordnungen, und abwechselnd geraden und geschweiften, immer aber gebrochenen Fenstergiebeln. Es ist hier ein Palastaufriss der italienischen Renaissance zu verspäteter Ausführung gekommen. Der Geschmack des endenden 17. Jahrhunderts macht sich namentlich im Mangel des Gebälkes über den einzelnen Stockwerken und eines das Ganze abschliessenden Hauptgesimses, sowie in der Behandlung der Kapitelle geltend, von welchen die korinthischen schon mehr wie Tapezirarbeiten aussehen. Von besonderer Schönheit ist die ursprüngliche Anlage des Portales, nur dass leider der obere Teil, eine Erzgruppe mit den Insignien der Zürcher Hoheit, nicht zur Ausführung kam, sondern durch die stillose Inschrifttafel mit den zwei Löwen ersetzt wurde. Dagegen erhöhte sich früher die Wirkung des Portales und der ganzen Façade durch eine weit auf den Rathausplatz vorspringende Freitreppe. Man weiss, dass dieses Portal mit den Erzkapitellen auf den Marmorsäulen von einem Tessiner, G. M. Ceruti, ausgeführt wurde, den die Bauherren auch sonst vielfach consultirten. Leider aber hüllen die Bauakten den Anteil dieses Mannes an der Feststellung und Ausführung des Grund- und Aufrisses in wohl absichtliches Dunkel. — Im Innern galt es, alles, was die damalige Kunsttechnik in Stukkatur, Eisenguss, Schreinerei und Keramik zu leisten vermochte, zur Anschauung zu bringen. Und in der Tat sind einzelne Räume, namentlich der Vorsaal zwischen den beiden Ratsstuben, und der Saal des kleinen Rates (jetzt Regierungsrates) sehr geschmackvoll; letzterer zeigt in der Wandtäferung auffallender Weise noch gotische Formen. Eine Hauptzierde des Rathauses bildeten die drei prachtvollen Öfen, welche die Stadt Winterthur der Obrigkeit in dasselbe schenkte. Leider steht nur noch einer, derjenige im kleinen Ratssaale, an seiner Stelle; die beiden Öfen im grossen Ratssaale mussten, als dieser in den 1830er Jahren eine Tribüne erhielt, weichen und werden — aber verstümmelt — im Gewerbemuseum aufbewahrt. Übrigens hatte der grosse Ratssaal sein nüchternes Aussehen, das uns heute befremdet, wohl schon von Anfang an; und ehe er, anlässlich der Anbringung der Tribüne, um ein Stockwerk erhöht wurde, muss er auch von äusserst drückenden Verhältnissen gewesen sein.

Historische Denkmäler, wie sie sich sonst nahezu in allen Rathäusern der Schweiz vorfinden, enthält das Zürcher Rathaus keine; und auch die paar Gemälde — die Zürcher Löwen und zwei Fruchtstücke von Hans Asper, die Fische im See und in der Limmat von Melchior Füssli, der Schwur der drei Eidgenossen von Heinrich Füssli in London, ein Geschenk des Künstlers an seine Vaterstadt — sind ohne höhern Kunstwert. Andere Kunstwerke aber fehlen. Gemalte Fenster mit den Standeswappen der Kantone, wie sie sich die Regierungen früher gegenseitig zu schenken pflegten, und welche noch jetzt einen herrlichen Schmuck mancher schweizerischer Rathäuser bilden, waren, als man das Zürcher Rathaus baute, schon nicht mehr Brauch.

In rascher Folge schliessen sich nun dem Rathaus eine Reihe anderer Bauten an, in denen man den mächtigen Anstoss, den jenes gegeben, nicht verkennen kann.

Die St. Peterskirche, 1705—1706 nach dem Schema der alten, schmucklosen romanischen Kirche umgebaut und daher im Äussern noch völlig formlos und nackt, ist im Innern dagegen mit Marmorsäulen und Stukkatur reich geziert. — Der Grabstein des Bürgermeister Brun (einst des Patrons dieser Kirche),

den man noch bis in die letzten Dezennien hier sah, ist gegenwärtig zerstört; ein Denkmal Johann Kaspar Lavaters im Chor, und sein Grabstein aussen am Langhaus erinnern an den berühmten Mann, der dreiundzwanzig Jahre als Helfer (1778—1786) und Pfarrer (1786—1801) am St. Peter wirkte. Im Innern der Kirche sind längs der Wände eine Anzahl der alten Chorstühle aufgestellt, die man bei der Reformation aus den aufgehobenen Klosterkirchen ausräumte, in die alte St. Peterkirche versetzte und aus dieser in die neue mit hinübernahm; die meisten und kunstvollsten derselben stammen aus dem Frauenkloster am Ötenbach.

Bei den Zunfthäusern aus dem Anfang des 18. Jahrhunderts ist noch ein merkliches Schwanken zwischen dem alten und neuen Stil bemerklich. Während dasjenige zur „Schuhmachern“, von 1705, sich schon ganz auf den Boden des französischen Palastbaues jener Zeit stellt, wiederholt die Zunft zur „Zimmerleuten“ (1708) in seltsamer Weise den frühern gotischen Holzbau in Stein; wogegen die vornehme Zunft zur „Saffran“ (1719—1723) offenbar eine Vermittelung zwischen dem gotischen Fensterhaus und dem neuen französischen Prunkstil sucht. In beiden letztern Häusern sind die grossen Säle sehenswert. Durchaus im Geschmack der Renaissance angelegt, haben sie doch noch die alten freistehenden Fensterpfeiler der Gotik, aber zu korinthischen Säulen umgewandelt, beibehalten. Die Decke hängt bei beiden an Eisenstäben am Sparrenwerk des Daches, bei der „Zimmerleuten“ direkt; auf der „Saffran“ gehen diese Eisenstäbe durch die Scheidewände des obern Stockwerkes ins erste hinunter.

Um die Mitte des 18. Jahrhunderts zeigt das Waisenhaus (S. 109), 1764 gebaut, dem Zweck der Stiftung entsprechend, bei harmonischer Gesamtanlage schmucklose, ja nüchterne Detailformen. In auffallendem Gegensatz hiezu steht das Zunfthaus zur Meise (1750—1751), ein grossartig angelegter Palast von imposanten Verhältnissen, deren Wirkung nur leider durch barocke Details (namentlich die Aufsätze über den Fenstern)

beeinträchtiget wird. Der Erbauer ist der Obmann und Maurermeister Morf. Derselbe führte auch 1770—1780 das schönste Privatgebäude Zürichs aus der alten Zeit auf, die Krone, jetzt Rechberg am Hirschengraben, ein Gebäude, das man in seiner Art vollkommen nennen könnte, wenn es nicht den Mangel eines Hauptgesimses sehr empfinden liesse. Aber im Gegensatz zu den üppigen Ornamenten an der Meise ist hier alles auf strenge Formen zurückgeführt, die dem Hause ein überaus vornehmes Aussehen geben. Es war denn auch während sechsundzwanzig Jahren die Residenz des zürcherischen Bürgermeisters und eidgenössischen Landammanns Reinhard, der hier von 1804 bis 1831 seinen Stand und die Schweiz mit hoher Würde repräsentirte.

Endlich ist das 1789—1790 aufgeführte neue Helmhaus bei der Wasserkirche, von den Zeitgenossen als besonders schöner Bau gepriesen, wiederum der Ausdruck langweiligster und stillosester Nüchternheit.

Ist demnach die eigentliche architektonische Entwicklung Zürichs in den verschiedenen Perioden hinter derjenigen anderer Städte von ähnlichem Umfang und ähnlicher Wohlhabenheit, ja selbst hinter kleinern Städten auffallend zurückgeblieben, so gleicht sich dies einigermassen aus durch einen grossen Reichtum an dekorativen Arbeiten. Hieher gehören ausser den schon erwähnten Wandtäferungen, Glasmalereien, Öfen etc., namentlich die schmiedeisernen Fensterfüllungen, Portale und Balkone, die sich an fast allen vornehmen Häusern

des 18. Jahrhunderts finden. Man sehe z. B. die stattliche Anzahl solcher Werke in Stadelhofen. Es sind wahre Ehrenzeichen der alt-zürcherischen Schmiedekunst.

Diesem Alten Zürich stellt sich nun das Neue Zürich gegenüber. Der erste und die ganze Entwicklung beherrschende Unterschied ist der, dass das Alte Zürich eine von Wall und Graben umschlossene, völlig isolirte Festung bildete. Überall war der natürliche Zusammenhang der Stadt mit der Umgebung unterbrochen; die reichen Gelände, die zu beiden Seiten des Sees und des Flusses sich ausbreiten, waren durch umfangreiche Fortifikationen, ja selbst der See war durch zwei Reihen von Pallisaden, Turm und Tor, abgesperrt. Die tiefgreifenden politischen und sozialen Schranken, welche zwischen der Stadt und ihren „Ausgemeinden" gezogen waren, drückten sich auch dem Landschaftsbild auf. Diese territoriale und architektonische Abgrenzung der Stadt von ihren Ausgemeinden ist heute so vollständig aufgehoben, dass diejenigen sie sich gar nicht mehr vorstellen können, welche sie nicht selbst gesehen, so sehr erscheint die gegenwärtige Gestaltung der Gegend als das der Natur Entsprechende, Selbstverständliche.

Die Übersicht der modernen Bauten Zürichs bietet neben dem architektonischen ein allgemeines Interesse. Sie illustrirt die wunderbare Tätigkeit auf allen Gebieten des öffentlichen Lebens, in welcher Stadt und Staat, Korporationen und Private in den letzten Dezennien wetteiferten und gibt so gewissermassen einen Abriss des kulturhistorischen Entwicklung Zürichs während dieser Zeit. Doch ist hier nicht der Anlass, diese Entwicklung des neuen Zürich zu verfolgen.

III. Zürichs geistige Bedeutung seit der Reformation.

Die Kirche.

Zürich war am Ausgange des 15. Jahrhunderts unbestrittener Vorort der Eidgenossenschaft. Da sollte es nach wenigen Jahren auf kirchlichem Gebiete eine noch hervorragendere Stellung einnehmen: es wurde die Geburtsstätte der schweizerischen Reformation.

Je mehr die Aufklärung alle Schichten des Volkes durchdrang, desto mehr brachte sie den Verfall der katholischen Kirche, den Verfall der Sitten überhaupt und die Erkenntnis von dem wahren Sinn der christlichen Lehre zum Bewusstsein. Der allgemeine Unwille gegen den Missbrauch der geistlichen Gewalt schützte diejenigen, die kühn das erste Wort der Befreiung von der Herrschaft der Kirche aussprachen. In der Schweiz war Zürich der erste Ort, wo sich eine Reformpartei regte. Sie fand einen gewandten Führer und mutigen Verteidiger in Ulrich Zwingli. Mit dem Auftreten dieses grossen Reformators trat ein entscheidender Wendepunkt in der zürcherischen Geschichte ein. Zürich isolirte sich mehr und mehr von den übrigen Eidgenossen, ebensowohl in der Politik wie in der Religion. Es allein schloss sich vom Bunde der zwölf Orte mit Frankreich 1521 aus, nicht aus Anhänglichkeit an Papst und Kaiser, noch weniger aus Eigensinn, sondern aus grundsätzlicher Verschmähung des Pensionen- und Söldnerwesens. Das war die erste Frucht der Reformpredigten des gewandten Prädikanten am Grossmünster. Noch schärfer wurde der Gegensatz zu den Miteidgenossen auf religiösem Gebiet durch die Kirchenreformation. Bereits war hierin Luther in Wittenberg kühn und energisch vorgegangen, trotz Acht und Bann. Zwingli folgte in Zürich nach, 1519—31. Seine reformatorische Tätigkeit war stiller, aber tiefgehender. Nicht bloss das kirchliche, auch das bürgerliche und tägliche Leben sollen gereinigt werden; das Gotteswort soll Kirche, Staat und Familie durchdringen; in diesem Gottesreich soll das Recht der freien Prüfung und Forschung jedem Christen gewährt sein; es gibt daher keine Priesterkaste mehr, jeder Einzelne ist zum Priester berufen. Damit war mit Einem Schlag die bisherige Tradition und Autorität der katholischen Kirche umgestürzt; an ihre Stelle trat das Evangelium nach freier, vernünftiger Auslegung. Diesen Grundsätzen gemäss wurde jede „Menschensatzung" abgeschafft, der Gottesdienst vereinfacht und verinnerlicht. Äusserlich war die neue Kirche dem Staate untertan, innerlich aber beherrschte sie ihn. Zwingli, Bullinger, Breitinger und andere kräftige Vorsteher der zürcherischen Kirche hatten einen massgebenden Einfluss auch auf die weltliche Regierung. Umgekehrt lieh diese ihren Arm, wo es galt, die Kirche zu erhalten, zu schützen oder zu reinigen, und erst nach Jahrhunderten machte sich der Staat von der Bevormundung durch die Kirche frei und ordnete sich dieselbe unter.

Begreiflich musste eine so tiefgreifende Reformation bei den der katholischen Religion Treugebliebenen um so mehr Anstoss erregen, als die neue Lehre von Zürich aus in Bern, Basel, Schaffhausen, St. Gallen und Konstanz bald eifrige Verfechter und Verkündiger gefunden hatte und immer grössere Ausbreitung anzunehmen drohte. Es bedurfte eines grossen Mutes und einer mächtigen Überzeugungstreue von Seite Zürichs, um den eindringlichen Bitten, Mahnungen und Drohungen der katholischen Orte zu widerstehen. Die vorörtliche Stellung der Stadt innerhalb der Eidgenossenschaft ging allerdings verloren; hegten doch die fünf Orte sogar den Gedanken, sie gänzlich aus dem Bunde auszuschliessen. Dafür wurde Zürich auf Jahrhunderte hinaus der Mittelpunkt der evangelischen Konfession innerhalb und ausserhalb der Schweiz. Diese Bedeutung verdankte es der Treue und Standhaftigkeit, mit der es auch in den Zeiten schwerer Prüfung am teuer erkauften Glauben festhielt, dem neuerwachten geistigen Leben in Kirche und Schule überhaupt, und der Klugheit und christlichen Gesinnung so vieler Männer, die als Antistes die Leitung der zürcherischen Kirche übernommen hatten.

Grosses Verdienst erwarb sich gerade der erste Nachfolger Zwinglis: Heinrich Bullinger (1531—75). Klug wusste er dem unzeitigen Eifer mancher Amtsgenossen zu wehren und die Freiheit der Geistlichkeit dem Rate gegenüber zu behaupten. Durch eine „Synodal- und Prädikantenordnung" regelte er die Rechte und Pflichten der Geistlichen wie diejenigen der christlichen Gemeinden. Es war ihm sehr an einer Einigung der verschiedenen reformirten Bekenntnisse gelegen; seine „zweite helvetische Konfession", 1566 verständlich und überzeugend abgefasst, wurde allgemein von den reformirten Kirchen angenommen. Mit den Glaubensgenossen des In- und Auslandes, mit den grössten Staatsmännern und Gelehrten seiner Zeit stand er fortwährend in Verkehr. Durch sein musterhaftes Leben erwarb er sich die Liebe seiner Mitbürger, durch seine religiösen und historischen Schriften die Achtung seiner Zeitgenossen.

Wenn auch nicht an Geist, so doch an Tätigkeit und Menschenliebe kam Bullinger unter seinen Nachfolgern gleich Antistes Breitinger (1613—45). Gross war sein Einfluss in Staat und Kirche. Auf seine Anregung wurde besonders in der Staatsverwaltung eine bessere Ordnung eingeführt, und 1642 die Stadt befestigt. Er durfte es sogar wagen, den Rat öffentlich in den Predigten zu ermahnen. Bei Bündnissen mit fremden Staaten holte dieser sein Gutachten ein. Das kirchliche Leben suchte er durch Verbesserung des Jugendgottesdienstes („Kinderlehre") und durch Einführung von Fast-, Buss- und Bettagen zu erneuern. Nach Aussen galt er unbestritten als der Vertreter der schweizerisch-reformirten Kirche, und nahm als solcher auf der Dortrechter Synode (1618—19) hervorragenden Anteil, freilich in strenggläubigem Sinn. Es zeigt sich, dass schon unter ihm die reformirte Kirche in jene orthodoxe Richtung hineinsteuerte, die oft in die engherzigste Verfolgungssucht ausartete. Genährt wurde diese Richtung durch den Einfluss kalvinischer Gelehrten, und unterstützt durch den Aberglauben und die Unwissenheit der Zeit. Ihren stärksten Ausdruck erhielt sie in der 1675 von den vier Ständen Zürich, Bern, Basel und Schaffhausen angenommenen „formula consensus", welche die „allgemeine christliche Kirche" zu einer „Kirche der Auserwählten" erniedrigte.

Eine unverständliche Wortspielerei trat in den Predigten an die Stelle einer vernünftigen Erklärung des Bibelwortes und machte sich breit in langen, leeren Sätzen. Manche Geistliche gingen in ihrem Eifer so weit, anderthalb bis zwei Stunden lang zu predigen, so dass sich die Obrigkeit 1671 genötigt sah, zu mehr Kürze zu ermahnen, und zu befehlen, die Zuhörer nicht verzagt zu machen, sondern neben „schönen Busspredigten“ auch Mut einzusprechen. Antistes Klingler (1688—1713), der bekannteste Vertreter dieser beschränkten Zeit redete die Leute in seiner ersten Predigt als Diakon am St. Peter mit den Worten an: „Wenn ich dieses höchst gefährliche, mühselige und hochwichtige Amt betrachte, so stehen mir meine Haare gen Berg, mein Eingeweide wallet, brauset und brennet, meine Haut zittert, mein Fleisch bebet, meine Lenden erschüttern, meine Schenkel wackeln, mein Herz sinkt und mir wird in meiner Seele angst und bang.“ — Ein unbedeutender Verstoss gegen die herrschende, religiöse Anschauung galt als Verbrechen. Im Jahr 1634 wurde in Zürich ein Jude hingerichtet, weil er Jesum den Sohn eines Juden genannt hatte; ebenso 1635 ein junger Geistlicher, weil er bei der Zudienung des h. Abendmahles weltliche Gedanken gehegt, die er unglücklicherweise einem vertrauten Freund nachher mitteilte; das gleiche Schicksal erlitt wenige Jahre später ein einfältiger Bauer aus Dietikon, der angeklagt war, Gott gelästert zu haben. Gegen General Rudolf Werdmüller wurde wegen einer freisinnigen Äusserung ein kleinlicher Prozess eingeleitet, und Michael Zingg, Professor der Mathematik und Prediger bei St. Jakob entging 1659 einer strengen Bestrafung wegen eines ähnlichen Fehltrittes nur durch die Flucht. Noch strenger war man in der Verfolgung der Sektirer: Wiedertäufer, Neugläubigen und Pietisten, wie der vermeintlichen Hexen.

Man darf indessen bei diesen Schattenseiten des kirchlichen Lebens die L i c h t s e i t e n nicht übersehen. Eine Reihe von Geistlichen taten sich hervor durch ihren musterhaften Lebenswandel, ihre Gelehrsamkeit oder ihre Sorge für das Armenwesen und die Schulen. Besonders aber ist an die grossartige Opferwilligkeit zu erinnern, mit der Zürich die verfolgten Glaubensgenossen zu Hause und im Auslande unterstützte. Zürich wurde der Sammelplatz zahlreicher Reformirten, die für kürzere oder längere Zeit Duldung, Schutz oder Aufnahme suchten und mit wenigen Ausnahmen auch fanden. Zuerst kamen Engländer während der Verfolgungen durch Maria die Katholische (1553—58). Von deutschen Flüchtlingen beherbergte Zürich zu derselben Zeit viele Prediger und Kriegsleute. Am wärmsten aber nahm es sich der vertriebenen Lokarner an. Am 12. Mai 1555 zogen diese, an Zahl 116 Personen, in seine Mauern ein, und wurden trotz der Teuerung liebevoll empfangen. Zürich wurde ihnen zur zweiten Heimat. — Noch grösser waren die Anforderungen an die Menschlichkeit zur Zeit der Bündner Unruhen (1620). Mehrere hundert Geflüchtete waren, Schutz suchend, in Zürich eingetroffen, die meisten mit wenig geretteter Habe, viele von Hilfsmitteln gänzlich entblösst. Eine grosse Zahl dieser Unglücklichen fand sofort Aufnahme in Bürgerhäusern, die übrigen wurden in öffentlichen Gebänden untergebracht und für sie Kleider, Betten, Lebensmittel u. s. f. zusammengelegt. Dazu kam eine Kirchensteuer von 1620 fl.; und als sich die Städte Bern, Basel und Schaffhausen weigerten, einen Teil dieser Flüchtlinge aufzunehmen, musste eine zweite Kirchensteuer, die 2225 fl. abwarf, erhoben werden. — Wenige Jahre später hatte die Stadt Zürich Gelegenheit, ihre religiöse Gemeinschaft einem unschuldig verfolgten Mitbürger zu beweisen. Es war der von den Katholiken, besonders von Schwyz schmählich misshandelte, thurgauische Landeshauptmann Kilian Kesselring, für dessen Befreiung 1634 Zürich nicht weniger als 13,579 fl. bezahlte. — Am 3. September 1655 kamen 35 reformirte Flüchtlinge aus Arth im Kanton Schwyz. In der Stadt wurden 4000 fl. für sie und ihre Angehörigen zusammengelegt. — Von 1676 an sind es die Ungarn, welche Zürichs Mildtätigkeit in Anspruch nehmen. — Mit der Aufhebung des Ediktes von Nantes 1685 erneuerten sich in Frankreich die Verfolgungen gegen die Waldenser und Hugenotten. Wieder war es Zürich, das alle andern evangelischen Städte der Schweiz in grossartiger Hilfeleistung übertraf. Man hat berechnet, dass von 1685 bis in die Mitte des 18. Jahrhunderts 40—50,000 Flüchtlinge durch Zürich passirten oder sich daselbst aufhielten, für welche etwa 300,000 fl., 10,000 Mütt Korn und 2000 Eimer Wein verwendet wurden, ohne der Wohltaten der Privaten zu gedenken.

Um diese seltene Hingabe richtig zu würdigen, darf man nicht übersehen, dass noch grosse Summen ins Ausland geschickt wurden, dass sich ferner Zürich überall bei Räten, Gesandten und Fürsten für die Verfolgten, wenn auch gewöhnlich umsonst, verwendete und dass sich umgekehrt die Bedrängten in der Ferne fast ohne Ausnahme an Zürich um Hilfe wandten. Mit Befriedigung vernimmt man, dass die Stadt für ihre Bemühungen hinwieder auch Dank und Gewinn erntete. Manche Geisteskraft, — man denke nur an die Familien v. Muralt und v. Orelli, — mancher neue Erwerbszweig, wie die Seidenweberei und der Seidenhandel, kamen dem Freistaate vortrefflich zu statten. Jungen Zürchern wurde im Auslande die von ihren Vätern geübte Gastfreundschaft reichlich vergolten.

Ist es nicht seltsam, dass diese Humanität, wie umgekehrt jene Intoleranz dem gleichen Gefühl entsprangen: der unbedingten Hingabe an den evangelischen Glauben?

Von der Mitte des 18. Jahrhunderts an nimmt die Bewegung gegen die orthodoxe Kirche auch unter den Theologen Zürichs immer grössere Ausdehnung an. Den Anfang machte Jakob Zimmermann, seit 1737 Professor der Theologie. Gross waren die persönlichen Anfeindungen, denen er ausgesetzt war. Aber die neuen Gedanken machten ihren Weg doch. Die Schriften von Voltaire, Rousseau, Basedow fanden in Zürich grosse Verbreitung, regten an zu kritischem Denken und lenkten die Aufmerksamkeit auf die Bedürfnisse der Gegenwart. Eine grosse Zahl von gelehrten Geistlichen fingen an, sich mit historischen und philosophischen Arbeiten zu befassen. Antistes Hess (1795—1828) war einer der ersten, der den Versuch machte, in seinem „Leben Jesu" die biblische Geschichte unter den biographischen Gesichtspunkt zu stellen. Es war zwar nur ein schüchterner Anfang einer kritischen Beleuchtung der Evangelien, der Versuch erntete indessen im In- und Ausland grossen Beifall. — Wenn sich auch diese neue rationalistische Richtung bei Einzelnen zu französischer Freigeisterei verstieg, so gewann doch im allgemeinen die Kirche an Boden, wie denn auch der Kirchenbesuch seit seiner Freigebung stetig zunahm. Man ging vom dogmatischen Christentum immer mehr zum praktischen Christentum über. So predigte Diakon Klauser am Grossmünster über pflichtmässige Wartung der Kranken, über die Schuldigkeit der Genesenen, die Vorteile einer frühzeitigen Angewöhnung an die Berufspflichten u. s. f. Eine der schönsten Früchte dieser neuen Richtung war im Jahr 1773 die Verbesserung des Schulwesens, zunächst in der Stadt, dann auch auf dem Lande, wobei die Geistlichkeit mit Rat und Tat in hervorragender Weise Anteil nahm.

Mit dem Beginn des 19. Jahrhunderts begann für die Schweiz eine neue Epoche. Die helvetische Verfassung proklamirte die uneingeschränkte Glaubensfreiheit und erlaubte jeden Kultus, wenn er die öffentliche Ordnung nicht störe. Die Kirche folgte nur langsam dem drängenden Fortschritt nach. Vielorts blieb sie stehen und beharrte auf ihren veralteten Anschauungen. In Zürich konnte sie es nicht verschmerzen, dass sich die Schule mit dem Umschwung der Dreissigerjahre von ihrer Bevormundung frei gemacht hatte. So geriet sie in einen scharfen Gegensatz zu derselben und wurde der natürliche Verbündete der aristokratischen Opposition in der Stadt. Mit dem Rufe der Religionsgefahr ängstigte sie das kirchlich erzogene Volk. Die Berufung des freisinnigen Dr. Strauss auf den Lehrstuhl der Kirchengeschichte an der zürcherischen Hochschule war eine geistige Tat, die allerdings von der Kirche als offene Kriegserklärung aufgefasst werden musste, und von ihr als Brandfackel in das glimmende Feuer des Unwillens unter das Volk geworfen wurde. So brach am 6. September 1839 eine Reaktion ein, welche für die ganze Schweiz verhängnisvoll wurde. Der Triumph der Kirche war vollständig, freilich auch nur vorübergehend. Das Volk, aufgeklärt durch die freisinnige Presse, unzufrieden über die friedfertige Haltung der Regierung zu den katholischen Kantonen und Miteidgenossen in der Jesuiten-Frage, gab in zahlreich besuchten öffentlichen Versammlungen so deutlich seine Nichtübereinstimmung kund, dass das Septemberregiment schon nach drei Jahren wieder abtreten musste. Nur langsam schloss sich die Kluft zwischen der alten Kirche und der neuen Schule.

Die Schule.

Schon vor der Reformation haben in Zürich wie in andern Städten eine Art Volksschulen bestanden. Dies waren die sogenannten Deutschen Schulen. Sie unterrichteten Knaben und Mädchen, und zwar ausschliesslich im Lesen, Schreiben und Rechnen. Selten gingen sie darüber hinaus. Ohne Zusammenhang mit diesen deutschen Schulen standen die höhern Schulen, die Lateinschulen. Sie können mit unsern Gymnasien verglichen werden. Zürich zählte deren zwei: eine am Grossmünster und eine am Fraumünster. Sie pflegten vornehmlich Latein, Dialektik und Musik (lateinischer Chorgesang). — Von einer Sorge der Obrigkeit für diese Schulen vernimmt man wenig. Einrichtung, Lehrstoff, Lehrmethode, Räumlichkeit waren mangelhaft.

Zwingli beschäftigte sich angelegentlich mit der Reorganisation und Erweiterung der Lateinschulen. Ihm war die Schule wesentlich ein Mittel der neuen Kirche. mit dem ausgesprochenen

Zweck, einen tüchtigen Priesterstand zur wirksamen Verkündigung des göttlichen Wortes heranzuziehen. Die Schule war ihm indes nicht blos Lehranstalt, sondern auch Erziehungsanstalt. Freilich war diese Erziehung eine sittlich-kirchliche und daher das allgemeine Bildungsmittel für Kirche, Schule und Haus die Bibel. Nicht als ob Zwingli als Humanist den bildenden Zweck der alten Sprachen unterschätzt hätte; er will das Lateinische, Griechische und Hebräische ebenfalls gepflegt wissen, unter Umständen auch die Realien, Rechnen und Musik; nur tritt bei allen diesen Fächern der bildende und praktische Zweck gegen den kirchlichen zurück.

Nach diesen Ideen wurden 1525 durch Zwingli die beiden Lateinschulen nach oben erweitert durch die sogenannten „Lektionen“, das ist Verkündigung und Erklärung der Bibel. Dieses Lektorium, später Collegium Carolinum genannt, hatte anfänglich vier Professuren; es war ein geistliches Seminar und als solches die gemeinsame oberste Klasse der beiden Lateinschulen. Diese blieben sich im ganzen ziemlich gleich. Jede hatte drei Klassen oder „Ordnungen“ und stand unter einem „Schulmeister“ nebst drei bis vier Gehülfen. Neben dem Religionsunterricht wurden hier die Anfänge der lateinischen und griechischen Sprache gelehrt.

Nach Zwinglis Tode (1531) machte sich besonders Bullinger um die Ausbildung des zürcherischen Schulwesens verdient. Wenn auch nicht immer direkte Nachrichten vorhanden sind, so lässt sich doch in den meisten Fällen seine Mitwirkung bei Schulfragen erkennen. Im Jahr 1541 wurde am Lektorium eine fünfte Professur geschaffen, die professio physica, eine Verbindung von klassischer Philologie mit Naturwissenschaften, der erste Schritt zur Verweltlichung des Studiums. Später findet man die Zahl der Professoren auf sieben, zeitweise auf neun erhöht. — Noch wichtiger war der Ausbau der Lateinschulen von 3 auf 5 Klassen, die vom Lektorium immer mehr getrennt wurden. In dieser Form erhielten sie sich das ganze 16. Jahrhundert hindurch.

Mit der Kirche wurden seit der Reformation auch diese Schulen der Aufsicht und Sorge des Staates übergeben. Der Unterhalt derselben ward aus den Einkünften des Chorherrenstiftes und der aufgehobenen Klöster bestritten. Dazu kamen noch eine Reihe von wohltätigen Stiftungen. Die Hauptausgaben bildeten die Besoldungen der Lehrer und die Unterstützungen armer Schüler; sie wurden in Naturalien und Geld ausgerichtet und beliefen sich nach damaligen Verhältnissen ungewöhnlich hoch. — Jeder Schüler rückte je nach Fleiss und Leistungen selbständig von Klasse zu Klasse vor. Daher waren, wie der Eintritt, so auch der Austritt und die Schulzeit sehr verschieden. — Die Schulzucht war, den pädagogischen Grundsätzen der Zeit entsprechend, äusserst streng, die Methode, nach den Lehrbüchern zu urteilen, jedenfalls sehr unvollkommen: wenig Erklärungen, dagegen viel mechanisches Auswendiglernen. Die Erfolge können daher auch nicht gross gewesen sein, weil zudem aller Unterricht, wenigstens in den obern Klassen, in lateinischer Sprache erteilt wurde, und die Lehrer nie die gleiche Professur bekleideten, sondern bei jeder Vakanz der Reihe nach vorrückten: die oberste und best besoldete Stelle war die „Professur des alten Testamentes".

Erst um die Mitte des 16. Jahrhunderts bekümmerte sich der Staat auch um die Deutschen Schulen; die erste diesbezügliche Schulordnung datirt aus dem Jahr 1549. Man nahm sich aber auch jetzt noch derselben nur wenig an. Die Unterstützungen erscheinen im Vergleich zu der reichen Ausstattung der höhern Schulen sehr gering; während diese unentgeltlich waren, musste an jenen ein ziemlich hohes Schulgeld bezahlt werden. Unter solchen Verhältnissen konnten sich die Deutschen Schulen unmöglich zu allgemeinen Volksschulen erheben.

Der Anfang des 17. Jahrhunderts wird durch zwei wichtige Veränderungen im Schulwesen der Stadt Zürich bezeichnet. Einmal schliessen sich nach unten an die Deutschen Schulen die Hausschulen an. Dies waren Privatschulen, annähernd auf der Höhe der Deutschen Schulen. Weil sie diesen Konkurrenz machten, suchte man sie zuerst so viel als möglich zu unterdrücken. — Dann wird 1601 zwischen die Lateinschulen und das Collegium Carolinum eine neue Schulstufe hineingefügt, das sogenannte Mittelstudium oder Collegium Humanitatis, zum Zwecke einer gründlicheren Vorbereitung der Studenten auf das Carolinum.

Die Schulen Zürichs scheinen indessen trotz dieser Verbesserungen weit von den Zielen ihrer Begründer entfernt gewesen zu sein. Antistes Breitinger († 1645) war es, der wie auf dem Gebiet der Kirche, so auch in der Schule die Gedanken Zwinglis wieder aufnahm. Die Zürcher Kollegien sollten wieder zu einem wissenschaftlichen Zentralpunkt für die Theologie werden. Breitinger erkannte die Übelstände der Schulen und reichte dem Rate ein denkwürdiges „Bedenken“ ein, „wie unsere Schul Zürich angestellt werden möchte“, denkwürdig schon deswegen, weil man sich 150 Jahre später bei der Schulreform gerade auf dieses „Bedenken“ stützte. Breitinger wendet sich darin scharf gegen die Überladung der Klassen mit Schülern (36—40) und der Schüler mit Lehrstunden (täglich 8—9), gegen die einseitigen Gedächtnisübungen zum Nachteil der Verstandesbildung, gegen das viele Reden der Lehrer und die nachlässige Beaufsichtigung durch die „Verordneten zur Lehr“. Da in engherziger Weise, in scharfem Gegensatz zu den Ideen Zwinglis und Bullingers, das Landvolk nach und nach gänzlich von dem Besuch der höhern Schulen Zürichs ausgeschlossen wurde, so erachtete es Breitinger um so mehr für seine Pflicht, die Aufmerksamkeit der Behörden auf den schlimmen Zustand der Landschulen zu lenken. Seinem Einfluss ist die erste „durchgehende Schulordnung für die Landschaft, 1637,“ zu verdanken.

Im 17. und 18. Jahrhundert hatte das Schulwesen der Stadt Zürich folgende Einrichtung:

1. Die Hausschulen, für Knaben und Mädchen, bis zum 7. oder 8. Jahr. — Fächer: Schreiben, Lesen. — Lehrer: „Schulmeister“ oder „Lehrgotten“.
2. Die Deutschen Schulen, ebenfalls für Knaben und Mädchen bis zum 8. Jahr. — Fächer: Schreiben, Lesen, Rechnen und Singen. — Lehrer: „Schulmeister“ oder „Lehrgotten“.
3. Die beiden Lateinschulen am Grossmünster und Fraumünster, jede mit 5 Klassen und gewöhnlich 6—7 Jahreskursen. — Fächer: Religionsunterricht, lateinische und griechische Sprache und die Anfänge des Hebräischen; ferner Schreiben, Rechnen und Singen. — Die Lehrer waren fast alle Klassenlehrer.
4. Das Collegium Humanitatis; eine Klasse, gewöhnlich 2 Jahreskurse. — Fächer: Lateinische, griechische und hebräische Sprache; Poetik, Rhetorik, Katechese, Arithmetik und Gesang. — Lehrer: 6—7 Professoren.
5. Das Collegium Carolinum oder Auditorium publicum, mit 3 Klassen und durchschnittlich 5 Jahreskursen. — Fächer: Theologie, die alten Sprachen, Philosophie, Physika (d. i. Naturwissenschaft), Biblika (Bibelkenntnis), Geschichte, Ethik und Mathematik. — Lehrer: 8 Professoren.

Alle Fächer beherrschte die Religion. Schon von den Lateinschulen an hatte der Unterricht einzig die Ausbildung der Geistlichen im Auge. Die Lehrer sind Geistliche, an den untern Klassen der Lateinschulen gewöhnlich Exspektanten, d. h. ordinirte, aber noch nicht angestellte, junge Theologen; gleicherweise gehören auch die Professoren mit wenigen Ausnahmen dem geistlichen Stande an. Die Oberaufsicht liegt meistens in der Hand des Antistes. Die Lehrbücher sind ausschliesslich religiös, sogar in den alten Sprachen. Je mehr aber diese, besonders die lateinische Sprache, gepflegt wurden, desto mehr trat das Bedürfnis für die neuern Sprachen und das weltliche Studium überhaupt hervor. Die Naturwissenschaften hatten bekanntlich schon in der Reformationszeit durch die Anstellung Konrad Gessners 1541 Eingang gefunden. — Im Jahr 1620 reichten 46 Bürger, alle aus den bessern Ständen, bei Bürgermeister und Räten eine Bittschrift ein, es möchte in der untern Wasserkirche wöchentlich von einem Prädikanten, der der Sprache mächtig ist, eine französische Predigt gehalten werden, wie es schon lange in der italienischen Sprache geschehe, damit die jungen Bürger und Gelehrten, die man bis dahin um teures Geld nach Frankreich hätte schicken müssen, ihre Sprache nicht vergessen. Der Rat trat zwar auf dieses Ansuchen noch nicht ein; die Lektionen in französischer und italienischer Sprache wurden erst im Jahr 1682 am Collegium Carolinum als fakultative Fächer zugelassen. — Die Mathematik war schon 1651 eingeführt worden, indem es dem Pfarrer Zingg von Altstetten erlaubt wurde, in der Wasserkirche wöchentlich zweimal „scholas mathematicas" zu halten; denjenigen Auditoren, die genug „ingenii" dazu haben, wird der Besuch anempfohlen. Es scheint, der Erfolg sei ein rühmlicher gewesen; wenigstens „will Dr. Fries, der vor zwei Jahren ein exercitium mathematicum angefangen, es nit kontinuiren, dieweil man erkennen können, dass zu dieser Zeit neben Herrn Zinggen ein anderer nit viel gelten wurde". Diese Disziplin wurde nach und nach auf alle Klassen ausgedehnt, jedoch nur fakultativ erklärt, so dass eben viele Studenten an den notwendigsten Kenntnissen leer ausgingen. So sagt Jakob Köchlin (1740): „Obwohlen studiosus philosophiæ war ich von der Mathematik so fremd, dass ich weder aus den Schulen, noch den untern Collegiis so gar nichts mitgebracht, und einen studiosum in philosophiæ dargestellt habe, der aber weder Zahlen zählen, noch dieselben addiren konnte." — Im Jahr 1691 war durch ein Legat des Landvogts Hess im Betrag von 6000 fl. eine Professur für vaterländische Geschichte am Collegium Carolinum eingerichtet worden. — Trotz dieser allmäligen Einführung realistischer Fächer behielt die Schule ihren konfessionellen Charakter; es war dies bei dem engen Zusammenhang zwischen Kirche und Schule nicht anders möglich. Aus diesem Geiste entsprang eine grosse Hingabe Zürichs für das reformirte Schulwesen, die uns lebhaft an die Opfer der Stadt für die Kirche erinnert. Zürich suchte nicht bloss durch die Kirche, sondern auch durch die Schule die reformirte Lehre auswärts zu befestigen. Darum wurden viele junge Geistliche und Lehrer aus seinen höhern Schulen zunächst auf die eigene Landschaft, dann aber auch in ausserkantonale Gebiete entlassen, die Zürich politisch wenig oder gar nicht berührten, so ins Toggenburg und Rheintal, nach Glarus, Appenzell, Graubünden und Bern; ja sogar ins Ausland: nach Deutschland, Polen, bis hinauf nach Schweden. Dazu kamen erst noch direkte Geldsendungen. Besonders sind es die deutschen Fürsten und Städte, die fortwährend um Unterstützung für ihre, dazu noch zürcherischen Kirchen- und Schuldiener betteln. Katholische oder andere, nichtevangelische Orte indessen schloss man dabei nicht nur von jeder Unterstützung, sondern auch von jeder Mitbetätigung aus. Dieses Vorgehen lag ganz im Geist der Reformirten. Gerade diese Ausschliesslichkeit trug dazu bei, den zürcherischen Schulen zu ihrem guten Ruf bei allen befreundeten Städten und Ländern zu verhelfen. Basel, Strassburg, Ulm nahmen sie zum Muster. Gross war die Zahl der Fremden, welche unsere Lehranstalten besuchten, teils als Flüchtlinge, teils angezogen durch den Ruhm der Schulen überhaupt oder einzelner Professoren, wie des Naturforschers Konrad Gessner, des Orientalisten Heinrich Hottinger, des Anatomen Muralt u. a. Innerhalb des konfessionellen Rahmens war man gerne fortschrittlich und Verbesserungen nicht abgeneigt. So vernehmen wir, dass der grosse Comenius schon bei seinen Lebzeiten auch in Zürich gekannt und anerkannt war. Der Konvent der Professoren erklärt 1666, dass die Methode Comenii auch von ihm bisanhin befolgt worden sei, und dass er dabei bleiben wolle, trotz der Gerüchte unter der Bürgerschaft über den Abfall von der wahren Religion; im weitern beschliesst er, die eben erschienenen Lehrbücher des berühmten Pädagogen einzuführen. Gewiss dürfen wir nicht erwarten, dass man Comenius wirklich verstanden habe und in jedem Fache von der Anschauung ausgegangen sei, dass man die Realien eingeführt und mit dem Sprachunterricht verbunden, oder gar die Muttersprache im Gegensatz zum Lateinischen als Hauptsprache gepflegt habe. Comenius war eine zu eigenartige, hochstehende Erscheinung; doch sind wir es schuldig, bei den Zürchern das Streben nach Wahrheit anzuerkennen, wenn sie auch die Wahrheit selbst noch lange nicht berührten.

Mit dem Anfang des 18. Jahrhunderts macht sich der Widerstand gegen die orthodoxe Richtung auch in der Schule geltend. Streng genommen war es die junge Generation, es waren die Studenten, die sich zu Trägern der neuen Bewegung aufwarfen, oft sehr gegen den Willen einzelner Professoren. Unter diesen bestand eine tiefe Spaltung: auf der einen Seite die Anhänger der freien Forschung, auf der andern die streng kirchliche Partei, verstärkt durch eine grosse Zahl von Mitgliedern des Rates. Der hervorragendste Vertreter der ersten Richtung war der berühmte Dr. Jakob Scheuchzer, professor physicus und mathematicus. Die Wirksamkeit dieses Mannes erstreckte sich weit über die Grenzen seines Vaterlandes hinaus. Mit den ersten Gelehrten verschiedener Länder stand er in ausgedehntem Briefwechsel; er erhielt sogar einen Ruf nach Petersburg. Scheuchzer richtete die Blicke seiner Zöglinge auf die wirkliche Welt; vor allem gebührt ihm das Verdienst, seinen Mitbürgern die Kenntnis des eigenen Vaterlandes, seiner Geschichte und Geographie, seiner Natur und Kultur erschlossen zu haben.

Diese freisinnige Strömung erhielt ihren prägnantesten Ausdruck in der neuen Schulorganisation der Stadt 1773, und in der darauf folgenden Verbesserung der Landschulen. Bürgermeister Heidegger, Professor Leonhard Usteri, Chorherr Breitinger, Professor Bodmer, Antistes Ulrich: das sind die Namen der Wackern, mit welchen die Geschichte des neuen Schulwesens eng verknüpft ist.

Ein Grundgedanke durchzieht das Ganze: scharfe Trennung zwischen allgemein menschlicher, gelehrter und beruflicher Bildung. Der ersten dienen Hausschule und Deutsche Schule; der zweiten die Realschule (die frühere Lateinschule), das Collegium Humanitatis und das Collegium Carolinum; der dritten dient die Kunstschule. Dies war eine Berufsschule im engern Sinn, ähnlich der heutigen Industrieschule oder dem Technikum. Pflegen soll sie das Kunsthandwerk, soll also berechnet sein für Bildhauer, Maler, Schreiner, Maurer, Schlosser, Gold- und Silberarbeiter etc. Hauptfächer sind: Schreiben, Rechnen, Buchhaltung, Geschichte, Geographie, Handelsgeographie, besonders aber Zeichnen.

An allen diesen Anstalten wurde die Besoldung der Lehrer verbessert. Die methodischen Grundsätze sind geradezu mustergültig. Der Schüler soll nichts lernen, was ihm nicht vorher gründlich erklärt worden ist: „Das ist die neue Methode des Matthias Gessner, des berühmten Schulmannes und Professors in Kurfürstlich-Lüneburgischen Landen.“

Noch sei kurz erwähnt, dass in dieser merkwürdigen Periode von 1770—1790 noch eine Reihe von Spezialschulen in Zürich gegründet wurden:

Anno 1774 die Töchterschule — 1777: die Spitalschule — 1782: das medizinisch-chirurgische Institut — 1783: die Lehr- und Arbeitsschule (die spätere Armenschule) — 1791: das Landknabeninstitut. Die blosse Nennung dieser Anstalten beweist, mit welchem Verständnis und mit welcher Liebe die neuen pädagogischen und philanthropischen Ideen erfasst wurden. Dabei ist besonders zu beachten, dass alles auf die Privattätigkeit ankam. Die Staatsideen hielten nicht gleichen Schritt mit den Bestrebungen im Schulwesen. In merkwürdig engherziger Weise suchte der Rat das alte Regiment aufrecht zu erhalten; er konnte und wollte Aufgaben, die schon längst als Aufgaben eines Kulturstaates verkündigt worden waren, nicht als solche anerkennen, besonders dann nicht, wenn sie eine Mehrausgabe veranlassten. So war denn nicht nur die Einrichtung, sondern auch die Erhaltung der neuen Schulanstalten ausschliesslich das Werk der Einzelnen. Privaten taten sich zusammen, Vereine wurden gegründet, Subscriptionen eröffnet, Vermächtnisse gestiftet: man staunt, wenn man die Begeisterung und Hingabe sieht, die alle Kreise beseelte. Zürich durfte stolz sein auf seine Bestrebungen und stolz sein auf die neu gegründeten oder neu geordneten Schulen. Breitinger führt mit Genugtuung das Wort einer deutschen Zeitschrift in Leipzig an: „Wem sind sie nicht bekannt? Wer hat nicht mit Entzücken gelesen von den Schulanstalten, welche die weise Obrigkeit in Zürich gestiftet hat?“ — Auch darf es als ein rühmliches Zeugnis für die Professoren angesehen werden, dass ihnen im Jahr 1782 der berühmte Charles Michel de l'Epée, der Begründer der Taubstummenanstalten in

Frankreich, seinen Streit mit Samuel Heinicke, einem verdienten Taubstummenlehrer in Leipzig, in einem eigenhändigen, noch vorhandenen Schreiben zur Beurteilung vorlegte.

Die Einrichtung des Schulwesens der Stadt Zürich zeigt vom Anfang des 19. Jahrhunderts an bis zu den dreissiger Jahren keine durchgreifenden Veränderungen. Immerhin ist es als ein grosser Fortschritt zu verzeichnen, dass der Staat seiner Erziehungsaufgabe mehr und mehr bewusst wird und der Privattätigkeit entgegenkommt. 1802 wurde die Realschule in eine Bürgerschule und Gelehrtenschule getrennt, 1804 das medizinisch-chirurgische Institut zu einer Kantonalanstalt erklärt und 1806 das politische Institut für das Studium der Rechte gegründet. Schöpfungen der Privattätigkeit, sei es von Einzelnen oder von Vereinen sind die Blindenanstalt (1809), das Landtöchterinstitut (1811), die Taubstummenanstalt (1826), und das technische Institut für die theoretische Vorbereitung in Gewerbe und Handel (1826). — Angesehene Bürger, Geistliche und Professoren beschäftigten sich in anerkennenswerter Weise mit dem Landschulwesen, indem sie eine bessere Vorbildung und Besoldung der Lehrer anstrebten. —

In dieser Periode legte der berühmte Zürcher Heinrich Pestalozzi, wenn auch nicht auf zürcherischem Boden, den Grund zur künftigen Volksschule. Die Geschichte hat zwar wenig unmittelbare Erfolge von ihm zu verzeichnen; seine pädagogischen Unternehmungen schlugen fehl, und selbst seine berühmtesten Schriften, wie „Lienhard und Gertrud“ mussten sich erst nach und nach die Anerkennung verschaffen, deren sie heute geniessen. Aber seine aufopfernde Hingabe für die Mitmenschen, besonders für die Armen, seine geistvolle Erkenntnis der Kindesnatur und ihrer naturgemässen Erziehung, die begeisternde Gewalt seiner Persönlichkeit, die ihre Schüler lehrte, „alles zu sein für andere und für sich nichts“ — das ist es, was ihm für alle Zeiten einen Ehrenplatz unter den Heroen der Menschheit sichert.

Es kam die Bewegung von 1830. An der Spitze standen eine Reihe von hochbegabten Männern Zürichs, die mit jugendlicher Energie den grossen Reformideen in Staat und Schule ihre ganze Kraft widmeten, wie: der greise Paul Usteri, der Oberamtmann Melchior Hirzel, Professor Kaspar v. Orelli, Dr. Keller, Dr. Ludwig Snell u. a. Das neue, treffliche Schulgesetz von 1832, wesentlich ein Werk des ausgezeichneten Schulmannes Thomas

Scherr († 1870), diente einer Reihe von Kantonen als Muster. Es bestimmte zum ersten Mal die Organisation der Schulbehörden, der niedern und höhern Unterrichtsanstalten und der Lehrerschaft, wie sie in ihren Grundzügen heute noch bestehen. Mächtig trug der „Sängervater Nägeli", († 1836), in der Schweiz und in Deutschland ebenso allgemein anerkannt als beliebt, durch seine Lieder zur Belebung der neuen Schule bei. Das Jahr 1833 brachte Zürich die Gründung der Kantonsschule; in demselben Jahr wurde „auf der weiten und breiten Grundlage der Volksbildung der Tempel der Wissenschaft, die Zürcher Hochschule" errichtet, an welcher seit ihrem Bestande eine Reihe von verdienten und hochangesehenen Professoren gewirkt haben, wie die Ärzte Schönlein und Billroth, der Theologe F. Hitzig, der Rechtsgelehrte Dr. Bluntschli, die Naturforscher Oken, Escher von der Linth, Oswald Heer, Ferdinand Keller u. a. Die Hochschule befindet sich seit 1864 im imposanten Gebäude der eidgenössischen polytechnischen Schule, deren Sitz Zürich seit 1855 geworden ist. —

Es war eine schöpferische Epoche, diese dreissiger Periode, über welche ein ruhiger Beobachter urteilte: „Es wird eine Zeit kommen, wo man die Leistungen des Kantons Zürich während dieses Jahrzehnts zu den märchenhaften rechnen wird, eines Jahrzehnts, auf welches die edelsten Geister, die tätigsten Köpfe, die freiesten Herzen mit Sehnsucht zurückblicken und sich an ihr erwärmen werden."

Wissenschaft.

Die grosse Natur und die reiche Geschichte unsers Vaterlandes haben von jeher die Schweizer zu wissenschaftlicher Tätigkeit aufgefordert. Auf dem Gebiete der Naturwissenschaften, der vaterländischen Geschichte und Geographie nimmt daher im allgemeinen die Schweiz, und die Stadt Zürich im besondern eine ehrenvolle Stellung ein.

Die Reformation förderte zunächst die Theologie. Die deutsche Bibelübersetzung von Leo Judä († 1542), des eifrigsten Mitarbeiters Zwingli's, wurde so günstig aufgenommen, dass sie eine französische Übersetzung erlebte. Bullingers theologische Schriften genossen in und ausserhalb der Schweiz des grössten Ansehens und dienten Staatsmännern und Gelehrten der reformirten Kirchen zur Richtschnur. Die Begeisterung für die griechischen und römischen Klassiker rief zahlreichen Übersetzungen und Nachbildungen. Nach ihrem Vorbilde entstanden eine Reihe umfassender Geschichten und geographischer Beschreibungen der Schweiz. Johannes Stumpf aus Bruchsal, seit 1562 Pfarrer in Stammheim, verwendete seine Musse auf die Abfassung einer „Schweizerchronik", welche bald ein Lieblingsbuch des Volkes wurde und ihm unter andern das Zürcher Bürgerrecht verschaffte (1547). Heinrich Bullinger lieferte in seiner Chronik „von den Tigurinern oder der Stadt Zürich Sachen" neben der Geschichte Zürichs eine solche des Schweizervolkes bis 1532. Sein Zeitgenosse Josias Simmler († 1576) versuchte in seinem Werk „Vom Regiment der löblichen Eidgenossenschaft" zum ersten Mal, eine Verfassungs- und Staatengeschichte der Schweiz darzustellen. Die zahlreichen Auflagen und Übersetzungen des Buches zeugen von seiner grossen Verbreitung.

In der Reformationszeit kam in Zürich zum ersten Mal die Pflege der Naturwissenschaften auf. Den grössten Ruhm erntete auf diesem Felde Konrad Gessner († 1565), dessen unermüdliche Tätigkeit und vielseitiges Wissen um so mehr zu bewundern sind, da der treffliche Mann mit drückender Armut und jeder Art von Mühseligkeit zu kämpfen hatte. In der Tier- und Pflanzenkunde wies er der ganzen Folgezeit ihre Bahn. Der Kaiser Ferdinand I. ehrte ihn durch einen Wappenbrief, worin er ihn im Namen des Reiches als den „Plinius der Neuzeit" erklärte. Ein Zeugnis von der erstaunlichen, umfassenden Gelehrsamkeit Gessners ist seine „Bibliotheka universalis", eine Encyklopädie, worin er in alphabetischer Ordnung alle ihm bekannten Schriftsteller, die in hebräischer, griechischer oder lateinischer Sprache geschrieben haben, mit genauer Angabe ihrer gedruckten und ungedruckten Werke, aufzählt. In der Sprachwissenschaft legte er den ersten Grund zur vergleichenden Sprachforschung und zu einer geschichtlichen Grammatik.

Bei der zunehmenden Erstarrung, in welche das Staats- und Kirchenregiment im 17. Jahrhundert verfielen, kam das weltliche Studium in Abnahme. Die Geistlichen, welche hiezu durch ihre Bildung zuerst befähigt gewesen wären, wurden von den Herren „Examinatoribus" ernstlich „vermahnet, sich nicht in Sachen zu mischen, die weder ihrer person, noch ihrem stand, noch gemeiner statt vil lobs brächten." Ängstlich wachte man darüber, dass an der Hoheit der Staatsgrundsätze und der kirchlichen Dogmen nicht gerüttelt werde. Als das beste Mittel hiezu erschien die Zensur, d. h. die genaue Prüfung aller Arbeiten, die durch den Druck verbreitet werden sollten. Begreiflich war dieses Institut allen aufstrebenden Geistern verhasst; diese sahen sich oft genötigt, ihre Schriften auswärts drucken zu lassen. Der Anstoss zu wissenschaftlicher Tätigkeit ging von der Bürgerschaft aus. Vier junge Zürcher aus gutem Hause, die gemeinschaftlich eine Reise ins Ausland gemacht hatten, taten sich im Jahr 1629 zusammen, um in ihrer Vaterstadt eine öffentliche Bibliothek zu gründen. Der Plan glückte; die Sammlung vermehrte sich rasch; der Rat wies ihr einen geeigneten Raum in der Wasserkirche an, und schon am Neujahrtag 1634 konnte die „gemeine Bürger Bücherey" zum ersten Mal dem Publikum geöffnet werden. Das war der Anfang der heutigen Stadtbibliothek.

Daran schloss sich bald die Gründung des ersten wissenschaftlichen Vereins: es war das Collegium Insulanum, so genannt nach seinem Versammlungsort auf der „Insel" (die Wasserkirche). Ihre Nachfolgerin war die „Gesellschaft der Wohlgesinnten". Die Themata, die hier zuweilen zur Sprache gebracht wurden, zeigen deutlich die Sphäre, in welcher sich viele Gelehrte damals noch bewegten. So redete z. B. ein Mitglied „von den Begebenheiten, so sich in dem ersten Viertheil dess Ersten biblischen Tages oder in den 165 Jahren nach erschaffung der Welt, welche drei biblische Stunden, (deren jede 55 Jahre in sich haltet) aussmachen, zugetragen und zwar betrachtet er dissmal die Finsternuss, von welcher Gott geschieden hat das Liecht" — ein anderes erörterte die Frage, „ob die Kometen vorbotten göttlicher straffen oder Weltveränderungen seyen" — oder „woher die Mohren schwartz seyen" — „woher der Herr Christus nach seiner Auferständtnuss Kleider genommen" — „ob Christus an der Hochzeit zu Kana das wasser in weissen oder rothen wein verwandlet habe" u. s. f. — Man darf indessen nicht vergessen, dass im Schosse der gleichen Gesellschaft eine Menge ächt wissenschaftlicher Fragen behandelt und eine Fülle von Anregungen gegeben wurde. Seinen Freunden hier widmete der Stadtarzt Jakob Wagner († 1695) seine „historia naturalis Helvetiæ", die erste seit Stumpfs Chronik nennenswerte Beschreibung des Schweizerlandes. Ebenfalls Mitglied dieser Gesellschaft war der gelehrte Dr. Jakob Scheuchzer († 1733), Professor der Mathematik, der sich indessen mehr der Naturwissenschaft und Vaterlandskunde widmete. Scheuchzer machte grosse Schweizerreisen, sammelte besonders viele Versteinerungen, und veröffentlichte die Ergebnisse seiner Beobachtungen in einer Reihe von Aufsätzen, die grosses Aufsehen erregten. Sein bedeutendstes Werk war die „physica sacra oder geheiligte Naturwissenschaft“, ein Commentar zu allen Stellen der heiligen Schrift, in welchen Gegenstände oder Erscheinungen der Natur erwähnt werden. Das Werk zeugt ebensosehr von erstaunlichem Fleiss, wie von gründlichen Kenntnissen und aufrichtiger Frömmigkeit. Da sich Scheuchzer durch seine freisinnige Weltanschauung mit der herrschenden Orthodoxie überwarf, wurde ihm erst 1733 die längst in Aussicht gestellte Professur der Physik samt Kanonikat zu teil. Im gleichen Jahre starb er.

Sein zweiter Nachfolger war Johannes Gessner († 1790), ausgezeichnet als Lehrer wie als Gelehrter. Im Jahr 1746 gründete dieser die Naturforschende Gesellschaft, welche der berühmte Volta von Como mit einem Besuche beehrte (1777). Ähnliche wissenschaftliche Zwecke verfolgten die medizinisch-chirurgische Gesellschaft (1773), die vaterländisch-historische Gesellschaft (1818), die antiquarische Gesellschaft (1833) u. a. Teils im Schosse dieser Vereine, teils auf den Lehrstühlen der neu gegründeten Hochschule taten sich eine Reihe namhafter Gelehrten hervor, von denen einzelne zu europäischer Berühmtheit gelangten. Arnold Escher von der Linth († 1872), der Sohn des verdienten Konrad Escher von der Linth († 1823), widmete sich mit Vorliebe und Glück der geologischen Erforschung unsers Vaterlandes, namentlich der Gletschererscheinungen. Die von Agassiz aufgestellte Gletschertheorie wurde durch seine zahlreichen Beobachtungen wesentlich unterstützt. — Oswald Heer, (geb. 1809), ein ausgezeichneter Botaniker, schrieb mit Hegetschweiler eine „Flora der Schweiz“. Grosse Verdienste erwarb sich Heer durch seine Untersuchungen und Bestimmungen von versteinerten Tier- und Pflanzenresten. Seine „Urwelt der Schweiz“ ist in mehrere fremde Sprachen übersetzt worden. — Ferdinand Keller († 1882), war ein gründlicher Kenner keltischer Altertümer und der berühmte Entdecker der Pfahlbauten. — Als Autorität in der Staats- und Privatrechtslehre glänzte Kaspar Bluntschli († 1881), ebensosehr im Auslande anerkannt als in seiner Vaterstadt, deren geschichtliche und rechtliche Entwicklung er in mehreren Werken gründlich beleuchtete. — Die fruchtbare Tätigkeit dieser und so manch anderer Gelehrten Zürichs konnte nicht verfehlen, auch auf diejenigen Kreise anregend einzuwirken, welche nicht unmittelbar mit den Trägern der Wissenschaft in Berührung standen.

Literatur.

Die Schweizer sind zu allen Zeiten kühn und freiheitsliebend, beharrlich und tatkräftig gewesen. Phantasie und romantischer Sinn treten hinter die bürgerlichen Tugenden der Einfachheit und Abhärtung, der Ordnungsliebe und Treue zurück. Daher konnte die kunstmässige oder die schöne Literatur bei uns weniger gedeihen. Dazu kommt, dass die Reinigung und Veredlung der deutschen Sprache in unserm Lande viel langsamer fortschritt als in Deutschland. Zwingli und Bullinger schrieben das Deutsche so unbeholfen, dass keine ihrer Schriften hätte ins Volksleben übergehen können, wie Luthers Bibelübersetzung oder Kirchenlieder. Der ausschliessliche Gebrauch des Latein und das Eindringen der französischen Sprache und Sitte musste nicht minder dem Aufblühen der deutsch-schweizerischen Literatur entgegenarbeiten. Diese beginnt erst gegen die Mitte des vorigen Jahrhunderts, d. h. in jener Zeit, da sich wenigstens die evangelischen Orte vom französischen Einfluss politisch frei zu machen suchten und das Gelingen dieser Bestrebungen die Liebe zum Lande und Volkeder Heimat wieder belebte. An diesem Aufschwung hat keine Stadt so hervorragenden Anteil genommen wie Zürich.

Der Sinn für die schöne Literatur, angeregt durch die Schriften der Engländer und Franzosen, fand in Bodmer und Breitinger seine berühmten Vertreter und verfocht siegreich im Kampfe gegen den Leipziger Professor Gottsched und seine Schule die richtige Erkenntnis von dem Wesen der Poesie. Nicht der Verstand, sondern die Phantasie soll die Quelle, nicht die Belehrung, sondern die Erregung des Gemütes der Zweck der Dichtkunst sein. Bodmer († 1783), der eigentliche Träger dieser neuen literarischen Richtung, wirkte weniger durch seine eigenen, poetischen Produkte, als durch seine kritischen Schriften, durch die Herausgabe älterer, deutscher Dichtungen, wie auch durch seinen persönlichen Umgang († 1788). Die Geschichte des Minnesanges und des Nibelungenliedes ist eng mit seinem Namen verknüpft. Von ihm angeregt, strebten Staatsmänner, Gelehrte und Künstler nach dem Ruhm, die Ehre der Republik zu fördern. Der Arzt Joh. Kasper Hirzel († 1803), die Seele aller gemeinnützigen Bestrebungen, eröffnete mit seiner weitverbreiteten Schrift: „Kleinjogg oder die Wirtschaft eines philosophischen Bauers“ die Reihe der schweizerischen Volksbücher, welche einen der schönsten Zweige unserer vaterländischen Literatur bilden. Zu derselben Zeit schrieb der Zürcher Dichter Salomon Gessner seine, besonders in Paris gelesenen und gefeierten Idyllen, und Kaspar Lavater († 1801), ein scharfer Beobachter, seine berühmten „physiognomischen Fragmente“. Der Letztere, obschon als Prediger mehr der strenggläubigen Richtung zugetan, war dagegen als Bürger ein unerschrockener Patriot. Seine „Schweizerlieder“, welche er für die helvetische Gesellschaft dichtete, und die schnell auch im Volke Eingang fanden, sind ein lebendiges Zeugnis seiner vaterländischen Begeisterung.

Diese Männer trugen den Namen der Stadt Zürich weit über die Grenzen unsers Vaterlandes hinaus. Die berühmtesten deutschen Dichter Klopstock, Wieland, Kleist, Gœthe kehrten im „schweizerischen Athen“ ein. Zürich wurde wiederum ein Zentrum des geistigen Lebens, dieses Mal auf dem Gebiete der Kunst, wie einst auf dem Gebiete des Glaubens.

Wenn auch die Freude und Teilnahme an literarischen Bestrebungen in Zürich von jeher grösser gewesen sind, als das eigene dichterische Schaffen, so trieb doch auch dieses manche schöne Blüte. Die einfachen, formvollendeten Gedichte Martin Usteri's († 1827) fanden schnellen Anklang; sein Lied „Freut euch des Lebens“, angeblich von Nägeli componirt, drang bis nach fernen Weltteilen, und seine „ländlichen Idyllen in Zürcher Mundart: „De Vikari“ und „De Herr Heiri“ sind treffliche Gemälde des bürgerlichen Lebens. — Als Nachfolger Usteri's in der mundartlichen Idyllendichtung verdient August Corrodi ehrenvolle Erwähnung. Gottfried Kellers und Ferdinand Meyers Gedichte und Novellen haben neuerdings die Aufmerksamkeit der gebildeten Welt weit über die Landesgrenzen hinaus in hohem Masse auf Zürich gelenkt. Und ist es nicht ein schönes Zeugnis für „die geistige Bedeutung Zürichs“, dass auch in neuerer Zeit so mancher verfolgte Gelehrte gerade unsere Stadt zu seinem Zufluchtsorte wählte? Wir erinnern unter den Dichtern an Georg Büchner († 1837), Ludwig Follen († 1855) und Georg Herwegh († 1875), welche sich hier vorübergehend aufhielten; vor allen aber an den gefeierten Professor Gottfried Kinkel († 1882), der hier seine zweite Heimat und seine letzte Ruhestätte fand. —

IV. Sitten und Volksfeste.

Kirchliches Leben.*

Schlimm genug war es vor der Reformation um das wissenschaftliche und sittliche Leben der Geistlichkeit bestellt. Wenn Hemmerlin die Chorstunden mit den jungen Priestern absang und das Volk indessen dem Beichtstuhle sich nahete, sassen in einem Nebengebäude die Chorherren und Kaplane, zechten und spielten, so dass vor dem Gelärm der Konfessionar kaum die Beichtkinder hörte. Daher gebot zu Waldmanns Zeit (1485) der Rat, dass die Chorherren ein „erbar, ersam, züchtig, ordenlich und zimlich wäsen an sich nemmen und dass, wenn vesper gelüt wird, sie in ir

---

* Vorbemerkung. Vor allem aus standen dem Bearbeiter die Materialien des schweizerdeutschen Idiotikon zu Gebote, die benutzt wurden, soweit der Rahmen dieser Arbeit es zuliess. Der Leser möge in den bereits erschienen Heften zur Vergleichung der Oster- oder Aschermittwochgebräuche anderer schweizerischen Gegenden unter (Oster-)Ei, Ostern und Else nachsehen.

Ausserdem nennen wir als Quellen: Mandate; Escher, Zürichsee; von Moos, Kalender; National-Kinderlieder; Meyer v. Knonau, der Kanton Zürich; Neujahrsblatt des Waisenhauses von 1880; dito der Stadtbibliothek von 1853, 1867; Züricher Taschenbücher von 1858 und 1882 u. a.; Feuilleton der N. Z. Z. vom 25. August ff. 1881; Sammlung der bürgerlichen und Polizeigesetze, 1757 bis 1793; Strickler, Horgen; Pestalozzi, Bullinger u. s. f.

Was mündlicher Mitteilung entnommen ist, sei an dieser Stelle hiemit bestens verdankt. Die benutzten ältern Belege sind nicht immer nach ihrem Wortlaute, sondern nur modernisirt oder in dem Text verarbeitet wiedergegeben worden. Die Verschiedenheit von Stadt und Land wurde, wo sich Gelegenheit bot, betont. Mit dem grossen Umschwung in der Revolutionsperiode, wo die alten Schranken fielen, begann Zürich in die grosse Arena des Weltgetriebes einzutreten; die Betrachtung des spezifisch Zürcherischen bricht daher in den meisten Abschnitten dort ab; hat ja doch sogar auf dem Lande zur Stunde die entlegenste Gegend bei uns dem Strome der Zeit folgen müssen.

kilchen gon und da singen und lesen söllen und der knecht uf der (Chorherrn-)stuben die kartenspil und brättspiel alsdann behalten und des tags nit wider herfür geben" [solle]. Durch Verschwendung und Zügellosigkeit zeichnete sich unter den Äbtissinnen beim Frauenmünster besonders Anna von Hewen aus. Um der, besonders im Gefolge der Burgunderkriege eingerissenen, durch die Reisläuferei genährten Verwilderung zu steuern, wurde Zwingli berufen. Schon um zu verhüten, dass den Katholiken im Äusserlichen ein Anhaltspunkt zur Verunglimpfung der Reformation geboten wurde, musste strenge auf Vermeidung von Anstoss gesehen werden. Es wurde durch obrigkeitliche Erlasse auf regelmässigen Besuch der Kirche gedrungen. Wer nicht durch Krankheit oder andere „ehehafte" Ursachen abgehalten war, musste, laut Mandat von 1650, Sonntags zu guter Zeit zur Kirche gehen. Zweimaliges Ausbleiben konnte vom Pfarrer durch Mahnung gerügt werden, Unfolgsame wurden sogar von Zunft und Gewerbe ausgeschlossen. Selbst der wöchentliche Gottesdienst musste regelmässig besucht werden. Ein Mandat von 1575 zwingt die Bürger mit samt ihrem Hausgesinde in die Dienstagspredigt und verlangt, dass nach dem „andern Zeichen" alle Läden geschlossen werden und alle Handarbeiten ruhen, besonders war das „Wöschen" an diesem Tage verpönt.

Auch über die Sittlichkeit und Pflichterfüllung der Pfarrer wurde eifrig gewacht; doch musste noch durch eine Verordnung von 1757 den Pfarrern der Besuch von Wirtshäusern und Gesellschaften, das Schiessen, Jagen und Kegeln verboten werden, damit ihr Beispiel nicht zu ansteckend wirke. Die Prediger waren gezwungen, die irrenden Schafe durch Ermahnungen in den Predigten zur Wahrheit zurückzuführen, doch fand 1711 die „Ordnung der Dienern der Kirchen" angezeigt, hiebei einzuschärfen, dass sie alles „lächerliche Gespött, Schwätzen, Stichreden und Lästern" fleissig verhüten. Zu gleicher Zeit wurde verordnet, dass sie die von der Regierung erlassenen Mandate von den Kanzeln verlesen und erklären. — Im 17. Jahrhundert nahm die Strenge zu; an Sonntagen war es laut Mandat von 1636 nach dem Schlage zwölf einzig erlaubt, Tauben vor dem Rathause wie von alters her zu verkaufen. 1673 fanden am Grossmünster an den Wochentagen 2—3 Predigten statt, mit Ausnahme Dienstags und Freitags, wo man sich mit einer begnügte und ähnlich war es hierin auch nach dem Zeugnisse des Von Moos im 18. Jahrhundert bestellt.

An allen Wochentagen, den Dienstag ausgenommen, wurde am Grossmünster im Sommer schon von 5—6 Uhr, im Winter von 6—7 Uhr ein Frühgottesdienst abgehalten, am Mittwoch und Samstag aber in allen vier Kirchen ein Abendgebet gesprochen. Im Anfang des 17. Jahrhunderts war das in den Kirchen herrschende düstere Schweigen durch die ersten Versuche im Kirchengesang unterbrochen worden. Während des Gottesdienstes durfte, laut Mandat von 1636, niemand auf den Bänken vor den Häusern sitzen oder in der Stadt herumspazieren; alle und jede Werktagsarbeit war untersagt. Zuwiderhandelnde wurden gebüsst. Daneben war der Geist in Fesseln geschlagen; starre Dogmen und Unduldsamkeit herrschten.

Im 18. Jahrhundert blieb im allgemeinen die strenge Orthodoxie gewahrt, wenn auch nach der Mitte desselben das Wesen eines neuen Geistes von Westen her sich spürbar machte, so dass z. B. der Zwang zum Besuche des Gottesdienstes aufgehoben wurde. Aber noch dauerten die Kirchenbussen fort, welche darin bestanden, „dass der Fehlbare vor versammeltem Stillstande, sei es vor diesem allein oder vor dem „offenen Stillstande“ d. h. der ganzen Gemeinde, einen Zuspruch zu empfangen hatte. Bisweilen musste er auch den Boden küssen (Herdkuss), namentlich wegen ausgesprochner Lästerungen und Flüche. Noch durfte niemand die Stadt ohne Erlaubnis vor beendigtem Abendgottesdienst verlassen. Landvogt Escher von Kyburg (1717—1723) sagt: In unsrer Stadt wird niemand gezwungen soviel oder soviel Mal wöchentlich in die Kirche zu gehen, während durch Geld- und andere Strafen die Bauern dazu angehalten werden. Er meint übrigens: „Ein gezwungener Zuhörer könne nit viel erbauet werden“. Wenn die Obrigkeit vermeine, sie müsse durch Mandat die Ihrigen fromm machen, so greife sie in ein „frömd Amt“ und verfehle ihres Zwecks.

Taufen, Hochzeiten und Begräbnisse.

Schon im 14. Jahrhundert wird ein Maximum der Patengeschenke von der Obrigkeit festgesetzt. 1636 verfügte sie, dass die Einbindeten (Taufgeschenke) nicht mehr als eine halbe Krone betragen und nur in Papier einzuwickeln, nicht in so geheissenen Einbindsäckchen zuzustellen seien. Zu gleicher Zeit wurden die üblichen Taufmahlzeiten untersagt. Auch die Schenkungen an die

Kindbetterinnen sollten abgestellt und verboten sein und „derglichen nützit weder zum guten Jahr, noch underm Schin der Würgeten, Zimpfeltags, Stubeten oder einichem andern Fürwand“ verehrt werden. Ebenso wurde die „Schlirpete“, ein Mahl, das die Wöchnerin ihren Bekannten und Freunden nach dem Wochenbett gab, im 18. Jahrhundert öfters untersagt. 1718 und 1722 verbot man die „Küechlete“ und das Nachtaufemahl, 1779 die „Kindhebete“. (Ein Kind „heben“ oder „haben“ heisst, als „Gotte“ es zum Altare tragen, damit es getauft werde; die Kindhebete wäre also das Taufmahl.) Strenge Strafe fiel auf betrügliches Gevatterbieten. Im 18. Jahrhundert wurde bis auf die neueste Zeit herab die Ankunft eines jungen Erdenbürgers Anverwandten und Freunden durch Zusendung eines künstlich geordneten Strausses von möglichst seltenen Blumen, des sogenannten „Freudmaiens“, gemeldet. Die Bandschleife an demselben war rot, wenn das Neugeborne ein Knabe, weiss, wenn es ein Mädchen war. Mädchen, die Patenstelle vertraten, trugen Schäppeli; in der Stadt erhielt die Patin von ihrem Mitgevatter ein Geschenk, den sogenannten „Stifpfenning“, der aber öfter, so z. B. 1779 verboten wurde.

Frühzeitige Heiraten finden sich z. B. im 16. Jahrhundert häufig. Mädchen über 14, Knaben über 16 Jahren durften sich heiraten. Bei den Hochzeiten wurden durch Mandate die Zahl der zu ladenden Gäste (1636 z. B. auf 40—60), die Zeit, welche man bei einander sein durfte, der Preis der Mahlzeit und der Wert der Geschenke etc. bestimmt. Im Richtebrief von 1304 wird verordnet, dass bei keinem „Brutloufe“ mehr als „zwene Singer, zwene Giger und zwene Töiber“ (Bläser) geladen werden dürfen. So verbietet ferner noch ein Mandat von 1764 bei den Morgensuppen, Hochzeiten und Taufmahlen alles kostbare Traktiren, das Einladen anderer Personen als der „Gevatteren“ bei den Taufmahlen und der nächsten Anverwandten nebst Braut- und Bräutigam-Führer bei den Hochzeiten. Doch schon damals waren auch gut gemeinte Vorschriften nur dazu da, um übertreten zu werden. Oft nahmen an grossen Hochzeiten Hunderte von Personen, auf dem Lande die Bewohner ganzer Dörfer teil. Leichtsinnige Heiraten suchte man (1611 und 1626) durch Mandate zu verhindern und die Pfarrer durften niemanden trauen, der nicht dartun konnte, dass er Weib und Kind gebührend zu erhalten imstande sei. Aber umgekehrt durften laut Verordnung von 1539 weder Vater noch Mutter, weder „Vögte noch Anwält ihre Kind noch Kindskind zwingen noch nöten zu keiner Ehe". Erst seit 1612 verkündete man die Hochzeiten öffentlich von der Kanzel. Bis 1620 waren die Hochzeiten am Sonntag auf dem Lande gefeiert worden, da aber durch den Zudrang von „Lyrenfrauen" und Spielleute Anstoss erregt wurde, so erfolgte eine Verlegung auf den Dienstag. Wiederholt wurden im 17. und 18. Jahrhundert das „Haussteuer-" und das Eiereinziehen, sowie das Betteln im Hause des Bräutigams verboten. Ehepaare, die das seltene Glück genossen, die goldene Hochzeit begehen zu können, liessen sich im 18. Jahrhundert nach Meyer v. Knonau unter grossem Zudrang von Verwandten und Nachbarn zum zweiten Mal trauen.

Erst nach der Reformation kam die Sitte auf, bei Trauerfällen sich schwarz zu kleiden. Verschiedene Mandate, z. B. dasjenige von 1765, schränkten das übermässige kostbare Leidtragen, sowie die Dauer desselben ein. Die Abdankung am Grabe hielt der betreffende Zunftmeister, worauf sich die Anverwandten in die Kirche begaben, um ein stilles Gebet zu verrichten. Aber als in der Pestzeit von 1611 oft zwanzig und mehr Leichen auf einmal beerdigt werden mussten, wurde sie den Geistlichen übertragen. Auch die Beerdigungen gaben besonders auf dem Lande Anlass zu ausschweifenden Gastereien und zum Einschreiten der Obrigkeit. Sehr förmlich ging es in Zürich im 18. Jahrhundert bei Begräbnissen zu. Eine Leichenbitterin sagte dieselben am Tage vorher in den Vorstädten, am Beerdigungstage in der Stadt selbst, wie noch jetzt den Verwandten des Verstorbenen gegenüber üblich, an; zu beiden Seiten der Haustüre und im Innern des Hauses spannte man, wie noch jetzt, schwarze Tücher.

Nachmittags 2 Uhr versammelten sich die Anverwandten im Trauerhaus und um 3 Uhr bezeugten den 6 oder 7 (später 3) ersten Leidtragenden die zum Leichenbegängnis kommenden Mitbürger vor dem Hause durch Bieten der Hand das Beileid. Das Gleiche taten die Frauen im Leidzimmer, dem grössten Zimmer des Hauses. Bis 1799 pflegten die Frauen neben den Männern an die Leichenbegängnisse zu gehen; erst als eines Tages französische Soldaten einen Trauerzug verhöhnten, indem je neben einer Dame ein Blaurock ging und durch lächerliche Geberden ihre ernste Haltung nachahmte, verschwand diese Sitte in der Stadt, dauert aber heute noch auf dem Lande da und dort teilweise fort. Eines schönen Brauches, der an die altgermanische

Hochachtung der Frau erinnert, sei schliesslich noch aus Zollikon gedacht. Die im Kindbett gestorbenen Frauen erhielten früher eine besondere, ehrenvolle Grabstätte unter der Vorhalle der Kirche bei den sogenannten „Kindbetterläden".

Häusliches Leben.

In frühern Zeiten versahen die Töchter des Hauses die Dienste der jetzigen Mägde, deren es 1357 nur 263 gab, welche das Vieh zu füttern und Feld und Garten zu bestellen hatten. Noch im 15. Jahrhundert hielt die vornehmste Frau keine häusliche Verrichtung unter ihrer Würde. Bullinger sagt: Scham und Stillschweigen zieret die Töchter, wiewohl ich auch nicht will, dass sie gar in ein Vogelkäfig eingeschlossen, nimmer unter die Leute kommen. Du Tochter, darfst dich der Arbeit nicht schämen, denn es steht dir viel besser an, wenn deine Hände rauh sind von der Arbeit, als wenn sie voll Ringe starren oder mit saubern weissen Handschuhen bedeckt werden; ehrlicher ist es dir, man finde dich ob der Kunkel, ob dem Nähen oder in der Küche tapfer und rüstig an der Arbeit stehen, als dass du im Tanze herumhüpfest oder auf der Gasse in eitlem Putze dich zeigest. 1586 aber sah man sich veranlasst Zensoren zu ernennen, die auf den Haushalt der Bürger zu achten hatten und denen Vollmacht erteilt war, Liederliche zu bestrafen, sie dem Rate zu verzeigen, in den neuen Turm gefangen zu legen und in den Kirchen verrufen zu lassen. Zu Breitingers Zeiten, also im 18. Jahrhundert, hatte auch in den Städten jede brave Hausfrau ihren Hühnerhof und ein Mandat von 1779 erlaubte noch, das Federvieh mit Ausnahme an Sonntagen auf den Gassen laufen zu lassen. Sämtliche Hausgenossen bewohnten nur Ein grosses Zimmer, in welchem eine häusliche Gemütlichkeit besonders an den Abenden sich entwickelte, welche man geneigt wäre, als den Hauptvorzug der guten, alten Zeit anzusehen. Noch in der zweiten Hälfte desselben Jahrhunderts stellte man in den Abendgesellschaften gedörrte Pflaumen, Birnen und Äpfel auf. Der geringere Bürger erlaubte sich in der Woche in der Regel nur zweimal Fleisch und holte sich seinen Bedarf persönlich beim Fleischer. Laut Mandat von 1744 sollten das stark einreissende Thee- und Kaffee-Trinken, sowie das Tabakrauchen gänzlich verboten sein. Anno 1718 wurde das „Tabaktrinken" auf offenen Wegen und Strassen, auf dem Kirchweg und bei den Scheunen und Ställen bei 2 Pfd.

Busse untersagt. Während 1667 das „Tabaktrinken“ neben dem Branntweintrinken verboten wird, ist 1708 der Ausdruck „Tabakrauchen“ gewählt; 1680 wird auch das (Tabak-)„Schnupfen und Käuwen“ untersagt.

Kleidung und Luxus.

Schon im 14. Jahrhundert erscheinen die Kleiderordnungen des Rats, welche gegen den Aufwand in den Trachten auftreten. 1370 untersagte er den Frauen Gürtel von mehr als 5 Pfd. Wert, allzulange Schleppen und geschnürte Schuhe, sowie beiden Geschlechtern das Tragen der Schnabelschuhe. Die männliche Tracht war übrigens noch einfach und bestand vornehmlich aus einem, einer Mönchskutte nicht unähnlichen Rock, der anfangs bis auf die Füsse reichte, hernach aber immer mehr verkürzt wurde. Oft wurde über diese Kleidung ein langer Mantel geworfen. Eigentümlich war die Sitte, dass man es liebte, die Hosen aus Tuch von verschiedenen Farben zusammensetzen zu lassen. So erschien die Hülfsmannschaft, welche die Zürcher 1315 dem Herzog von Östreich gegen die Waldstätte sandten, in den heutigen Kantonsfarben, blau und weiss, gekleidet. Schliesslich verbot die Regierung die gestreiften, sowie die Hosen von zweierlei Farbe. Mit den Burgunderkriegen kam der Luxus allgemeiner auf, der durch die Pensionen und die fremden Kriegsdienste sehr genährt wurde, bis durch die Reformation und die Abschaffung der Jahrgelder und des Reislaufens wieder ein strengerer Geist einkehrte. Im 16. Jahrhundert eiferten die Mandate gegen die geschlitzten Kleider und gegen die gefalteten Hosen der Landleute, „aus denen man 3—4 Paare hätte machen können“. Für Putz und Kleidung brauchte im 17. Jahrhundert eine junge Waise in einem Jahre 130 Gulden. Ein langer, bis auf die Schultern fallender Haarwuchs war bei vielen zu jener Zeit eine beliebte Mode. Der Rat verbot diese aus Frankreich stammende, üppige Sitte, sowie die grossen, viele Pfund schweren Perücken, deren Preis nicht selten bis auf 100 Taler anstieg. Im 18. Jahrhundert kam das Frisiren und Pudern bei den Männern auf und zwar trotz der Verbote; der „Zopf“ herrschte auch in Zürich. Die Geistlichen und die Glieder des grossen und kleinen Rates trugen dicke, gefaltete Kragen, welche uns auf den Bildnissen aus jener Zeit auffallen. Die Regierung verbot nicht nur, sondern schrieb auch besondere Standestrachten, wie z. B. die geistliche Tracht und

Trachten für verschiedene Anlässe z. B. für den Kirchenbesuch vor; so tat es noch ein Mandat von 1779. Auf den Röcken liebte man grosse Knöpfe. Das Degentragen suchte die Regierung einzuschränken. Bei den Frauen wurde im 3. Dezennium die Reifröcke Mode (welche allerdings z. B. 1757 und wiederum 1779 verboten wurden), während die Taille möglichst eng geschnürt wurde. Auch gegen die Fächer hatte die Regierung Verordnungen zu erlassen, bis 1706 „bescheidenliche Weiher“ (Fächer) erlaubt wurden. Schon die Knaben erschienen mit künstlichen Frisuren, in Westen mit herabhängenden Schössen und in kurzen Beinkleidern, so dass sie heutzutage nicht verfehlen würden, jedermanns Gelächter und Spott zu erregen.

Während ein Mandat von 1774 „Manns- sowohl als Weibspersonen“ mehr als Eine Taschenuhr zu tragen untersagte, durften die Knaben weder Taschenuhren noch irgend ein Geschmeide bei sich zeigen. 1763 sagte ein anderes Mandat: Verboten ist wie bis anhin, so auch ferner, aller Gebrauch der Kutschen und Chaisen in unsrer Stadt und ihren Vorstädten, ebenso alles Schlittenfahren. —

Mit der Handhabung der Kleiderordnungen, sowie auch der Kirchen- und Sittenpolizei war die zwölfgliedrige Reformationskammer beauftragt, eine eigens dazu bestellte Behörde, welche streng und unparteiisch amtete, „so dass es kaum eine zürcherische Familie gegeben haben mochte, aus der im Laufe der Zeiten nicht einzelne Glieder vor der gefürchteten Behörde hätten erscheinen müssen“. Doch sagt Escher (1717—1723 Landvogt von Kyburg): Die in anno 1722 ausgegangenen grossen Bussmandat, das einte für die Stadt und Burger, das andere für die Landschaft und Landleut, machen in dem Artikel der Kleider-Hoffart einen gar deutlichen Unterschied zwischen den Burgern und Bauern, verbieten diesen letztern gar viel Sachen, die den Burgern erlaubt werden.

Geselliges Leben.

Schon der Richtebrief von 1304 verordnet, dass man in der Abtei ewiglich eine „Naglogge“ (Nachglocke) läuten solle, „so man vom wine gan soll.“ Zwischen dem erstmaligen (dem Läuten der Stübglocke) und dem zweiten Läuten solle man so lange verziehen, als man brauche, um bequem eine halbe Meile zu gehen. Die „Weinleute“ sollen beim Läuten der „Naglogge“ den

Wein „verschlagen" und ihre Häuser schliessen. In der Spielwut mit Würfeln wurden die Kleider und die Mobilien eingesetzt, oder verpfändet, ja sogar Schuldversicherungen gegeben, die der Verlierende auf seinen Eid zu zahlen versprach. Der Rat suchte einzugreifen und verbot z. B. im Richtebrief von 1304 auf Spiel zu leihen, ohne Pfand dafür zu erhalten. Auch gegen das Spiel mit falschen Würfeln fand er nötig einzuschreiten. Aus dem 15. Jahrhundert wissen wir, wie Waldmann und seine Anhänger auf dem Schneggen beim Bierhumpen die wichtigsten Staatsangelegenheiten verhandelten. Die Tanz- und Spielverbote wiederholen sich mit grösserer Schärfe im 16. Jahrhundert; diejenigen, welche zum Tanze aufspielten, wurden mit Gefangenschaft für so lange bedroht, bis sie 20 Batzen erlegt hätten. Die Strenge wurde auch im 17. Jahrhundert eher vermehrt; man umging aber die Verbote, indem man auf dem Lande an einsamen Plätzen im Walde tanzte und kegelte, woher sich einzelne Flurnamen „Tanzplatz, Kegelplatz" bis auf den heutigen Tag erhalten haben. Der Handel mit Karten wurde untersagt und 1718 Spieler und Kartenverkäufer mit einer Busse von 50 Pfund bedroht; dafür wurde z. B. 1627 das Plattenschiessen, Ballschlagen, Steinstossen, Kegeln auf offnen Plätzen und nicht um Geld oder Geldeswert erlaubt. 1635 wurden die Knaben, welche ausserhalb der Stadt „kluckeren und stöcklen" (mit Kügelchen resp. mit einer Kugel und Stöcken spielen) mit der „Gätteri" oder mit Geldbusse bedroht, 1650 ausserdem mit der Zuchtstube. Eine „Gätteri" befand sich neben dem St. Peter und bestand aus einer Vertiefung in der Erde, über welche als Verschluss ein „Gatter" gebreitet war; der Fehlbare kam „under die Gätteri"; sie wurde besonders gegen Flucher und Schwörer angewandt.

Auch das Trinken fand strenge Ahndung, besonders, wenn es an Sonntagen stattfand. Eine Ratserkenntnis von 1627 verbietet sowohl in der Stadt als auch nach Alstetten, Höngg und Hirslanden in die Schenken zu gehen. An Wochentagen erlaubte der gleiche Erlass bis abends 6 Uhr bescheidentlich zum Wein zu gehen, doch so, dass auf den Kopf nicht mehr als eine Mass Weins gerechnet werden durfte. Zur selben Zeit wurde auch untersagt, dass bei Anlass von Beförderungen zu Ehrenstellen „die Stadtknecht und Überreuter, die Wächter, Gassenbesetzer" und allerlei Volks in die Häuser dringen, um sich Geschenke an Geld oder Wein zu erbetteln, da doch alles nachher „durch den Hals gerichtet" und verzechet werde. (Noch 1779 wurde das

Zulaufen von allerhand Bettelvolk, der sogenannten Schillingbettler, bei Beförderungen und das Austeilen von Schillingen untersagt.) Die Burger sollten überhaupt nur auf ihren Zunft- und Gesellschaftslokalen Wein trinken dürfen, den sie sich aus den Kellern oder „Trinkhäusern“ hatten kommen lassen; Landleuten stand der Besuch der Schenklokale offen, aber es sollte ihnen auf den Kopf je nur eine Mass verabreicht werden. 1650 wurde das schädliche „Trinken vor Mittag, das Zmörglen, desglichen das Branntenwyn und Wurmettrinken“ am Morgen untersagt. Die Zunftmeister waren verpflichtet, alle Samstage diejenigen anzuzeigen, welche in der Woche zu lange beim Wein gesessen. Auch sollten die Wirte nicht Wein schenken ohne die „Ürte“ dafür sofort zu beziehen, nur den Wöchnerinnen und alten, kranken Leuten durften sie nach schönem, im germanischen Recht begründeten Brauch, nach Gutdünken Wein auf Borg verabfolgen. (Das Färben des Weins mit „Kriesenen, Akten- und Holderbeerenen, Wiechselwyn“ war aus Rücksicht auf die Gesundheit, dem Wirte verboten.) — 1722 wird das Tanzen auch an Hochzeiten untersagt; 1785 aber an Hochzeiten, Jahrmärkten, Musterungen und Mai- und Martinstagen erlaubt. Die Bürger der Stadt pflegten an den Abenden der Geselligkeit, indem sie mit ihren Nachbarn auf den Bänken vor den Häusern sich niederliessen und den Stadtklatsch verhandelten. Was konnten sie sonst beginnen? Laut Mandat von 1779 wurden um 9 Uhr abends die Wirtschaften geschlossen und auch an Sonntagen durfte sich, laut Mandat von 1757, niemand ohne Erlaubnis aus der Stadt entfernen, und Grendel und Törlein wurden überhaupt erst nach beendigter Abendpredigt geöffnet. Doch wurde auch hierin mit ungleicher Elle gemessen, was im Anfang des 18. Jahrhunderts Landvogt Escher von Kyburg bezeugt, wenn er sagt: Das Trinken in Wirtshäusern an Sonntagen wird in der Stadt nicht verwehrt, nur der Bauer muss sich zwingen lassen. —

Auf die reiche, fast überreiche Entwicklung des geselligen Lebens unsrer Zeit einzutreten, müssen wir uns versagen. Die alten Vereinigungen und Gesellschaften, unter denen solche von altem, berühmten Klange sind, dauern neben einer Menge neuer Vereine fort. An der Pflege idealer Güter hat es zum Lobe Zürichs noch nie gefehlt und wird es hoffentlich nie fehlen.

Aber der Zürcher hatte schon von altersher sich für die zu Hause waltende Strenge durch die Badenfahrten schadlos zu halten gewusst; bei den altberühmten Thermen durfte den Göttern ungescheuter geopfert werden. In den Statuten der Propstei zum Grossmünster heisst es schon im 14. Jahrhundert: Ein Chorherr mag im Frühling und Herbst seiner Gesundheit halber eine achttägige Badenfahrt halten, und gleichwohl sein Pfrundeinkommen beziehen. Schon im 15. Jahrhundert begannen auch die den Badegästen gemachten Verehrungen. 1534 z. B. erhielt der Bürgermeister Röust während seiner Kur in Baden einen schönen geschmückten Ochsen und 20 Goldgulden. 1618 sagt Antistes Breitinger, es gehe zu Stadt und Land bald niemand mehr, der etwas zu bedeuten habe, für welchen nicht durch Schmeichler „eine Badeschenke“ zusammengebettelt werde, sogar Witwen und Waisen, die ihre Sache selbst brauchen könnten, werden zu Beisteuern veranlasst und können nur schwer sie versagen, aus Furcht, es möchte ihnen höhern Orts übel vermerkt werden. 1718 wurden alle „Badschenkungen gegen die Diener der Kirche und Schule, Ober- und Landvögte u. s. f.“ untersagt. Die Zürcher brachten natürlich viel Geld nach Baden, das sie zum grossen Teil dort liessen, daher begreifen wir, dass Zürich 1531 die Bäderstadt nicht besser zu strafen wusste, als dass es die Badenfahrten abschlug und zwar mit der Begründung, Baden habe auf eine Anforderung, das Gotteswort verkünden zu lassen, verächtlich geantwortet und etwas später: es habe den Proviant durchgehen lassen und einen Burger angefochten, der einem Bremgartner „Anken“ zu kaufen gegeben. Die Herrlichkeit dauerte auch in den folgenden Jahrhunderten fort. Weiber und Kinder, so hiess es im 17. Jahrhundert, spielen in Baden nicht nur öffentlich mit Karten, sondern schieben auch auf offenen Plätzen Kegel. Darum suchte die Obrigkeit das Gehen und Fahren nach Baden wenigstens an Sonntagen einzuschränken, ja die Reformationskammer hatte darauf zu achten, dass die Kleiderordnungen auch in Baden nicht überschritten würden. In Ulrichs Predigten wird noch 1733 zur Bezeichnung eines irdischen Genüssen ergebenen Lebens die Vergleichung mit einer „urchenen Badenfahrt“ gewählt. — Um andern Bedürfnissen zu genügen, hat das regsame Zürich seine Eisenbahnen erstellt oder subventionirt; aber es verdient doch zum Schlusse als sonderbares Zusammentreffen bemerkt zu werden, dass die erste Bahnstrecke, welche auf Schweizerboden eröffnet wurde, 1847 diejenige von Zürich nach Baden gewesen ist. (Vgl. über den Abschnitt: Hess, Badenfahrt.)

Öffentliche Sicherheit und Justiz.

Das 14. Jahrhundert hindurch herrschte noch das Rechtssystem, nach welchem beinahe alle Leibesstrafen mit Geld gelöst werden konnten. Der Totschlag ward, laut Richtebrief von 1304, mit 10 Mark und Schleifung des Hauses des Schuldigen bestraft. Gelang es dem Täter durch 7 Zeugen zu beweisen, dass er aus Notwehr gehandelt habe, so ging er straflos aus. Um Verwundungen und Mordtaten zu verhüten, wurde das Tragen von Messern und Schwertern beschränkt. Die damaligen Nachtbubenstücke bestanden zum Teil im Zimmern an den Stadttoren, Beschädigen der Kriegsmaschinen u. s. f. Wer eine Geldbusse nicht erlegen konnte, musste die Stadt so lange meiden, bis er sie abgetragen hatte; im 18. Jahrhundert aber entweder durch „Schellenwerch“ oder durch Gefangenschaft abbüssen (z. B. laut Mandat von 1730). Im 14. und 15. Jahrhundert kam die Blutrache für Totschlag vor; so heisst es in den Richtebüchern: Der Totschläger soll sich vor den Freunden des Getöteten hüten oder den Anverwandten des Ermordeten wird befohlen, den Totschläger „ungefächt“ (unverfolgt) zu lassen. Als eigentümliche Strafen jener Zeit seien genannt: das Schwemmen in der Limmat, Pfählen, Verbrennen, Ertränken, Abschneiden von Zunge und Fingern, Ausstechen der Augen, das Stäupen oder Streichen mit Ruten, das Stellen an den Pranger (das „Halseisen“) u. s. f. Die Äbtissin zum Fraumünster besass das Recht, einen Verurteilten dem Nachrichter von der Hand zu schneiden und ihm so das Leben zu schenken; im Fraumünster befand sich auch eine sogenannte „Friheit“ d. h. eine Freistatt, wo verfolgte Verbrecher vor dem Arm der weltlichen Gerechtigkeit Schutz fanden.

Die Zahl der aus dem 15.—18. Jahrhundert ausgesprochenen Todesurteile war bedeutend und zwar kamen sie oft wegen Vergehen vor, die man heute nirgends mehr so strenge bestrafen würde. Die Sodomiterei wurde immer als Ketzerei behandelt und mit dem Tode gebüsst; im 16. Jahrhundert finden wir ein Todesurteil über einen, der durch das Grossmünster geritten (daneben über einen andern, der mit einem Schiffe so unvorsichtig gefahren war, dass viele Personen ihr Leben einbüssten); im 17. Jahrhundert über einen, der einen falschen Namen gebraucht und über einen andern, der Obstbäume umgehauen hatte; noch im 18. Jahrhundert Todesurteile über 2 Falschmünzer, und 4 Gotteslästerer. Die

Folter sollte die Geständnisse der Angeklagten erpressen; sie wurde 1777 zum letzten Mal angewandt. Bei der Exekution war man, nach Landvogt Eschers Urteil, noch im Anfang des 18. Jahrhunderts überaus scharf. „Der arme Malefikant wird gebunden, schier wie eine wilde Bestie, die man zur Schlachtbank führet. Er muss also fast zwei Stunden lang mit grossen Schmerzen und unsäglicher Schmach zum Richtplatz gehen, daselbst auf eine unbarmherzige Weise erst gerüstet werden etc. Ist es kalt, erfriert er zuvor schier im Turm. Auf Kyburg ist die Exekution so gar schmählich und schmerzlich nicht, wie in der Stadt". Ähnliches behauptet er auch von den Gefangenschaften: „auf Kyburg wird der Gefangene nicht in seinen Sinnen zerstört oder dessen Leibesgesundheit ruinirt". Sehr am Platze finden wir es daher, wenn 1650 dem „Wybervolk" verboten wird, bei Hinrichtungen sich zuzudrängen. — Die zahlreichen Verordnungen gegen den Gassenbettel zeigen den Notstand der ärmern Klassen; doch blieb man bei blossen Verordnungen nicht stehen, sondern schreckte auch vor „Betteljeginen" (Betteljagden) nicht zurück, so 1662 und 1665.

Aberglaube.

Der Aberglaube überlieferte in den Hexenprozessen noch eine grosse Zahl armer Leute dem Richter, so noch 1701 acht Bewohner von Wasterkingen. In der Wohnung des Antistes Klingler trieb, wie er fest glaubte, ein Dämon sein tückisches Wesen. Dabei glaubte man an allerlei magische Mittel, an Verhexungen, ans Wettermachen, an Gespenster und Unholde. Noch 1785 wurde „alles Wundersagen, Beschwören, Wahrsagen, Segnen und Lachsnereien" bei Kirchenbusse untersagt. Der Kometen-Aberglaube erschreckte die Gemüter bis in unser Jahrhundert. Im 15. und 16. Jahrhundert sah man den Veitstanz, von dem man noch bis in die neueste Zeit auf dem Lande zu erzählen wusste, als ein Besessensein vom bössen Geiste an; besonders in der Wasserkirche tanzten die St. Veitstänzer in wilder Raserei, bis sie entkräftet hinsanken. — Gehen wir an die Betrachtung heiterer Bilder und freuen wir uns, dass die finstern Zeiten hinter uns liegen.

Der Berchtoldstag.

Am 2. Januar werden auf den Lokalen mehrerer Gesellschaften z. B. der Stadtbibliothek-Gesellschaft u. a. die Neujahrs-

blätter ausgegeben und dafür die „Stubenhitzen“ in Empfang genommen, welche in einem grössern oder geringeren Beitrag an Geld bestehen, jedenfalls aber den, von der Gesellschaft festgesetzten Preis, zu welchem das Neujahrsblatt abgegeben wird, erreichen.

Die Stubenhitzen wurden ursprünglich in Holz geleistet, das zur Beheizung der Zunft- und Gesellschaftsräume diente. Die Gesellschaften und Zünfte verabreichten den Überbringern als Gegengeschenk „Dirggeli“, Ringe u. s. f. und spendeten Wein, was ihnen aber 1644 und nacher öfters verboten wurde; die Ausgaben für Leckerli und Naschwerk überstiegen oft den Betrag der Stubenhitzen und erscheinen unter den Ausgabeposten mit bedeutenden Ansätzen.

Durch das Verbot der Regierung veranlasst, beschloss die Stadtbibliothek-Gesellschaft 1644 ein Kupfer und ein „Carmen“ (Gedicht) anstatt der „Dirggeli“ auszugeben, welcher Gebrauch von den andern Gesellschaften mit der Zeit nachgeahmt wurde. Dies ist der Ursprung der sogenannten „Neujahrsstücke“, denn die Stubenhitzen wurden bis 1713 am Neujahrstag überbracht, in welchem Jahre verfügt wurde, dass an jenem Tage fortan drei Hauptpredigten zu halten, die bisanhin gewohnten Mahlzeiten und die Überreichung der Stubenhitzen am Neujahrstag einzustellen seien; so fand die Verlegung auf den Berchtolstag Eingang. In Wiedikon wurde schon 1533 beschlossen, dass man am „Berchteltage uss dem Gemeindsseckel nüt me verzeren solle denn ein Mütt Vochenzer Brot und ein feisten Ziger“.

Von Moos schildert in seinem Kalender, wie am Ende des 18. Jahrhunderts festlich gekleidete Mädchen die Geldspenden, die schon längst an die Stelle der Scheiter getreten waren, auf die Zunft- und Gesellschaftsräume brachten und dafür von den Gesellschaften die Neujahrsstücke, von den Zünften Naschwerk in Empfang nahmen. Die Regierung legte sich wie gesagt ins Mittel und untersagte zu verschiedenen Malen z. B. 1772 die Stubenhitzenkräme bei 30 Pfunden Busse. Bei der Gelegenheit waren auch, wie heute noch die Sammlungen zu unentgeldlichem Eintritt geöffnet. Als 1798 die Zünfte als solche aufgelöst wurden, empfingen nur noch diejenigen Gesellschaften Stubenhitzen, welche Neujahrsstücke verteilten. — Die Bankette werden aber heute noch am Berchtoldstage von den Gesellschaften gefeiert.

Im 16. Jahrhundert war es Sitte, dass man am Berchtoldstag Bekannte, welche man zufällig auf der Strasse traf, gefangen nahm und zu einem Glas Wein zu gehen nötigte; man hiess das „zum Berchtold führen". In der Feier des Berchtoldstages aber, wie sie auf dem Lande da und dort noch heute durch Verkleidungen und Umzüge sich äussert, lebt die Nachbildung der Umzüge fort, welche in den „heiligen Nächten", zur Zeit der Wintersonnenwende, Wodan und Berchta hielten. An die Stelle der „Berchta" ist bei uns ein „Berchtold" getreten, wohl darum, weil einige Züge des „Schimmelreiters" Wodan auf die Zähringer, die in unsern Gegenden eine so grosse Rolle spielten, übertragen worden sind. Berchtold I., der Gründer der zähringischen Macht, trägt wie Wodan, den Beinamen „der Bärtige" und im 16. Jahrhundert stand im Schwabenlande laut einer Sage Berchtold an der Spitze des wütendes Heeres, des „Muotiser" („Wodans Heer"), wie es bei uns noch etwa heisst.

Der Aschermittwoch.

Die Metzger hielten bis 1728 am Aschermittwoch feierliche Umzüge, die der grossen Kosten halber mit jenem Jahre abgestellt wurden. Die Metzgerzunft genoss dieses Vorrechtes angeblich zum Andenken an ihre heldenhafte Haltung in der Mordnacht, allein die Metzger mussten eben mit jenem Tage, der Fasten vor Ostern halb, zu arbeiten aufhören und begingen ihn daher als einen Feiertag. Erst als man nach der Reformation, wo auch die Fastenzeiten wegfielen, diese ursprüngliche Bedeutung zu vergessen anfing, gab man dem Feste eine Beziehung auf die Geschichte der Stadt. Der „Isegrim" oder „Isegrind", d. h. die auf einer Stange aufgesteck tevordere Hälfte eines Löwen bildete, rechts und links von zwei Knechten mit Beilen begleitet, die Hauptgestalt im Umzuge; ein in eine Bärenhaut gehüllter Mann wurde als Bär von einem Hanswurst an einer Kette mitgeführt.

An der Spitze des Zuges marschirte ein Herold, dann folgten Pfeifer und Musiker, hierauf Bewaffnete mit der Zunftfahne, in der Mitte zogen der Isegrim und der Bär und eine neue Reihe Bewaffneter beschloss den Zug; so stellt uns das Neujahrsblatt der „Musikgesellschaft auf der deutschen Schule" vom Jahr 1785 die Festlichkeit dar. Nach 1728 wurde der Isegrim auf der Zunftstube der Metzger, auf dem Widder, am Fenster ausgestellt und die vor dem Hause stehende schaulustige Jugend mit zugeworfenen Kuchen erfreut. —

Im 16. Jahrhundert wird uns der Brauch von Bullinger folgendermassen geschildert. Damals bildeten eine Braut (der „Metzgeren Brut") und ein Bräutigam, die Hauptfiguren: „Sie tragen wohl der Stadt Fähnli um den Leuenkopf zwischen den Schlachtbielen herum, nennend aber den stritenden Leuen den Isegrind und muss (derjenige) denselben tragen, der des Jahres im Viehkauf den bösesten [übelsten] Kauf getan hat."

Braut und Bräutigam wurden schliesslich in einen Brunnen geworfen. Der Name verrät, dass man an der Stelle des Bären und des Löwenkopfs ehedem unzweifelhaft einen Wolf geführt hatte, denn Isegrim wird in der Tierfabel der Wolf herumgenannt. Wolf und Bär sind Repräsentanten des Winters; Braut und Bräutigam deuten auf das werdende Jahr hin. Das Werfen ins Wasser ist ein Wasseropfer, ein Regenzauber, welcher der Pflanzenwelt die zum Gedeihen nötige Feuchtigkeit erwirken sollte. — Als 1556 die Regierung auch den andern Zünften erlaubte, bewaffnete Umzüge zu halten, scheint der anstössige Umzug der Metzger mit dem Vorrecht auch die Bedeutung eingebüsst zu haben.

Der Schaffdonnerstag. Im 18. Jahrhundert gab der Pfarrer beim St. Peter am Schaffdonnerstag alljährlich der Metzgerzunft 6 Speziestaler und 6 Köpf vom besten Landwein, wofür er eine Gegenverehrung in allerlei Fleischwaren erhielt. In ältern Zeiten war der Pfarrer gehalten gewesen, der Metzgerzunft am Aschermittwoch 101 „Fasnachtküchli" zu verehren, weil die Metzger vor der Reformation ihm am Palmsonntag den Palmesel in die Kapelle auf dem Lindenhof hatten ziehen müssen; die Prozession wurde 1524 mit allen andern aber abgeschafft. Jeder Zünfter zum Widder hatte am genannten Tage auf der Zunft 10 Schilling „Schaffgeld" zu erlegen. Abends fand auf dem Widder im Beisein der Knaben der Zünfter eine Nachtmahlzeit statt; eine Zeitlang machte auch der „menschliche Bär" am Schaffdonnerstag wieder seine Promenade durch die Stadt, da die Ausstellung der Haut am Aschermittwoch offenbar nicht befriedigt hatte, bis 1769 auch dies untersagt wurde.

Als 1798 die Zunftgüter verteilt wurden — eine Folge des Wehens einer neuen Zeit — kaufte ein Bürger den altehrwürdigen Isegrim, warf ihn auf den Estrich in eine Ecke und später auf die Gasse, wo er von Holzscheitern verarbeitet und gespalten wurde. —

Die Fasnacht.

Der Sonntag nach der Herren-Fasnacht, die alte Fasnacht oder der Funken-Sonntag genannt, war der Tag der Fasnachts- oder Märzenfeuer. Der gelehrte Collin (Ambüel) traf 1524 den Myconius (Geishüsler), den er in Zürich besuchen wollte, nicht zu Hause, obschon ein reiches Mahl aufgetischt war, von dem weg er sich mit samt seinen Gästen auf die Ringmauer begeben hatte, um dort die Fasnachtfeuer anzusehen. Die Einladungen, welche die Zürcher im 15. Jahrhundert an ihre Miteidgenossen ergehen liessen, zeigen, dass es damals in unsrer Stadt hoch herzugehen pflegte. Nach dem alten Zürichkriege lud Zürich 1447 seine Miteidgenossen zu einer Versöhnungsfeier auf die Fasnacht ein und 1500 derselben folgten dem Rufe. 1483 wurden Uri und Unterwalden eingeladen, 1488 Schwyz und Zug und die Landleute wurden wie die Gäste vier Tage freigehalten. — In Klöstern und Privathäusern wurden damals auf die Fasnacht „Chüechli“ gebacken; geistliche und weltliche Personen zogen bei Tag und bei Nacht verkleidet als „Böggen“ oder Butzen umher, bis die Obrigkeit einen Zügel anlegte und verboten wurde, im blossen Hemd oder nackt mit Epheu- oder Laubdecke zu wandeln. Die Märzen- und Fasnachtsfeuer, sowie auch das mutwillige „Butzen- und Böggenwerk“, wurden 1601 gänzlich untersagt, weil Tanz und ärgerliche Sachen dabei getrieben werden. 1769 wurde auch die „nächtliche Prozession auf der Schmieden-Zunft mit dem Kohlenkorb“ abgekannt.

Aber trotz jener Verordnungen werden wenigstens auf dem Lande noch heute Fasnachtkuchen gebacken, brennen die Fasnachtfeuer und suchen die „Böggen“ und militärisch organisirten Umzüge von Schulknaben sich einige Batzen zu erbetteln. Der Fasnachtmontag, auf welchen die Hauptfreude verlegt ist, heisst Hirsmontag (im Volke „Hirschmändig“), in welchem Worte offenbar der Name des heiligen Sonnenhirsches sich verbirgt.

Der heilige Pirminius, der in der ersten Hälfte des 8. Jahrhunderts zum Teil auch im Elsass und der Schweiz wirkte, verbot nämlich den heidnischen Brauch, zur Fastenzeit oder sonst als Hirsche oder alte Weiber verkleidet herum zu laufen. (Vergleiche zu letzterer Angabe, Seite 161, die Sage von der Chlungeri. In der Verkleidung steckt die Frau Berta mit ihrem Gefolge, dem wilden Heere, sie hält auf ihrem Zuge Umschau und nimmt die neugebornen, ungetauften Kinder als todbringende Göttin zu sich. Siehe auch „Neujahrs- und Weihnachtsfest“.)

An der Bauern-Fasnacht, dem Montag nach Aschermittwoch wurden von Wiedikon her auf einem liegenden Rade zwei Puppen aus Stroh und Lumpen, der „Chridengladi und sein Weib Elsi“ in die Stadt geschleift; ein militärischer Zug mit Pfeifern und Trommlern begleitete dieselben. Als nach der Mitte des 18. Jahrhunderts der „Chridengladi“ — Gladi ist ein fürs 16. Jahrhundert bezeugter Mannsname und bedeutet Claudius — verschwand, pflegten die Knaben aus den der Stadt nächstliegenden Gemeinden mit Trommeln und Fahnen in die Stadt zu ziehen, wo sie etwa mit einem Trunk erfreut wurden, nachdem sie ihre militärischen Künste gezeigt hatten.

Oster- und Auffahrtsfest.

Vor altem, sagt von Moos, zogen am Oster-Montag die Schulknaben der obern und untern Schuel (Schule zum Grossmünster und zum Fraumünster) in den Gassen herum und sangen ein lateinisches Lied; ihnen folgte ein Haufe von Knaben und Mädchen, welche von Haus zu Haus bei ihren Paten und Verwandten die Ostereier einzogen, um sie nachher mit einander zu essen, was sie „österlen“ nannten, die Eier hiessen sie Zimpfeltag (Simboltag), weil sie aus den zusammengetragenen Eiern schmausten. Die Kinder wurden von Grosseltern und Paten auch etwa zu Gast geladen und erhielten nach dem Mahle neben andern Geschenken gefärbte oder ungefärbte Ostereier, welche zur Erhöhung der Freude im Garten oder sonstwo versteckt und nachher von den Kindern gesucht werden mussten, wie uns dies ein Neujahrsblatt vom Jahr 1789 im Bilde veranschaulicht. Man nannte dies „den Osterhas jagen“, der ja die Eier brachte. Heutzutage sammeln sich die Kinder scharenweise, um mit den erhaltenen Eiern zu „tütschen“. — Das Ei ist das Sinnbild des Werdens und der Fruchtbarkeit in der Natur, welche um die Osterzeit sich erneut; der Osterhase ist ein tiergestaltiger Vegetationsdämon, ein Wesen, in dem das Wirken der geheimnisvollen Naturkräfte den Ausdruck findet. Am Osterdienstag machten die Zürcher in Gesellschaften

Ausflüge oder vereinigten sich innerhalb ihrer Mauern zu Essen, Trinken und allerlei Spielen, was man wiederum „österlen" nannte.

Der Auffahrtstag wurde schon im 17. Jahrhundert, wie heute noch, zu Ausflügen auf den Ütliberg benutzt, um auf demselben den Sonnenaufgang zu bewundern und sich der erwachenden Frühlingsnatur zu erfreuen, sie von freier Höhe aus gleichsam zu begrüssen. Doch auch dagegen glaubte die Regierung durch Mandate einschreiten zu müssen. 1627 und 1650 wird das Laufen auf den Ütliberg und nach dem Kolbenhof am Auffahrtstage gänzlich abgestrickt (untersagt).

Das Sechseläuten.

Der Gebrauch, vom ersten Montag nach der Frühlings-Tag- und Nachtgleiche an mit der zweitgrössten Glocke am Grossmünster abends 6 Uhr den Feierabend anzukündigen, war wohl uralt. Die Feier dieses Tages war in der Reformationszeit an die Stelle der Fasnachtsfreuden getreten, jedenfalls ist die Annahme, es sei der Sechseläutentag der Erinnerung an die Zürcher Mordnacht geweiht worden, abzuweisen. Der Strohmann oder „Bögg" ist das Symbol des Winters und seine Verbrennung, nachdem er in den Strassen der Stadt herumgeführt worden, bedeutet, dass es nun mit seinem Regiment zu Ende geht, dass er dem Sommer Platz zu machen hat. „Stutzt den Strohmann stattlich zu — Gebt ihm Hosen, Wams und Schuh. — Malt ihm beide Backen; Füllet seinen Wanst mit Stroh, Pulver in die Säck und so — Muss er heute flacken", heisst es im Sechseläutenlied von 1787. Denn wenn der Strohmann oben am Pfahle, an dem er aufgesteckt ist, nicht zu Ende brennt, sondern vorher ins Feuer herunter fällt, so kehrt der Winter noch einmal zurück.

Das Symbol des Sommers erblicken wir in den Maibäumchen, Kränzen und Sträussen, welche die nun sehr seltenen „Mareieli" trugen, wobei sie folgendes Maienlied sangen:

Das Sechseläuten und das ist da,
Es grüenet hür alles in Laub und Gras,
In Laub und Gras der Blüeten so vil,
Drum tanzet s' Mareieli im Saitenspiel.
Tanz nu, tanz nu, Mareieli, tanz!
Du hast gewunnen den Rosechranz.
Neig di, neig di, Mareieli, neig di.

Neig du di vor des Herren Hus,
Es lueged viel schöni Dame drus.
En rote-n-Öpfel, en brune Chern,
Die Frau ist hübsch und lachet gern,
En goldene Fade zieht er um sis Hus,
Ade, nun ist das Maielied us.

Der goldene Faden ist das Nornenseil, das Haus und Land schützend umschliesst. Die Mareieli, weissgekleidete, meist ärmere Mädchen von der Landschaft, läuteten nach beendigtem Gesang ein Glöcklein, das unten am Strausse hing, um ein kleines Geschenk vor den Häusern in Empfang zu nehmen. Mit den Mareieli kamen auch die „Böggen“, verkleidete, mit Bürsten bewaffnete Knaben, die gegen kleine Gaben das Reinigungsgeschäft an die Vorübergehenden zu besorgen suchten, indem sie wiederholt riefen: Uscheli, bätz, bätz, bätz! (entstellt aus Schilling und Batzen) wie dies auf dem Lande noch etwa an der Fasnacht geschieht. Um 11 Uhr mussten Mareieli und Böggen die Stadt verlassen.

Am Nachmittag tafelten im 18. Jahrhundert die Bürger auf den Amtszunftstuben, bis abends 6 Uhr, „wann der Glocke kahl sich regt“, der Zunftmeister eine Anrede „je nach dem Umstand der Zeit“ hielt und alle mit einander anstiessen, worauf die Festlichkeit bis gegen Morgen ihren Fortgang nahm. (Die Sechseläutenfeier wird noch heute, auch wenn kein Umzug stattfindet, auf den Zünften begangen.) Mit dem ersten Ton der Abendglocke flammten auch die Holzhaufen und „Böggen“ auf den Anhöhen und Schanzen auf, die von der Jugend fröhlich umtanzt wurden. Kostümirte Umzüge, welche jetzt das Hauptinteresse in Anspruch nehmen und den Ruf des Sechseläutens in weite Fernen getragen haben, kamen erst seit 1819 und zwar bis zum Jahr 1830 bei Fackelschein, dann aber am hellen Tage in Aufnahme.

Noch erinnern wir uns des so schönen Zuges des verflossenen Jahres, wo der nun so ganz zurücktretende „Bögg“ (1883 wurde geklagt, man hätte nur noch einen einzigen, kaum bemerkten, hinter der Blinden-Anstalt verbrannt), in dem doch eigentlich die tiefe Symbolik und damit die Bedeutung des Festes ruht, einigermassen dadurch wieder zur Geltung kam, dass man ihm die Gestalt eines ungeheuren Laubfrosches gab, der auf dem Hafenplatz bei der Tonhalle verbrannt wurde. Der Zug des Jahres 1882 verriet, wie kaum einer vorher, einen einheitlichen Plan: Die Entwickung der Beziehungen Zürichs und unsres Landes zu

Italien, das uns durch die Eröffnung der Gotthardbahn näher gebracht worden ist. So sah man in Gruppen beispielsweise von den ältesten Zeiten bis zur Gegenwart: Auszug der Helvetier unter Divico, Kaiser Heinrich III. auf der Pfalz zu Zürich (1054/55), Barbarossa's Begleiter vom Kreuzzug heimkehrend, Waldmann am Mailänder Hofe, Schlacht bei Marignano, Papst Julius II. und sein Hof, Aufnahme der vertriebenen Locarner zu Zürich, Syndikatsreise zur Jahresrechnung der ennetbirgischen Vogteien, die Gotthardpost, Italiener in der Schweiz, Seidenindustrie, eine Gotthard-Locomotive, einen Wagen, der den Tunnel darstellte u. s. f.

Knabenschiessen.

Waffenübungen der Jugend kamen in Zürich erwiesenermassen seit 1567 vor. So berichtet Escher aus dem Jahr 1692 über das Tätsch-Schiessen: Es wird auch der annoch zarten Jugend, so nur von 5 bis 7 Jahren alt, mit dem Exercitio der Waffen nicht verschonet, denn solche alle Jahre von Ostern bis Pfingsten zu Statt und Land, mit den Armbrusten in den Tetsch (einer aus Lehm gefertigten, in einer Art Kasten oder Reif festgeschlossenen Scheibe) schiesset, da ihnen dann in jeden Tetsch von der Oberkeit eine oder mehr zinnene Platten zu verschiessen gegeben wird. Sie machen auch aus dem von ihnen ersammleten Geld etliche Gaben, welche sie hernach an dem Pfingstmontag bei jedem Tetsch verschiessen."

Derselbe Gewährsmann berichtet auch über die Waffenübungen der zürcherischen Jugend zur Zeit der Hundstage. „Die Studiosi in dem oberen und untern Collegio (d. h. Schule am grossen Münster, schola carolina, und Schule beim Frauen-Münster, schola abbatissana) haben (während dieser Zeit) ihre Umzüge durch die ganze Statt mit Fahnen, Trommen und Pfeifen, die Piqueniere sind insgemein mit schönen Harnischen angetan und gibt ihnen die Oberkeit, wie auch die Herren an dem Gestift nach Endung der Hundstagen schöne Gaben, auf der Ordinari Zielstatt zu verschiessen". Die jungen Burgerknaben, von 9, 10 und 12 Jahren kommen wöchentlich zweimal mit Under- und Obergewehr zusammen und werden von ihren von der Oberkeit bestellten Trüllmeistern so fleissig gemustert und in Handgriffen, Wendungen etc. so trefflich geübet und errichtet (geschult),

dass es oft Soldaten, die ob sie gleich lange Zeit in Kriegsdiensten gewesen, zu schaffen geben sollte, solches ihnen nachzutun. Desgleichen werden die noch gar jungen Knäblein von 5 bis 8 Jahren mit ihren Spiesslein auch von einem dazu bestellten Trüllmeister fleissig unterrichtet und ist es eine Lust ihnen zuzusehen, wie sie die Handgriffe und Wendungen so manierlich machen. Um den jungen Knaben einen mehreren Antrieb und Lust zu der Waffenübung einzuflössen, werden nach Ausgang der Hundstagen oberkeitliche Gaben zu verschiessen gegeben, da die beste ein Taler mit drei silbernen Kettlein („Kettelitaler"), die minste aber vier Batzen betrug. Wer nicht traf, hatte zum Schaden den Spott, denn er wurde vom Platznarrn, dem Pritschenmeister, unbarmherzig gezüchtigt. Zum Troste des Fehlschiessenden wurde nach dem Tode des Platznarren, 1794, seine Stelle nicht wieder besetzt. Etliche Herren des Rats sorgten durch ihre Überwachung dafür, „dass kein Betrug noch Parteilichkeit fürgehen könne"; ein Schreiber verzeichnete alle Schüsse und eines jeden Namen. „Die gar jungen Knäblein hielten auf dem Fraumünsterhof oder wenn es regnete in dem Schützenhaus auf dem Platz mit ihren Spiesslein ein „Ringelstechen"; einem zweiköpfigen Reichsadler wurde in jeden Schnabel ein eisernes Ringlein gesteckt; welcher alsdann mit dem Spiess im Lauf durch ein Ringlein sticht, dem wird eine Gabe gereicht und von den darbei stehenden Trompeteren, Trommelschlageren und Pfeiferen „eins aufgemachet". Aus der 2. Hälfte des 18. Jahrhunderts wird berichtet, dass statt des Adlers ein aus Holz geschnittenes, gemaltes Bild aufgestellt wurde, welches einen Knaben mit Federhut und Schärpe vorstellte. In dessen rechter Hand befand sich zwischen Daumen und Zeigefinger ein rundes Papierchen, welches herausgestochen werden musste. Die Knaben, welche es trafen, erhielten einen Viertelsgulden, die welche es verfehlten, einen Zweibätzner. Der Festlichkeit gingen damals alle Dienstag und Donnerstag nachmittags während der Hundstage (in den „Urlauben" [Ferien], die 6 Wochen dauerten) Übungen voraus; das Ringelstechen fand am gleichen Vormittag statt, an welchem die grössern Knaben ihr Schiessen nach den Scheiben abhielten.

Allerlei Unfug zu steuern veröffentlichte der Rat 1686 einen eigenen Erlass, wonach bei schwerer „Straf und Ungnad" den Knaben geboten wurde, sich vor allem Schiessen ausser dem Zuge, vor dem ungewahrsamen Schiessen mit „Schüblingen (Papierpfropfen) und Kuglen" gänzlich zu hüten; sie sollen auch keine Puffer mehr brauchen und sich alles Trinkens sowohl bei den Häusern als auf den Zünften allerdings mässigen (gänzlich enthalten). Die erste förmliche Organisation des Schiesstags findet sich im Ratsbeschluss vom 28. Juli 1704. Anno 1756 erging eine Ordnung betreffend das Tätsch-Schiessen. Um Kurzweil und Übung willen gab die Regierung jährlich „zu einer jeden Zielstatt eine zinnene Blatten" zu verschiessen, schloss aber von der Konkurrenz diejenigen Knaben aus, „welche einen Degen tragen, oder zum Wein gehen". Das Schiessen fand an Sonntagen nach vollendeter Kinderlehre mit der Armbrust statt. Das Gabenerbetteln von Vorübergehenden wurde untersagt. — So blieb das Schiessen organisirt bis gegen Ende das 18. Jahrhunderts. 1786 wurde, angeregt durch das Wehen eines neuen Geistes, eine Knabengesellschaft gegründet. Dieselbe gab ihren ersten Bericht heraus unter dem Motto: Abhärtung und Geschmeidigmachung des Körpers, Übung in anstrengender Arbeit, Vorstellungen von Vaterland, Gesetz und Freiheit; anstatt anderer Spiele militärische Kurzweil und alle Leibesübungen müssen die frühere Lebenszeit eines ächten Schweizers ausfüllen. — 1787 war eine Kriegsschule d. h. ein Kadettenkorps errichtet worden. 70—80 Knaben hatten vom April bis Oktober für je 2 Stunden wöchentlich sich zu den Waffenübungen einzufinden. Nachher wurden noch einige Stunden Spiele gemacht und zwar unter Leitung der Aufseher der Knabengesellschaft. Aufgeführt wurden: Armbrustschiessen, Schiessen mit der eisernen Daube, Ringelstechen, Werfen eiserner Kugeln in einen Topf, Kugelspiele, Ballspiele.

Für diese Zeit passte das Wort Stalders: „Zürich ist der einzige schweizerische Staat, der die Leibesübungen z. B. Schwimmen, Wettlaufen, Wettkämpfe, Wurfspiele und das Schiessen zur Scheiben als einen wesentlichen Teil der Erziehung behandelt."

Das jetzige Knabenschiessen, das nicht mehr darstellt, was durch mühsame Arbeit erlernt worden ist, hat seinen Wert zum Teil verloren. Tagwache und Ringelstechen sind verschwunden. Acht Tage vor dem Knabenschiessen wird das Freischiessen abgehalten; für das eigentliche Knabenschiessen werden je für die Altersstufen drei Scheiben aufgestellt. In alle Scheiben ist nur je ein Schuss gestattet. Die Gaben sind die althergebrachten, sehr vermehrt durch Geschenke von Privaten. Ein Probeschiessen wird für beide Schiesstage je am Samstag vorher abgehalten.

Schützenfeste und Schützenwesen. Sänger- und Turnfeste.

Die Obrigkeit begünstigte zu Stadt und Land die militärische Ausbildung, wie uns schon der vorige Abschnitt gezeigt hat. Im 16. Jahrhundert war der Sonntag als Schiesstag festgesetzt; während des Schlages zwölf hatten die ersten Schüsse zu geschehen. Der Staat gab den Schützengesellschaften zu Stadt und Land jährliche Ehrengaben zum „Verschiessen“, knüpfte aber 1638 die Bedingung daran, dass die Schützen zu Stadt und Land jährlich sechs Schiesstage „leisten“ und in den Ordonnanzwaffen sich üben sollten. Von den Schützen-Gesellschaften der Stadt seien die „Gesellschaft der Bogenschützen“ und die „Schützengesellschaft“ erwähnt, welch letztere beim „alten Schützenhaus“ ihre Übungen hielt. Die Bogenschützen schossen zuerst vom Schneggen aus an die „Hofhalde“ hinüber und liessen die Bolzen an einem Seil über die Limmat zurückhaspeln, später verlegten sie ihr Gesellschaftslokal hinüber ins Haus „zur Schützen“.

So fehlte es denn auch an Schützenfesten nicht. 1465 luden die Zürcher die Glarner auf ein Armbrustschiessen ein, nachdem sie 1456 mit ihrem Hirsebrei ans Strassburger Schiessen gefahren waren. Berühmt ist vor allem aus das Armbrust- und Büchsenschiessen des Jahres 1504, an welchem die höchste Gabe je 110 Gulden betrug, eine für damalige Verhältnisse ganz bedeutende Summe, wenn man bedenkt, dass man in jenem fruchtbaren Jahre einen Ochsen für 10 Gulden und einen Eimer Wein für 10 Batzen erhielt. Die Einladung, welche die Stadt sowohl im Gebiete der Eidgenossenschaft, als auch besonders an die Städte des schwäbischen Bundes versandte, ist auch darum merkwürdig, weil dies der älteste Druck ist, der in Zürich aufgefunden worden ist. Das Schiessen fand vom 12. August bis 13. September statt und lockte eine Menge Leute an, um so mehr, da es nach damaliger Sitte mit einem Glückshafen, und mit Preisen für Steinstossen, Springen und Laufen verbunden war.

Das Verzeichnis der Einleger in den Glückshafen, das zirka 24000 Namen umfasst, ist auf dem Staatsarchiv noch erhalten und sehr interessant, weil wir daraus einmal beinahe die ganze Stadt Zürich kennen lernen, daneben aber noch manchen Einblick in die Sitten der damaligen Zeit tun können. Interessant ist es z. B. zu erfahren, wie auf allerlei Gegenstände gesetzt und gespielt wurde, z. B. auf Körperteile, ferner auf Hunde, Katzen u. dgl., aber auch auf Heilige, die man etwa auch als „Gemeinder“ annahm, doch fehlen auch Bestimmungen des allfälligen Gewinnes für wohltätige Zwecke nicht. Preise waren für den Glückshafen im ganzen 28 ausgesetzt; die Einlagen aber betrugen 461 Pfund und mussten einen Teil der Auslagen decken helfen, denn die Regierung hielt die Schützen kostfrei. Auch Frauen beteiligten sich an den Einlagen; so erscheinen im Verzeichnis 16 Nonnen des Klosters Gnadental; von Stein am Rhein erschienen 100 Personen. Die Ziehung fand am 16. September mittels zweier Urnen („Häfen“) statt; in beiden befanden sich so viele Zeddel als Einleger waren; auf den Zeddeln der einen standen die Namen der Einleger; von den Zeddeln der andern waren alle, mit Ausnahme von 28, auf welchen die Gewinne verzeichnet waren, leer. Ein „unargwöniger“ Knabe griff nun gleichzeitig in beide Urnen und zog aus jeder je einen Zeddel heraus. So veranschaulicht uns den Vorgang ein Bild aus alter Zeit, das wir im Neujahrsblatt der Stadtbibliothek auf das Jahr 1867 wieder abgedruckt finden.

Auch später hielt die Regierung von Zeit zu Zeit Freischiessen ab, aber die Spaltung der Eidgenossen in Katholiken und Reformirte hinderte eine allgemeine Beteiligung. 1707 wurde in einem Freischiessen auf dem Schützenplatz zum ersten Mal der Bogen vollständig ausgeschlossen. Von den Schützenfesten der neuern Zeit seien die eidgenössischen von 1834 (bei Wiedikon abgehalten) und 1872 erwähnt. —

Ebenfalls der neuern Zeit gehören die Sänger- und Turnfeste an, die wir, weil allgemeiner verbreitet, nicht einmal erwähnen müssten, wenn nicht das Denkmal Hs. Georg Nägeli's auf der hohen Promenade, das die schweizerischen Sängervereine dem „Sängervater“ gestiftet haben, uns zuriefe, dass wir ihm und damit Zürich auch an dieser Stelle eine Ehrenmeldung schuldig sind.

Herbstfreuden.

Wenn im Herbst der Ruf ertönte: Der Schenkhof ist offen, so hiess das so viel als: Die Ferien und die Weinlese beginnen. Der „Schenkhof“ war eine Zehntentrotte, in welche die dem Stift zu entrichtenden Weinzehnten abzuliefern waren, worüber der speziell hiezu bestimmte Schenkhofer zu wachen hatte. Die Trotte befand sich unter dem Chorherrengebäude und wurde eifrig von den Knaben besucht, welche lange Röhren mitbrachten und die Freiheit hatten, süssen Saft aus den Kufen zu schlürfen. Auch aufs Land begab sich die Knabenschar! „Durch die Reben springen — Jauchzend wir und singen, — Schiessen, dass es kracht. — Und im Springen rauben — Wir die schönsten Trauben — Wandlen sie in Saft“ — so lautet eine Strophe in den National-Kinderliedern.

Jahrmärkte.

In früherer Zeit hatten die Märkte eine viel höhere Bedeutung und übten demnach eine viel grössere Anziehung aus. Viele Dinge konnte man nur auf Märkten kaufen, oder zu sehen bekommen. Es war zu Stadt und Land Sitte, einen grossen Teil des jährlichen Bedarfs sich auf dem Markte einzukaufen. Der hohen Bedeutung entsprechend, wurden die zwei Zürcher Märkte im Frühjahr, 14 Tage nach Pfingsten und im Herbst, auf St. Felix- und Regula-Tag (11. September) — durch den Ratsschreiber zu Pferde, mit dem Stab in der Hand, ausgerufen. Seit 1558 musste der Grossweibel die Gewichte und Masse der Krämer untersuchen. — Auf den Märkten zeigten Guckkasten der Jugend Städteansichten und Schlachtenbilder, 1773 wurde ein Elefant vorgeführt und angestaunt, denn die Neugier war damals in dem Grade grösser, als solche Dinge überhaupt seltener waren. — Im Jahre 1878 wurden die Jahrmärkte der „Schliessmarkt“ inbegriffen durch Gemeindebeschluss aufgehoben.

Kirchweihe.

Die Zürcher Kirchweihe (St. Felix- und Regula-Tag, 11. September) wurde schon frühe festlich begangen, wie ja überhaupt die „Kilbenen“ im schweizerischen Volksleben eine bedeutende Rolle spielen. (Bis in die jüngste Zeit war Kirchweih auch der Tag des Umzugs und Logiswechsels der Mieter.) An den Kirchweihfesten strömte das Volk scharenweise in die Stadt; so stellte Horgen laut einem Verzeichnis über die Jahre 1480—1551 regelmässig zwischen 30—300 Teilnehmer, die von ihren Untervögten und Priestern, Pfeifern und Trommlern begleitet, in kriegerischer Ordnung in die Stadt zogen. 1533 waren auch die 5 Orte geladen, welchen man nach dem Kappelerkriege eine besondere Ehre zu erweisen suchte. 1558 zogen 300 Winterthurer wohl gerüstet auf die Kirchweih nach Zürich. Gerne wurden auch die Schützenfeste auf die Kirchweih angesetzt, so diejenigen von 1471 und 1472. In einem Vorstellungsschreiben der Geistlichkeit an den Rat heisst es aus dem Jahre 1566, eine einzige „Kilwe“ könne das, was während eines Jahres durch Beispiel und Lehre an den Kindern getan, wieder vernichten. In demselben Jahre brach unter der Last der Zuschauer ein Teil der obern Brücke ein, so dass mehrere Personen ertranken. Massnahmen gegen die Spielleute und das fahrende Volk trugen endlich dazu bei, dass der Reiz der Feier verschwand und 1597 die Abstellung zu Stadt und Land verfügt werden konnte; doch wurde 1636 aufs neue das Feiern der „Kilwenen“, sowie auch die Teilnahme an solchen ausser Landes untersagt; ganz unterdrücken liessen sie sich nicht.

St. Nikolaus- und Weihnachtsfest.

Durch eine schreckhafte, vermummte Gestalt mit langem Stecken, dem „Samichlaus“, wurde vor zirka 100 Jahren in der Christnacht den Kindern, nachdem sie von ihm zum Rechttun ermahnt worden waren oder eine Strafpredigt angehört hatten, allerlei Geschenke überbracht. Es sind aber schon aus viel früherer Zeit St. Nicklaussprüche Bullingers erhalten, mit denen er bei der Bescherung anno 1548 und 1549 jedem einzelnen seiner Kinder eine Ermahnung hielt; wir teilen eine Stelle daraus schon darum mit, weil es von grossem Interesse ist, die Geschenke kennen zu lernen, in denen alter Glaube und Brauch nachklingen. „Der Felix nehm zum ersten s' Horn — das Fräuli (in den Gebäckeformen haben wir Nachbildungen von Göttern, Göttinnen und heiligen Tieren zu erblicken) esse er erst morn — Kein ander Weib soll er noch han — denn die er fröhlich essen kann. — Und du, mein liebes Dorothe — Von Herzen gern ich dich anseh — Du bist mir lieb und gehst gern nieder — So tu noch eins und schütt das Gfieder — Der Kunkel, spring ihr zu dem Grind — damit viel Garn die Klungeri find (dafür aber keinen ungesponnenen Flachs mehr, was sie hart bestrafte, vgl. Fasnacht) — und nimm den Hirsch, die Tasch', das Kind“. Die Kinder glaubten damals noch daran, die, meist an einem in Lichtern erglänzenden Bäumchen hängenden, schönen Sachen seien eine Gabe des Wundermannes selbst, der mit seinem schwerbeladenen Esel heranziehe und viele erfreue, aber auch die unartigen in seinem Sack mitnehme. Der heilige Nikolaus soll, einer Sage nach, drei arme Bürgertöchter ausgestattet haben, indem er nachts heimlich einen Beutel Gold durch das Fenster in ihr Schlafgemach geworfen habe. So wurde er zum „Kinderheiligen". (Von St. Nikolaus hat in Zürich die St. Niklausstud im See ihren Namen, an deren Stelle man in der Revolutionszeit einen Freiheitsbaum stellte; sie wurde aber 1812 wieder aufgerichtet. Noch die Fischerordnung von 1809 verbietet den Leuten vom Lande stadtwärts über die Niklausstud hinaus zu fischen. St. Niklaus ist nämlich auch der Schutzpatron der Schiffer.) Sein Gedenktag ist der 6. Dezember, an dessen Vorabend er ursprünglich auch seine Gaben beschert hat, wie dies in katholischen Gegenden noch heute vorkommt. In späterer Zeit fand dann bei uns, um eine schärfere Trennung vom Katholicismus durchzuführen und dem Weihnachts- und Neujahrsfeste eine höhere Bedeutung zu geben, eine Verlegung der Feier statt, aber lange noch blieb der Samichlaus der bescherende Kinderfreund, bis er mit dem „Christchindli" sich in die Ehre teilen musste, das ihn nach norddeutschem Brauch zu vertreten anfing.

Auf dem Lande „legt" nämlich der Chlaus vielerorts am Sylvester „ein"; die Bescherung auf Weihnachten gilt als vornehm und modern. St. Niklaus vertritt aber eigentlich den altheidnischen Gott Wodan, den Segenspender, der zur Zeit der Wintersonnenwende, wo das Licht der Sonne wiederkehrt, mit seinem Gefolge seinen Umzug hielt und den Fluren neue Fruchtbarkeit brachte. Daher erinnern die gespendeten Äpfel, Birnen und besonders die als Symbole der Fruchtbarkeit geltenden Nüsse noch an jene alte Zeit, wie auch „Gurri" (Pferd) und „Esel", die zum Teil als Lastträger des „Chlaus" zu dienen haben, an Wodans Pferd (resp. an das Tier der heiligen Familie) gemahnen. Das Gold, das er nach der Legende spendete, ist das „Sonnengold". Der Christbaum soll Jesus „das blühende Reis aus dem Stamme Isai" darstellen, ist aber ursprünglich das Bild des wiederkehrenden, sich erneuernden Sommers, denn Tanne und Stechpalme behalten ja die „Farbe der Hoffnung" auf mildere Zeiten auch in Eis und Schnee. In der Zeit zwischen Weihnachten und Neujahr kamen bis 1830 Leute vom Lande in die Stadt und sangen vor den Häusern. Man warf ihnen aus den Fenstern eine Gabe in einem brennenden Papier zu, ein Bild der neu erglühenden Sonne.

Sylvester und Neujahr.

Am Sylvestertage herrschte im 18. Jahrhundert die noch heute fortdauernde Sitte, dass der Letzte, der sich ans dem Bette erhob, in der Schule oder zu Hause von den andern ausgelacht wurde, da er zuletzt eintraf, wie der Sylvestertag im Laufe eines Jahres. Auf dem Lande herrschte damals wie heute zum Teil noch allerlei Kurzweil mit Schiessen, Herumschwärmen und „andern sündlichen Handlungen". Auf den Neujahrstag und auf die Namensfeste wurde die Stube festlich geschmückt; auf den Bänken lagen Polster und an den Wänden waren Sessel aufgestellt, auf dem Büffet standen Gläser und ein paar grosse, runde Flaschen mit weissem und rotem Landwein, auf dem Tische eine Schüssel mit Zuckerbrot. Dann erschienen Kinder, Neffen und Nichten in Feierkleidern und brachten ihre Glückwünsche in kleinen wohlgesetzten Reden dar, die ebenso förmlich erwidert wurden. Zum Mittagessen bekamen die Minderjährigen Reisbrei und Kuchen; auch herrschte schon damals die Sitte, dass die Ehegatten untereinander, die Eltern den Kindern, die Herrschaften den Dienstboten allerlei „Verehrungen" (Geschenke) machten. Eine obrigkeitliche Verordnung vom Jahr 1755 bestimmt das erste Gutjahr, das Taufzeugen ihren Taufpaten zu geben erlaubt war, auf höchstens einen Dukaten, die übrigen jährlichen Patengeschenke auf einen halben Gulden jedes — alles unter Androhung von 50 Pfund Busse und Beschlagnahme der Geschenke. „Zu Nacht liefen in Zürich Alte und Junge, Männer und Weiber auf den Gassen herum, sangen vor den Häusern der Reichen (dieses Neujahrsingen wurde z. B. 1636 und 1650 verboten) und wünschten ihnen also ein glückhaftes Neujahr an". Die meisten rüsteten an dieser Nacht ihre Tische mit allerhand guten Speisen aus und bildeten sich ein, es würde ihnen das ganze Jahr hindurch niemals an solchem Überfluss fehlen. Andere setzten auch einen Becher voll Wein oder Wasser auf den Tisch; wenn derselbe überfloss, so hofften sie ein fruchtbares, wenn aber nicht, so besorgten sie ein teures Jahr.

V. Sagen und Legenden.

Der Bölimann geht mit starkem Knotenstock und grossem Sack auf weichen, wollenen Socken von Zeit zu Zeit leise durch die Gegend und stellt den bösen Kindern nach. Ungehört und ungesehen erscheint er und packt diese bösen Kinder, welche der Eltern Kummer und der Nachbarn Schreck sind, wirft sie in seinen Sack und trägt sie in eine Höhle am Ütliberg, wo sie weder Sonne noch Mond je wieder sehen werden.

Die Chlungeri zieht um den Sylvester mit der Birkenrute von Haus zu Haus, blickt heimlich durchs Fenster und merkt sich die unartigen Kinder. Ein hässliches, buckliges Weib, eine Hexe, schlüpft sie nachts auf heimlichen Wegen ins Haus; im Bette plagt sie namentlich die Kinder. Wie sie gekommen, enteilt sie wieder ungesehen in die Weite.

Der Hakenmann wohnt in des Sees dunkelm Grunde. Aus dieser unerreichbaren Tiefe streckt er seinen langen Hakenstab durchs Wasser gegen die Oberfläche und lauert gierig, wie er unvorsichtige Schwimmer und unachtsame Schiffer, namentlich junge Leute, hinunterreisse, um sie nie mehr loszulassen.

Felix und Regula, die Zürcher Schutzheiligen.*

Zur Zeit, als Helvetien unter römischer Herrschaft stand, lebte in einer Hütte am Gestade der Limmat ein Geschwisterpaar, Felix und Regula. Aus dem wüsten und öden Tale der Linth (Glarona geheissen) waren sie an den See und den Fluss Lindomat gekommen, um auch hier das Christentum zu predigen. In dem volkreichen Turicum begannen sie mit erneuertem Eifer ihre Arbeit und fanden bald viele Anhänger. Der römische Landpfleger (Statthalter) Decius sah mit Schrecken, dass die Lehre des verhassten Nazareners immer mehr Anhänger sich erwarb. Sein Hass

* Es beruht diese Sage auf einem in unserer Stadtbibliothek aufbewahrten wenig bekannten, uralten (9. oder 10. Jahrhundert) pergamentenen Codex welcher vermutlich einst zu kirchlichem Gebrauch gehandhabt worden. —

warf sich auf die eifrigsten Verbreiter dieser Lehre. Da die römischen Kaiser im ganzen Reiche die Christen verfolgten, so liess auch Decius Felix und Regula gefangen nehmen und vor seinen Richterstuhl führen. Aber mit frohem Mute und mit mächtiger Begeisterung bekannten sie standhaft ihre Lehre und weigerten sich, den römischen Göttern zu opfern. Mit Ruhe und Ergebenheit hörten sie ihr Todesurteil an. Zu Anfang des 4. Jahrhunderts (312) wurden sie in der Nähe ihrer Hütte am Limmatstrande enthauptet. — Und siehe! da erhoben sich die Enthaupteten gleich Lebenden, nahmen ihre blutenden Häupter auf den Arm und schritten damit durch die erstaunte Menge zum nahen Hügel hinan. Sicher scheint zu sein, dass ihre Freunde sie alldorten begruben. — Auf diesem Hügel ward später eine christliche Kirche, die St. Felix- und Regula-Kirche erbaut (eingeweiht 11. September 879 durch Bischof Gebhard von Konstanz) und steht heut unser Grossmünster.

Die Märtyrer wurden als die Schutzheiligen der Stadt ins Stadtsiegel aufgenommen und bis zur Reformation hoch verehrt.

Gründung des Fraumünsters.

Hildegard und Berta, die Töchter König Ludwigs des Deutschen, sehnten sich von dem bunten, geräuschvollen Hoflager ihres Vaters weg, um in beschaulicher Stille ihrem Hange zu einem gottseligen Leben folgen zu können. Sie wählten sich mit der väterlichen Genehmigung das schön gelegene Zürich, schon ihrem grossen Anherrn, Karl dem Grossen, ein Lieblingsaufenthalt, zur Wohnstätte. Aber bald fühlten sie sich unbehaglich, denn das Treiben des Handels und der Gewinnsucht, das die Stadt erfüllte, war ihrem gottgeweihten Herzen höchst ärgerlich und sie bezogen in kurzem eine in der waldigen Einsamkeit der Baldern gelegene Burg, wo sie fortan ganz nach ihrem Sinne lebten. —

Oft in später Nacht noch verliessen furchtlos die königlichen Schwestern ihren Wohnsitz, um in dem von Gottes Hand gewölbten Dome, wo die hehren Bäume des Waldes die Säulen, die Lichter des Himmels die Lampen bildeten, ihre Seele in inbrünstigem Gebete zu erheben. — Auf diesen einsamen Gängen trat ihnen nicht selten ein Hirsch entgegen, der wunderbarer Weise auf dem schön gezackten Geweih zwei Lichter trug, und immer in der gleichen Richtung verschwand. — Sie entschlossen sich, dem freundlichen Tiere zu folgen, das sie sicher durch die dichte Waldung an das Seeufer führte, ihnen bis nahe an die Stadt voranleuchtete und endlich dem von Karl dem Grossen so sehr begünstigten Stifte zur Propstei gegenüber stille stand. — Nachdem dieser sonderbare Begleiter sie dreimal zur nämlichen Stelle geführt hatte, ward es den frommen Jungfrauen klar, dass auf dieser Stelle ein Kloster erbaut werden müsse und willig bot König Ludwig zu diesem gottgefälligen Werke die Hand. (853.)

Hildegard stand als erste Äbtissin der neuen Stiftung vor. Nach dem Tode der frommen Frau folgte ihre Schwerster Berta in der gleichen Würde und mit wahrhaft königlicher Freigebigkeit fuhren Ludwig wie auch spätere Könige fort, das aufblühende Gotteshaus mit Vergabungen und Rechten zu beschenken. Bei einem spätern Neubau der Kirche ward über den Eingang der Haupttüre das Bild eines Hirsches, in Stein gehauen, angebracht.

Die Regensberger oder Rudolf von Habsburg und die Zürcher.

Im Jahr 1264 starb Papst Nikolaus IV. und es blieb die Kirche 2 Jahre und 3 Monate ohne Papst. Es war das heilige römische Reich viele Jahre ohne König gewesen und in der Zeit, da die Christenheit weder geistliches noch weltliches Haupt hatte, gingen gar wunderliche Dinge vor.

In derselben Zeit sassen Herren im Thurgau, die hiessen die von Regensberg und waren gar mächtig. Da schickten die Zürcher ihre Boten aus der Stadt zu dem Herrn von

Regensberg und baten ihn, dass er ihr Schutzhauptmann werde, bis ein neuer König im deutschen Reich gewählt wäre. Das wollte der von Regensberg nicht tun und sprach, er hätte sonst Land und Leute genug zu versorgen (d. h. zu beschützen), und wenn er denen von Zürich übel wollt', so hätt' er sie gleich einem Fisch im Garn, also wäre die Stadt umgarnt von seinen Städten und Burgen und mit seinem Land und seinen Leuten.

Über diese Rede erschraken die Herren von Zürich gar sehr und berieten, was sie tun wollten. Hierauf schickten sie ihre ehrbaren Boten gen Brugg im Aargau. In der Nähe sass ein Graf auf einer Veste und der hiess Rudolf von Habsburg, ein gar weiser Mann. Diesen baten sie, ihr Hauptmann zu sein und versprachen, auch ihn, wenn Gefahr drohen sollte, mit aller Macht zu schützen. Rudolf von Habsburg ward also der Zürcher Hauptmann. — Nun zogen diese aus gegen ihre Feinde, so namentlich den Herren von Regensberg. Sie eroberten die Burg bei Küsnach und noch manch andere Veste. — Der Regensberger geriet in

Not, der lange Krieg kostete ihn viel Geld. Er musste verschiedene seiner Burgen verkaufen, behielt aber immer noch diejenigen, welche den Zürchern am gefährlichsten waren: Ütliburg, Glanzenberg u. a. Namentlich schadete er denen von Zürich von der

Ütliburg aus. — Damals besassen die Regensberger auf der Ütliburg 12 weisse Pferde, auf denen die besten Reiter ausritten, die Zürcher zu schädigen; und sie fügten ihnen gar viel Leid zu. Nun erdachten die von Zürich eine List: Sie erwarben sich auch 12 weisse Rosse, liessen deren Reiter ganz gleich ausrüsten, wie diejenigen auf der Ütliburg und als diese einmal auf Raub ausgeritten waren, sprengten die Zürcher plötzlich der Ütliburg zu. Da dies der Torwart sah, glaubte er, seine Herren kämen angeritten, öffnete rasch das Burgtor und die Zürcher ritten ein, bemächtigten sich der Burg und zerstörten sie bis auf den Grund. Darauf zogen die Zürcher gegen Glanzenberg und eroberten das Städtchen samt der Burg. So brachen sie auch die andern Burgen des Regensbergers; denn was sie anfingen, das gelang ihnen unter ihrem Hauptmann, dem Grafen Rudolf.

Karl der Grosse und die Schlange*.

Da begann Karl nach Zürich zu reiten, um etliche Zeit da zu sein. Und wo jetzt die Wasserkirche steht, da war „ein' gefugte Kapell" und in die Kapell liess er eine Glocke hängen, und wer des Rechtes begehrt', der läutete die Glocke. — Eines Tages nun, als Karl bei Tische sass, da läutete die Glocke. Karl verlangte zu wissen, wer des Rechtes begehrte. Die Diener sahen nach, fanden aber niemand. Da läutete es abermals. Als man nachschaute, ward niemand gesehen. Das geschah zum dritten Mal. Da stand Karl auf und sprach: „Ich mein, es sei ein arm Mensch, den ihr nicht wollt vor mich treten lassen!" und ging selber hin. Und als er zu der Glocke kam, da hing an dem Glockenseil ein Wurm. Wie der Karl ersah, verliess er das Seil und neigte sich vor ihm. Darauf schlich er weg zu

* Die erste Aufzeichnung der Sage verdanken wir dem Verfasser einer ursprünglich in niederrheinischer Sprache abgefassten Lebensbeschreibung Karls des Grossen, welche spätestens in den Anfang des 14. Jahrhunderts gehört. Die Abschrift in der zürcherischen Stadtbibliothek aber stammt aus der ersten Hälfte des 16. Jahrhunderts. —

einem grossen Nesselgesträuch. Als die Diener nachschauten, sahen sie eine grosse Kröte auf den Eiern des Wurmes in dem Neste sitzen. — An dem Orte, wo der Schlange Nest gestanden, liess Karl eine Kirche erbauen und nannte sie Wasserkirche. — Hierauf sass Karl zu Gericht und verurteilte die Kröte zum Tode, da sie fremdes Eigentum in Besitz genommen („wan sy hat dem wurm unrecht getan, das sy dem wurm über sin eyer was gesessen").

Am folgenden Tage, da Karl wieder mit seinem Hofstaat zu Tische sass, da kam der Wurm abermals und schlich die Treppen hinauf. Die Diener erschraken gar sehr und berichteten dies dem Kaiser. Karl befahl, dass man ihn gewähren lasse. Der Wurm kroch auf den Tisch, erhob den Kopf und liess in Karls goldenen Becher einen Edelstein fallen. Darauf neigt' er sich vor dem Fürsten und kroch hinweg. Den Stein schenkte Karl der Königin, die denselben in einen Ring fassen liess und stets bei sich trug. —

Der Brunnen in der Wasserkirche*.

Als die ehrwürdigen Burger ernstlich und fleissig waren, Gott zu Lob, die Wasserkirche wieder zu bauen, da ward im Winter das Wasser dermassen klein, dass die Kirche um und um trocken stand und drang da ein kleines Brunnenrünslein unter dem Helmhause herfür. Eine reiche Burgerin nun war zur Zeit so von geschwollenen Füssen geplagt, dass sie nicht allein gehen mochte, sondern mit dem einten Arm sich auf eine Jungfrau stützen musste. Und als sie das Wasser heimtragen liess, wärmte und ihre Füsse darin badete, empfand sie grosse Leichterung, so dass sie darnach mochte allein zur Kirche gehen und wohin sie wollte. Sie mochte es nicht verschweigen, sondern sagte es jedermann und die Stadt ward der Rede voll. Es war aber dieses Wasser dem andern Seewasser nicht gleich an Gestalt und Geschmack; nämlich es war etwas weisser und nicht so durchsichtig und im ersten Anriechen schwefelte es ein wenig. Auch zween ehrbare Männer wurden davon heil und also ward die Gegne damit erfüllt. Darauf machte man ein eichen Fass, dass sich der Brunn darin sammelte und das Wasser ward daraus geschöpft und geführt in Fassen über Land und zu Schiff in andere Städte

* Nach Vögelin, das alte Zürich.

und Dörfer und Landschaften für mancherley Presten, sich darin zu baden. Und war der gut Leumde gross nicht allein von dem Brunnen, sondern auch von wegen vieler anderer merklicher Zeichen, die da geschahen, laut verlässlicher Urkunde der Menschen und in Schrift, wie denn eine ganze Tille voll stund geschrieben vor der Wasserkirche, auch die wächsenen Bilder und andere Kleinode, die da aufgehängt waren, selbige Zeichen offenbar machten. Und indem man jetzt Steine haute zur Kirchen und die Sache mit dem Brunnen nicht aufhören wollte, da fasste man ihn ein mit gehauenen Steinen, machte Kette und Eimer daran und ward er gebraucht Jahr und Tag von Fremden und Einheimischen.

Die Frauen Zürichs.

urz nachdem sich die Zürcher am Ende des 13. Jahrhunderts vor Winterthur eine Niederlage geholt hatten, hoffte Albrecht der Stadt durch einen Überfall leicht Herr zu werden. Wie erstaunte er aber, als er in den Gassen und besonders auf dem Lindenhof eine grosse Zahl entschlossener Bewaffneter zum Streite bereit fand. Das hatte er nicht erwartet, denn er hatte geglaubt, die Stadt müsste von Männern entblösst sein und er zog ab. Es waren aber die Frauen und Jungfrauen Zürichs gewesen, welche durch ihren Heldenmut die Stadt gerettet hatten.

VI. Proben der Zürcher Mundart.

„Züridütsch“.

Von E. Schönenberger.

Die glehrte Herre chönd verwendt guet b'richte
Von euserm Züri allerhand für Gschichte;
Si chlüübed Sache-n-use, säg ich dir,
Die mached Ein bigost schier z' hinderfür.

Da schribed si von allerältste Zite,
Und was de „grossi Hafner“ heb z' bedüte;
Am Ütliberg erchläred's-n-iedere Stei,
Und was er vor Jahrtusige g'leistet hei.

Si b'schribed alles Chrut i Feld und Garte
Und d' Mugge, Chäfer, Würm und Vogelarte:
Und z'ringelum die Höger, gross und chli
Und alli Wässerli erforsched si.

Der Einti cha dir schier uf's Tüpfli säge
Wie mänge Zentner Hagel, Schnee und Rege
Uf eus're Boden abetätscht im Jahr —
Und d' Sunnewärmi misst er is na gar.

En Andre red't vo Gwerben und Fabrike
Und was für Züg me tüeg i's Ussland schicke.
Und na en Andre zeigt uf d' Wüsseschaft:
Da liggi eus're Ruehm und eusri Chraft.

So wänd si ase Schönheit, Gstalt und Wese
Vom Zürcher Land und Völchli hübsch erlese.
Nu frög i blos: Ob nüd e chlises Bild
Na fehli zum e rechte Z ü r i s c h i l d?

Was manglet denn? De wirsch es bald errate,
De merkst, dass i scho lang dervo prälate:
Mer bruched ebe na e Conterfei
Von euserer Zürischnabelplauderei.

Me sell mer mini liebi Sprach nüd schelte.
Zwar isch si breit und ruuch, das lan i gelte;
Doch chräftig eineweg, (vorus am See)
Und volle g'sundem Witz — was will me meh?

I säg-es vil und mues es eister sägé,
Dass mir dem Muettersprochli Sorg müend träge.
En Lappi ist — und schlechte Patriot,
Wer si verlache-n-und vertrucke wott.

Aus:

De Herr Heiri.

Von Joh. Martin Usteri (1763—1827).

Lönd mer jetzt 's Bäbeli schalke, und lueged mer, was de Herr Heiri
Alles machi und tüe, damit er sy Nachberi gsächi:
Gaht er vom Meusterhof uf's Rathus oder wo anderst,
Nimmt er eister der Wäg dur's Niderdorf, wo sie wohnet;
Setzt si uf de Hof am Abig, und lueget so truurig
Wider i's Niderdorf, damit er sie doch emal gsächi.
Aber er gieng si wol lahm, und chönnt vom Luegen erblinde,
Eh-n-er sie wider gsäch — die Feister blybed verriglet,
Oder sind sie au offe, so hilft em das ebe so wenig.
Einist nu i der Wuche, am Suntig mein i, so ist er
Da so glückli und gseht sie, doch leider! nu so en passant;
Denn er häd vergäbis (zum grosse-n-Erstuune der Mueter)
De Fraumeuster verlah, und gaht i d' Brediger-Chille,
I der Hoffnig, er chönn an ihrem Ablick si weide.
Aber, da deckt sie e Frau, sie chönt vier ander verberge,
Und er muess si begnüege, dass er's bym Usegoh richti,
Dass er nebed sie chömm, und denn dur en herzliche Scharris
Ihre sägi: Für dich, für dich nu gahn-i i d' Chille!
Eb sie 's merki? — Er spassed — i möcht das Jümpferli kenne,
Das so öppis nüd merkti! — Doch alles, was er erhaltet,

Ist, dass uf ihre Bagge die Rose noh lustiger blüehed,
Und e schöni Verneigig mit nidergeschlagenen Auge.
Ach! kein Chillestand und kein Spaziergang verschafft em,
Was er so sehnli weuscht: sie gaht mit irer Frau Mueter
Ohni si z' suumme hei! Au ist er bis jetzed vergäbes
Alli Suntig z' Abig vom Platz über alli drei Gräbe
Z' erst uf d' Promenade, und denn um de Hottingerbode,
Und vo dert i's Silhölzli, und wider in Platz und uf d' Gräbe
G'raset — er häd sie nie gfunde, und ist denn i der Verzwyflig
Noh emal uf de Hof, um wenigstes noh ihres Huus z' gseh.
Chönnt er nu einist dert inne! wo soll er aber de Grund neh?
Hunderti häd er erdenkt, und hunderti häd er verworfe;
Eis nu schynt em ellei nüd ganz verwerfli, drum ist er
Eistert wider uf das, statt allem andere, z'ruck choh:
Um die prächtig Partie vo hundertjährige Linde
Z' zeichne, meint er, es wär kein bessere Standpunkt z' erdenke
Als seb Huus dert enne; das gäb em en artige Vorwand,
Mit eme höfliche Gruez vo syner Mama z' erschyne,
Um d' Erlaubnuss z' bätte — und wär er denn nu emal dinne,
Meint er, es chäm scho besser; drum ist er meh als nu eismal
Mit eme Boge Bapier und mit ere schön stilisierte
Red dur's Gässli gange — doch weeger, nu bis zur Huustür.
Hätt er solle lüüte, so häd er de Chrampf i sym Arm gspürt,
Und sys Herz häd gschlage, wie 's Rädli dert i der Mülli —
Er ist wyter gange, und häd denn über si selber
Brummt: er sei doch en Esel! und gschwore, es müess jetzt
morn sy!

Alles will ge Züri.

Von Conr. Meier-Keller. (Geb. 1824.)

Ja, das ist e schöne Stadt,
Wirst fast nit mit Luege satt!
A der Limmet und am See
Chammer tägli Neus nu gseh,
d' Archidekte händ kei Rueh,
Denn d'Natur hilft halt däzue!
Alles will ge Züri!

S' ist en Spruch und wahr durchuus:
„Wem de Liebgott git es Huus

z' Züri, dä hät Sägen au
Für sis G'schäft, für Chind und Frau".
Ja, das ist en schöne Spruch,
Züri ist i guetem G'ruch,
Alles will ge Züri!

Lueg-mer nu z'rings um und um:
Z'oberst s'Polytechnikum;
s'Pfrundhus und de neu Spital
Lueged so vergnüegt is Tal.
Batze händ's für armi Lüt
z'Züri halt, da säg-mer nüt. —
Alles will ge Züri!

Dunne i der Stadt, bi Gott!
G'fallt's der halt nach hüst und hott,
d'Limmet lockt di a zum Tanz,
Um de See grüesst di en Chranz
Vo Paläste rot und wyss
Und de Quä git's Paradies!
Alles will ge Züri!

D' Berg au hät-mer zum Ginuss,
Schick dem Uetli dert en Chuss,
Au de Züriberg ist hold,
Und denn d' Weid wie luuter Gold,
s'Bürgli au will's Chränzli ha
Alles lacht Ein herzli a,
Alles will ge Züri!

Ja! so chömmed, liebi Lüt,
A dä See, zum Petersglüt.
Schöner tönt kei Gloggespiel,
Züri ist der Chünstler Ziel,
Und de Glehrte Aug und Lust,
Züri schmückt si nit umsust.
Alles will ge Züri!

Schlummerlied.

Von Aug. Corrodi. (Geb. 1826.)

'S Chindli schlaft im Holderbusch
Chunnt es Summerwindli,

Chunnt es Vögeli, husch, husch, husch,
Lueged nach-em Chindli.

Chunnt die goldi Sunnen au
Dur de Holder z' güggsle,
'S Chindli kennt die schön brav Frau
Tuet si nüd vermüxle.

Rüebig schnüfelet 's Meiteli,
Tuet sis Libli strecke,
Windli, Vögeli, Sunneschi
Chönneds nüd verwecke.

Aus:

De Feldhauptme Heiri und si Freischar.

(Sechs alt Helge i neue Rahme.)

Von Christoph Esslinger (1811–1871.)

Heiri: Jetzt gahd's emal für's Vaterland:
I liess mi nümme häbe,
Frisch nimm-i d' Armatur i d' Hand,
I wott nüd ewig läbe!
Frau leg mer mini Pössli a
— 's cha sy, 's gid öppe Räge —
Und wänn i d' Pössli umme ha,
So hol mer noh de Däge.

Nänni: Ach min Gott, Heiri, muess es sy!
Für was witt au ge chriege?!

Heiri: Für allerlei! — Es blybt derby
I stirbe-n-oder siege! —

Nänni: Ach, Heiri, 's ist mer wie-n-en Traum,
I fürch', de müessist sterbe:
Traumt häd's mer vomm-e rote Saum
Und luuter Gläserscherbe.

Heiri: Still! — Häst de Däge füregna?
I wott jetzt nüd noh chyfe.
Lueg, ist kän Scheereschlyfer da?
Er chönnt-e sust noh schlyfe.

Nänni: Nei, Heiri, nei, lass das ä sy!
De chönnt'st di weeger gschände:

Sust lan' e — Chriege har und hy —
Gwüss nüd us mine Hände!

Heiri: Mach's churz! — Min Däge wott i ha!
Los, Nänni, bis ä witzig!

Nänni: Was witt-e n-ä noh schlyfe la,
Er ist ja grüüsli spitzig!

Heiri: Gib har! — Gsehst deet mi Cumpenei,
Sy tued si zämmeschaare.
I wott in Chrieg! Es blybt derbei!
Jetz lass de Däge fahre!
Bhüet Gott! und chummi nümme hei,
Se lehr di schicke, Nänni.

Nänni: Ach, unger bini so allei!
Ach, Heiri, eister zänni!

Heiri: Gott bhüet di, Nänni, fass der Muet;
I ghöre's ja scho trumme!

Nänni: O Heiri! Heiri! spar di Bluet,
Und chumm ä wider umme!

's Schwyzer Heiweh.

Von Christoph Esslinger.

O, was mer fehlt, das säg i nid:
Wie wird mer au mis Gwändli z' wyt,
Und Träne han-i immerdar
In Auge, 's ist scho fast es Jahr,
Und per se
Au 's Herzweh;
Ja, 's ist nu wahr!

I bin e lustigs Meitli gsy,
Bim Werche gwüss nüd hinedry,
Bim Tanze-n-eister vornedra,
Ha mänge hübsche Gspane gha,
Und jetz, o!
So still, so ...
Was fang-i a?

I gahne-n-eister ganz allei,
Damit i besser truurig sei,

Dur Wies und Wald und Ächer vil
Und gschaue-n-alli Blüemli still
Bim Moschy,
Und weiss nie,
Wohi-n-i will.

's ist jetzig just es Jöhrli sid
De Heiri furt, en Schnyder gid,
Und sider lyd er, wie verwändt,
Im Sinn mer eister, ohni End.
Was wit meh?
's ist 's Heiweh,
Wie 's d' Schwyzer händ! —

Inhaltsverzeichnis.

V. Sagen und Legenden. Von H. Wegmann.

VI. Proben der Zürcher Mundart.

Dritter Abschnitt.

I. Gewerbstätigkeit. Handel und Verkehrswege.*)

Urproduktion.

Mineralische Produkte. Unser Boden ist arm an denjenigen mineralischen Produkten, die als solche oder durch die Menschenhand veredelt Verwendung finden; er birgt weder Steinkohle noch Salz, weder Metalle noch kostbare Gesteine. Beim Klösterli am Zürichberg findet sich ein Sandsteinlager, das aber wegen der Weichheit der Steine seit vielen Jahren nicht mehr ausgebeutet wird; dagegen liefert die sanftgeneigte Ebene von den Höfen Friesenberg und Kolbenhof am Ütliberg abwärts bis zu dem Querhügel oberhalb Wiedikon vorzügliche Tonerde, die, massenhaft ausgebeutet, in fünf in der Nähe gelegenen Fabriken zu Ziegeln, Backsteinen, Röhren etc. verarbeitet wird. Tonerde findet sich ferner am östlichen Fuss des Zürichberges (Ziegelei Schwamendingen). Das Sihlfeld birgt unter der kaum $^3/_4$ m

*) Ausser persönlichen Informationen bei den in Betracht gekommenen Firmen und Vertretern der einzelnen Gewerbsbranchen liegen dem Abschnitt besonders folgende Quellen zu Grunde, die wir, statt sie jedesmal wieder zu zitiren, hier aufführen wollen:

Gerold Meyer von Knonau: Der Kanton Zürich. I. 1844.

Schinz: Versuch einer Geschichte der Handelschaft der Stadt und Landschaft Zürich. 1763.

A. Bürkli-Meyer: Die erste Periode der zürcherischen Seiden-Industrie im 13. und 14. Jahrhundert.

A. Bürkli-Meyer: Zürichs Indienne-Manufaktur und Türkischrotfärberei in früherer Zeit.

Jahresberichte der kaufmännischen Gesellschaft Zürich.

Statistische Mitteilungen betreffend den Kanton Zürich.

Berufsstatistik, herausgegeben vom statistischen Bureau der Direktion des Innern.

Berichte über die Pariser Weltausstellung 1878.

dicken Schicht von Ackererde tiefe Lagen von Kies, Pflästersteinen und Sand, wie solche noch heute von der Sihl hergeschwemmt und bei niedrigem Wasserstand aus dem fast trocken gelegten Flussbett ausgebeutet werden.

Jenseits der Zürichbergkette, im Gebiete der Glatt und des Katzensees, wird viel Torf gegraben. Das Verdienst, auf dieses Brennmaterial aufmerksam gemacht zu haben, gebührt dem Naturforscher Joh. Jak. Scheuchzer. Auf seine Anregung hin wurde 1709 mit der Ausbeutung zuerst am Katzensee begonnen; obschon die Neuerung anfänglich verlacht wurde, gewann sie doch bald das Zutrauen des Volkes und breitete sich über den ganzen Kanton aus.

Pflanzliche Produkte. Der grosse Gemüsekonsum von Stadt und Ausgemeinden bedingt für die nächste Umgebung besonders den Gartenbau. Viel des „Grünen" kommt indes aus fernern Gegenden des Kantons, namentlich dem Limmattal, dem Furttal und dem Wehntal, ebenso aus der Nähe von Konstanz, aus Italien und Südfrankreich. In der Kunstgärtnerei nimmt Zürich eine der ersten Stellen der Ost-Schweiz ein (siehe pag. 51: die Gartenflora).

Die Ebene des Sihlfeldes unterhalb Aussersihl, das Gebiet der Gemeinden Altstetten und Albisrieden, eignet sich besonders für den Ackerbau. Von den Getreidearten werden Weizen und Spelz — Roggen, Gerste, Hafer, Mais dagegen weniger häufig gepflanzt. Ganz zur Seltenheit sind Hanf- und Flachsbau geworden; dagegen nimmt der Kartoffelbau eine wichtige Stelle ein. Die ersten Versuche, die Kartoffel im Kanton Zürich zu ziehen, machte der Gerichtsherr Ludwig Meyer von Knonau zu Weiningen im Anfange der 1740er Jahre; ihm folgte der Obmann Hans Blarer von Wartensee zum Landsrain bei Oberengstringen und der Bürgermeister Heidegger, welcher ein Gut in der Brandschenke bei Zürich besass. Sehr rasch erwarb sich das neue Knollengewächs, in dem man ein Linderungsmittel des Hungers und der Teuerung sah, das Zutrauen des Volkes, namentlich der ärmern Klassen und von der Mitte des Jahrhunderts an beginnt der Kartoffelbau im ganzen Kanton gemein zu werden.

Der Bezirk Zürich besitzt gegenwärtig 2975,8 ha Ackerland, die in den fünf Jahrgängen 1878—1882 folgenden Ertrag aufweisen:

Jahrgang.	Halmfrüchte. q	Blattfrüchte. q	Hackfrüchte. q
1878	23,351	56,255	23,377
1879	21,955	50,781	37,492,5
1880	22,493	56,464,5	37,190
1881	20,499	50,703	41,541
1882	19,039	47,170	18,594
Mittel	**21,467,1**	**52,274,7**	**31,639,5**

Nach einem Berichte der Getreidebörse Zürich betrug im Jahr 1882 der Getreideverbrauch der Schweiz per Kopf und Jahr genau 164,25 kg; daraus erhellt, dass der Getreidekonsum des Bezirkes Zürich 155,000 q betrug, wovon $^4/_5$ auf Stadt und Ausgemeinden fallen; für den produktiven Teil des Bezirkes steht mithin im genannten Jahr einem Ertrag von 19,039 q ein Konsum von 31,000 q gegenüber.

An den sonnenreichen Abhängen zur rechten Seite der Limmat und des Seetales wird schon seit Anfang unsers Jahrtausends die Weinrebe gepflanzt. Die meist weissen Weine dieser Gegenden sind als Tischweine beliebt; in guten Jahren werden sie goldgelb und mild, in regnerischen und kalten dagegen sauer und ohne Zucker- und Wasserzusatz fast ungeniessbar. Der Wein von 1240 soll so stark gewesen sein, dass man ihn ohne Wasser nicht trinken konnte. 1516 wuchs ebenfalls ein ausgezeichneter Wein, so dass der Kardinal Matthäus Schinner, dem man solchen Zürcherwein in der Probstei zu Zürich aufstellte, nicht glauben wollte, ein Gewächs hiesiger Gegend zu kosten. Qualitativ vorzügliche Weine lieferten in unserm Jahrhundert die Jahre 1811, 1822, 1834, 1841, 1865. 1153, 1333, 1484, 1552, 1616 soll es so viel Wein gegeben haben, dass man damit Kalk einrührte und sogar aus Mangel an Fässern bedeutende Quantitäten bei Nacht ausschüttete. Die Weinlese beginnt gewöhnlich Mitte Oktober; 1865 begann sie Ende September, 1811 schon Mitte und 1822 sogar in den ersten Tagen dieses Monates. — Der Bezirk Zürich hat gegenwärtig 597,2 ha Reben (Ende der 70ger Jahre 597,6 ha.). Grösse und Wert des Ertrages der letzten fünf Jahre, welcher teils qualitativ, teils quantitativ, zum grössten Teil qualitativ und quantitativ sehr gering war, zeigt folgende Tabelle:

Jahrgang	Ertrag		Qualität		Wert des Ertrages				
	Gesamtertrag. hl	Durchschnitt. hl	Rotes Gewächs hl	Weisses Gewächs hl	Rotes Gewächs p. h Fr.	Rotes Gewächs Betrag Fr.	Weisses Gewächs p. hl Fr.	Weisses Gewächs Betrag Fr.	Total weisses und rotes Gewächs Fr.
1878	46,997	79	3854	43,143	39	148,827	25	1,071,556	1,220,383
1879	10,554	18	750	9,804	41	30,800	30	308,989	339,789
1880	13,700	23	984	12,716	42	41,372	33	415,348	460,720
1881	32,622	55	2512	30,110	37	93,000	25	741,648	834,648
1882	11,029	18	720	10,309	40	29,191	28	284,473	313,664
Mittel	**22,980,4**	**38,6**	**1764**	**21216,4**	**39,8**	**68,638**	**28,2**	**564,402,8**	**633,840,8**

Der Obstbau bringt Äpfel, Birnen, Kirschen, Zwetschgen, Walnüsse (Pflaumen, Aprikosen, Pfirsiche). Nach der „Statistik der Obstbäume des Kantons Zürich 1878" finden sich im Bezirk Zürich 66,095 Apfelbäume, 58,509 Birnbäume, 9693 Kirschbäume, 21,312 Zwetschgenbäume, 2411 Nussbäume, Total 158,020 Obstbäume d. h. 18 Stück per ha.

Forstwirtschaft und Wiesenbau werden bei dem Bestreben, jeden Flecken Landes möglichst rasch und vorteilhaft ertragsfähig zu machen, zurückgedrängt auf die Höhen und schattigen Abhänge unserer Bergketten und die weniger fruchtbaren Niederungen. Der Wiesenbau umfasst im Bezirk Zürich 5893,9 ha; diese bringen per Jahr 280—300,000 q Heu, was einem Geldwert von 2 Mill. Fr. entspricht (1881: 2,297,934 Fr., 1882: 1,779,341 Fr.).

Tierische Produkte. Die Produktion von animalen Verbrauchsstoffen, wie Fleisch, Milch, Butter, Käse, Eiern, Leder, Wolle, Pelz etc. — der Landgemeinden um Zürich her ist viel zu gering, als dass sie dem grossen Konsum gegenüber nennenswerte Prozente hervorzubringen im Stande wäre. 1882 wurden beispielsweise in Zürich und den Ausgemeinden zum Verbrauche abgeschlachtet: 6480 Ochsen, 932 Kühe, 1704 Rinder, 12,100 Kälber, 12893 Schweine, 2395 Schafe, 115 Pferde, 7 Ziegen, Total 36,636 Stück; davon wurden allerdings nicht unbedeutende Quantitäten nach Paris exportirt.

Industrieen.

Die Seidenindustrie.

Seidenzucht. Seit dem 16. Jahrhundert machte man zu wiederholten Malen und mit mehrfach gutem Erfolg und grossen

Erwartungen Versuche, die Seidenzucht bei uns einzuführen; in den ersten Dezennien unsers Jahrhunderts hat sich der Fabrikant Studer in Wipkingen besonders verdient darum gemacht; aber in den Fünfzigerjahren mussten die Versuche wieder aufgegeben werden, da eine Krankheit über die Raupen hereinbrach und ganze Zuchten zu Grunde richtete. So ist Zürich denn für seinen Bedarf an Rohseide ganz auf andere Staaten angewiesen. Es kommt dieselbe als Grège, Trame, Organzine und in Form von Seidenabfällen: Strusa, Strazza, Bourre, Abgang etc. durch den Handel zu uns, um bei uns zu Gespinnsten und Geweben verarbeitet zu werden.

Geschichtliches. Schon 1240 wurde in Zürich Handel mit Rohseide getrieben. Dieselbe kam aus der Lombardei über Como und die Bündnerpässe, namentlich den Septimer, nach Chur, Walenstadt und weiter mit Benutzung der Wasserstrasse nach Zürich. Vom Beginne des 14. Jahrhunderts an wurde auch der Saumweg über den Gotthard zur Spedition der Seide benutzt und zwar via Flüelen, Küsnacht, Zug und Horgen, an welch letzteren Orten „Susten“ oder Lagerhäuser bestanden.

Höchst wahrscheinlich wurden die Zürcher schon um 1162 durch die wegen der Schleifung Mailands durch Barbarossa flüchtig gewordenen mailändischen Kaufleute und Arbeiter mit der Verarbeitung der Seide bekannt gemacht.

Aus der Rohseide verfertigte man in diesen frühesten Zeiten des Seidengewerbes meist naturfarbige leichte Kopftücher und Schleier. Es blieb jedoch das Handwerk lange auf das Gebiet der Stadt beschränkt; nur die Ausfuhr fertiger Fabrikate war gestattet. Als Absatzgebiete werden genannt: Schwaben, Lothringen, Strassburg, Wien, Ungarn, Polen.

Aber das Seidenhandwerk, das im 14. Jahrhundert bereits eine grosse Rolle zu spielen begonnen hatte, musste den Kriegen des 15. Jahrhunderts unterliegen, um erst im 16. nach der Reformation durch die eingewanderten Locarner (1554) wieder ins Leben gerufen und im 17. durch die flüchtigen Hugenotten vervollkommnet zu werden. Es handelte sich auch jetzt in erster Linie wieder um die Fabrikation rohseidener Flore; dann aber führten die Locarner die Zwirnerei und Färberei ein und ermöglichten dadurch die Fabrikation von Sammet und Taffet, d. h. von Stoffen, die an der Seide und nicht mehr am Stück gefärbt werden. 1567 erhielten Evangelista und Paulus Zanino von

Locarno das Bürgerrecht der Stadt Zürich, weil sie die Kunst „mitt dem ferwen wullinen vnd linninen tuchs, ouch mit dem wëben sammet vnd syden“ aufgebracht.

Seither hat sich das Seidengewerbe in steter Vervollkommnung emporgearbeitet zu der heutigen Blüte und zu einer für Zürich einzig dastehenden Wichtigkeit; aus dem unscheinbaren Handwerk hat sich im Laufe der Jahrhunderte, besonders aber durch die Gleichstellung von Stadt und Land, die jetzige weltberühmte Industrie entwickelt. Freilich ist das Verfertigen der Gewebe gänzlich aus den Mauern der Stadt verschwunden; dafür aber finden wir hier die Grosszahl der Rohseidenhändler, Floretspinner und Zwirner, Seidenfärber, Stoffabrikanten, Detail-Verkäufer und Agenten.

Rohseide. Die Hauptbezugsquellen sind Italien, China und Japan. Von den 837,374 kg Rohseide, welche 1882 der Seidentrocknungsanstalt Zürich zum Wägen und Trocknen eingeliefert worden, fallen

auf Italien . .	338,956 kg
„ China . .	321,073 „
„ Japan . .	159,223 „

Der grösste Teil der Organzine (Zettel) wird aus Italien bezogen, das Material für die Trame (Einschuss) dagegen aus China und Japan; die Abfälle für die Floretspinnerei kommen vorwiegend aus den fernsten Teilen des Orientes.

Die Seidenpreise schwanken je nach der Ernte, der Jahreszeit und der Qualität der einzelnen Gattungen. So bezahlte man per kg:

	1876	1881	1882
für Organzine	120—130 Fr.	64—68 Fr.	64—68 Fr.
„ Trame	100—110 „	58—65,5 „	55—63,5 „
„ Grège	90—100 „	41—51,5 „	44—50 „

Die Zusammenstellung der Seidentrocknungsanstalt Basel pro 1882 zeigt, dass Zürich unter den europäischen Seidenindustriellen den dritten Rang einnimmt, indem es, mit Turin wetteifernd, nur von Lyon und Mailand übertroffen wird.

Seidenfärberei. Der grösste Teil der gezwirnten Seide wird vor der Verarbeitung abgekocht und gefärbt. Zu diesem Zwecke bestehen in nächster Nähe der Stadt sechs Seidenfärbereien mit 396 Arbeitern. Es scheint aber die Färberei nicht allen Bedürfnissen zu genügen, denn 1881 z. B. wurden mindestens 150,000 kg in Lyon gefärbt und dafür 1,800,000 Fr. Arbeitslohn bezahlt.

Floretspinnerei. Diese beschäftigt sich mit der Nutzbarmachung der Seidenabfälle, wie sie namentlich beim Spinnen und Zwirnen der Rohseide entstehen; auch die durch das Ausschlüpfen der Schmetterlinge durchbrochenen Cocons, sowie die kranken, unvollendeten und fleckigen etc. wandern in die Floretspinnerei. Durch Kochen und Gähren werden die einzelnen Fäden in ihrem Zusammenhange gelockert, gelöst und getrennt, um hernach gekardet, zusammengesponnen und gezwirnt zu werden. Roh und gefärbt kommen die Gespinnste als Nähfaden und Garne in den Handel; auch werden Gewebe, Bänder, Foulards etc. daraus bereitet. Floretspinnereien finden sich: am untern Mühlesteg. Zwirnereien: im Industriequartier Aussersihl, in Altstetten und in Hirslanden.

Hauptabnehmer der Zürcher-Floretgespinnste sind die grossen Fabriken von Roubaix (Frankreich), die Sammetfabriken von Krefeld und Umgebung, die Elastiques-Fabriken von Elberfeld und Barmen, die Stoff- und Strumpfwarenfabriken in Sachsen, die Posamenterie von Berlin und die Basler Bandfabrikanten.

Stoffabrikation. Bis vor wenigen Jahren waren die leichten, glatten Stoffe: Taffetas die Hauptfabrikate der Zürcher-Stoffindustrie; in neuester Zeit zeigt sich aber eine Abnahme in der Nachfrage nach denselben; dafür beginnen die komplizirten Gewebe, die Trettenartikel, eine grosse Rolle zu spielen. In der Fabrikation der letztern sieht man einen neuen Aufschwung unserer Seidenindustrie und setzt, namentlich was Erfindung von Mustern etc. betrifft, grosse Erwartungen auf die Seidenwebschule. An rohseidenen Geweben werden Foulards und Beuteltuch fabrizirt; letzteres ist eine sehr solide Gaze, welche zum Sieben des Mehles dient.

Die Zahl der Zürcher-Stoffabrikanten und Kommissionäre beträgt 60—70. Weitaus der grösste Teil der Stoffe wird auf dem Handstuhl in allen Teilen des Kantons und den angrenzenden Gegenden gewoben. In Höngg besteht eine mechanische Seidenstoffweberei, die 540 Arbeiter beschäftigt.

Das grösste Absatzgebiet der Zürcher-Seidenindustrie ist Nordamerika. Im Jahr 1882 wurden aus dem Kanton Zürich für 31,342,600 Fr. Seidenstoffe dorthin ausgeführt, eine Ziffer, die alle der frühern Jahre weit überragt.

Wichtigkeit der Seidenindustrie. Wenn wir uns ein Bild machen wollen von der Wichtigkeit, welche die Seidenindustrie für Zürich hat, so müssen wir den ganzen **Kanton** ins Auge fassen: in der Stadt und deren Umgebung wohnt die Grosszahl der Arbeitgeber, das Land aber liefert die Arbeiter und die Arbeit.

Zahl der Fabrikanten	176
Angestellte und Arbeiter im Jahr 1881*)	49,816
Verausgabte Salaire und Arbeitslöhne	19,815,453 Fr.
Wert der produzirten Stoffe	76,700,000 „

Total der im Jahr 1881 eingenommenen Stücke 443,303.

Nimmt man als Durchschnittslänge des Stückes 55,75 aunes à 1,15 m an, so ergibt sich für die Gesamtproduktion an Seidenstoffen im Jahr 1881 eine Länge von rund 29,000,000 m, d. h. nahezu $^3/_4$ des Erdumfanges.

Ein Haupthemmschuh für die Entwicklung und das Gedeihen der zürcherischen Seidenindustrie sind die übermässigen Schutzzölle unserer Nachbarstaaten, vorab von Italien, Österreich und Deutschland. Selbst in Amerika (Union) ist die Zollbelastung eine sehr starke.

Die Seidenwebschule im Letten bei Wipkingen. Nachdem das zürcherische Volk am 30. Juni 1878 das Gesetz betreffend Errichtung einer kantonalen Webschule verworfen hatte, gründete im Jahr 1881 die Seidenindustriegesellschaft des Kantons im Verein mit der Stadt Zürich das jetzt bestehende Institut, das der Staat durch einen jährlichen Beitrag unterstützt.

Die Webschule hat den Zweck, jüngern Leuten, welche sich der Seidenbranche widmen wollen, sei es als Anrüster, Webermeister, Tuchschauer, Ein- oder Verkäufer von Seidenstoffen, Fabrikanten u. s. w. Gelegenheit zu geben, die nötigen Vorkenntnisse sowol theoretisch als praktisch zu erlangen. Sie will Fabrikanten heranbilden, die ihr Fach durch und durch verstehen, sie will aber auch für diese ein intelligentes Hilfs-

*) Es ist hier zu berücksichtigen, dass 1) die Seidenindustrie, „weil vorwiegend Hausindustrie, in einer ergänzenden Beziehung zur Landwirtschaft steht, derart, dass viele Frauen und Töchter der landwirtschaftlichen Bevölkerung namentlich zur Winterszeit in ihren Wohnungen Seide weben und winden", und dass 2) unsere Fabrikanten eine grosse Zahl von Arbeitern in den Nachbarkantonen beschäftigen. Nach der Berufsstatistik von H. Greulich beträgt bei einer Gesamtbevölkerung des Kantons von 317,576 Seelen die Zahl der männlichen Erwerbenden in der Seidenindustrie, inklusive Seidenfärber, 3921, die der weiblichen 25,283. Mit Hausgesinde und Angehörigen machen die Erwerbenden 11,6 % der Gesamtbevölkerung aus.

personal heranziehen, um durch die Ausbildung beider in der Kunstfertigkeit der Arbeit, in der Herstellung künstlicher Gewebe neues Leben und neue Quellen für die zürcherische Seidenindustrie herbeizuschaffen.

Der Unterricht wird erteilt von einem Direktor und zwei Hilfslehrern und umfasst zwei Jahreskurse, wobei der erste, für sich einen Abschluss bildend, mit vorwiegend praktischen Übungen ein Jahr, der zweite acht Monate dauert. Die Gebäulichkeiten bieten Platz für 40 Zöglinge.

Das Institut besitzt eine wertvolle Sammlung von Geweben aller Art aus früheren Jahrhunderten.

Die Baumwollindustrie.

Die Rohbaumwolle. Die Baumwolle ist ein pflanzliches Produkt der tropischen Zone. Welcher Erdteil die Heimat derselben ist, ob Amerika, Asien oder Afrika, ist schwer zu ermitteln; findet sie sich ja schon im grauen Altertum auf beiden Hemisphären zu Geweben verarbeitet; denn die Mumien in ägyptischen, gleichwie in peruanischen Gräbern sind mit Baumwollbinden bekleidet aufgefunden worden.

Die Bezugsquellen für Rohbaumwolle sind heute: die Vereinigten Staaten, Indien, Ägypten, Brasilien, Westindien, Levante. In grossen, festgepressten Ballen, die in grobes Tuch gehüllt und mit eisernen Reifen umschlungen sind, kommt sie aus jenen Ländern zu uns. Aus Amerika brachte der Schweizer Samuel Anspurger, in Georgia lebend, 1739 die erste, von ihm selbst gepflanzte Baumwolle nach London; der eigentliche Export nach Europa begann aber erst 1791.

In den letzten Jahren schwankte die Einfuhr in die Schweiz zwischen 220—260,000 q.

Geschichtliches. Die Verarbeitung der Baumwolle zu Garnen und Geweben war schon im 15. Jahrhundert bei uns bekannt; 1485 z. B. erneuerte der Rat „die vormalige Erkanntnuss, dass kein Baumwullengarn ausserhalb der Stadt den Fremden verkauft werde". Man verfertigte damals den Barchet; dann aber auch Bombasin, ein Gewebe, dessen Zettel aus flächsernem, der Einschlag aus baumwollenem Garn bestand. Wie im Seidengewerbe, brachten die Locarner im 16. und die Hugenotten im 17. Jahrhundert auch Verbesserungen der Baumwollmanufaktur; erstere durch zweckmässigere Einrichtung der Färberei, letztere durch Einführung der Mousselinefabrikation und Strumpfweberei. Als Absatzgebiete werden genannt: Italien, Spanien, Deutschland und selbst Frankreich, wo überall die schweizerische Mousseline erfolgreich mit der englischen konkurrirte. Gegen das Ende des 17. Jahrhunderts kam die Kattundruckerei und die Verfertigung weisser, gefärbter und gedruckter Nastücher hinzu, welch letztere bis nach Polen und der Türkei Abnehmer fanden.

Spinnen und Weben waren vollständig Handarbeit und wurden mit den einfachsten Einrichtungen ausgeführt. Die Zürcher zeichneten sich besonders durch ihre Fertigkeit im Spinnen sehr feiner Garne mit der Spindel ohne Rad aus, und darauf beruht die Bedeutung und Ausdehnung der Zürcher Mousselinefabrikation.

Das Weben fand grösstenteils in den Weberkellern statt. Die feuchte, zur Sommerszeit angenehm kühle Kellerluft wurde zur Zeit der strengsten Winterkälte in Ermanglung eines Ofens durch ein Becken mit glühenden Kohlen erwärmt. Waren somit die Arbeitsräumlichkeiten äusserst ungesund, so waren die Fabrikate um so vorzüglicher. Man schrieb ihnen gegenüber denjenigen der Nachbarländer grössere Dichtigkeit zu und nahm an, dass diese davon herrühre, dass der durch die Kellerluft etwas feucht erhaltene und daher weniger spröde Faden fester geschlagen werden könne. „Allwöchentlich je Dienstags und Freitags erschienen die sogenannten Tüchler, d. i. die Baumwollenfabrikanten ab der Landschaft in den Ferggstuben der Fabrikanten zu Zürich, um diesen ihre rohen Tücher, die Kattune zu verkaufen. Aus dem Erlöse deckten dann die Tüchler bei andern Kaufleuten in der Stadt ihren weitern Bedarf an Baumwollengarn. Innert solchen Grenzen war bis zur Revolution (1798) die Baumwoll-Fabrikation überhaupt auf der Landschaft erlaubt.“ (A. Bürkli: „Zürichs Indienne-Manufaktur etc.“)

Den grossartigsten Umschwung brachte das 19. Jahrhundert mit der Einführung der mechanischen Verarbeitung der Baumwolle.

Mechanische Spinnerei, Zwirnerei, Weberei. Die zusammengesetzte Spinnmaschine (Mule-jenny) wurde in den letzten Dezennien des vorigen Jahrhunderts von den drei Engländern Hargraves, Arkwright und Crompton erfunden und begann seit 1793 in Europa festen Fuss zu fassen. 1803 richtete Hans Caspar Escher in der Neumühle die erste mechanische Spinnerei im Kanton Zürich ein. Mit den eigenen Händen hatte der verdienstvolle Mann ohne Hilfe von Wasser- und Dampfkraft in einem Zimmer des elterlichen Hauses zum Felsenhof die ersten Spindeln in Bewegung gesetzt und dadurch den Grund gelegt zu der heutigen Industrie; besondere Verdienste erwarben sich auch Heinrich Kunz in Uster und Rieter in Winterthur. Von der Stadt Zürich aus ging nämlich die Neuerung auf die östlichen Kantonsteile und die Nachbarkantone über, von wo aus sie sich über die angrenzenden Provinzen von Italien, Österreich und Frankreich ausbreitete, wo die Fabriken, da die Ausfuhr englischer Maschinen strenge verboten war, zum grössern Teil die Modelle der Zürcher Spinnerei benutzten.

Die Neumühlespinnerei zählte im Jahre 1830 ca. 15,000 Spindeln, hörte aber 1876 auf zu existiren, da sich die Firma Escher Wyss & Comp. ganz auf den Maschinenbau warf.

Die Spinnerei Wollishofen (Besitzer: Herren Karl Ziegler, Robert Strehler und Rudolf Brunner), heute die einzige in der Nähe der Stadt, wurde 1875 gegründet und verarbeitet mit 180 Arbeitern und 17,000 Spindeln jährlich ca. 350,000 kg Baumwolle, also durchschnittlich 10 q täglich.

Gleichzeitig mit der mechanischen Spinnerei wurde auch die mechanische Zwirnerei eingeführt. Dieselbe beschäftigt sich mit dem Drehen der gesponnenen Fäden zu Nähfaden und zum Einschuss für Seidengewebe (Satin) etc., hat sich aber für unsere Gegend nie zur gleichen Wichtigkeit, wie die Spinnerei, erhoben. (Zwirnerei im Sihlhölzli.)

Die mechanische Weberei datirt aus dem Jahr 1830. Durch Erfindung seiner Webstühle hat sich Kaspar Honegger in Rüti besondere Verdienste um die Weberei erworben.

Hauptsitze der mechanischen Baumwollfabrikation sind heute die Gegenden an der Töss, der Aa (darum der Millionenbach genannt) und der Jona. Der Anteil, den die Stadt Zürich und deren nächste Umgebung an dieser Industrie nehmen, ist weniger die Fabrikation, als vielmehr der Handel mit den fertigen Produkten.

Während weitaus die Grosszahl der Seidenfabrikanten sich in der Stadt niedergelassen hat und infolge dessen der Impuls, die Arbeit und der Verdienst von hier ausgeht, wohnen die meisten Baumwollindustriellen auf der Landschaft, in der Nähe ihrer Etablissements, die sie gewöhnlich selbst leiten und beaufsichtigen. „Es liegt hierin ein grosser Vorzug unsers Fabrikwesens“, meint ein

Berichterstatter der kaufmännischen Gesellschaft Zürich, „da durch das persönliche Eingreifen des Fabrikanten in die Leitung der Fabrik die allgemeinen Spesen verringert werden und das Verhältnis der Arbeitgeber zu den Arbeitnehmern sich zu einem intimern und glücklichern gestaltet, als dies in den meisten andern Ländern der Fall ist.“

Die berühmte Firma Heinrich Kunz hat ihren Sitz in Zürich; die Etablissements aber befinden sich in Windisch (gegründet 1828), Linttal (1836), Adlisweil (1839), Rorbas (1840), Kempttal (1841), Aatal (1845), Limmattal 1873), Betschwanden (1880). Diese verarbeiten mit 2600 Arbeitern, 2500 Pferdekräften (Wasser und Dampf) und 250,000 Spindeln per Jahr 3,200,000 kg Rohbaumwolle, d. h. ca. $^1/_8$ des Importes der ganzen Schweiz und erzeugen 2,750,000 kg Garne.

Auch der Entwicklung der Baumwollindustrie stehen die Schutzzölle unserer Nachbarstaaten in hohem Grade hindernd im Wege.

Färberei und Druckerei. Garne wie Tücher werden sowol roh, als gefärbt weiter verarbeitet. Um abwechslungsvolle Dessins zu bekommen, bedient man sich häufig mehrerer Farben; so entsteht die Buntweberei und die Druckerei; erstere liefert vorwiegend gestreifte und karrirte Stoffe, letztere die Indienne, Persienne etc.

Besonders wichtig war für Zürich bis in die Mitte unsers Jahrhunderts hinein die Türkischrotfärberei. Diese Kunst, Jahrhunderte lang Privilegium des Orients, kam 1747 nach Frankreich. Obschon die Franzosen sich bestrebten, daraus für ihr Land ein Monopol zu schaffen und daher die Sache möglichst geheim hielten, gelang es doch den beiden Brüdern Heinrich und Rudolf Zeller aus Zürich, dem Geheimnis auf die Spur zu kommen, und 1784 errichteten sie im Drahtschmidli die erste Türkischrotfärberei. Von Gliedern derselben Familie wurden weitere Rotfärbereien eingerichtet: 1801 zur Walche (wo jetzt das städtische Schlachthaus steht) und 1810 im Stampfenbach.

Die gefärbten Garne fanden in den toggenburgischen Buntwebereien, welche dieselben bis anhin um teures Geld aus Marseille, Rouen und Triest beziehen mussten, ein Hauptabsatzgebiet; das zweckmässige Färben der Tücher aber bildete eine wichtige Vorstufe für die Indienne- und Persiennedruckerei, auch schlechtweg Kattundruckerei genannt. Diese 1680—90 durch die

Hugenotten nach der Westschweiz gebrachte Industrie machten sich die Zürcher schnell zu eigen; schon 1701 wurde die erste Firma: „Römer und Kitt" gegründet. Rasch nach einander entstanden die grossen Etablissements von Esslinger im Hard (Gebäulichkeiten vom jetzigen Eisenbahnviadukt abwärts bis zur Wipkinger-Brücke), von Hans Jakob Hofmeister im Letten (jetzt Seidenwebschule und Wohnhaus des Direktors), von Studer in Wipkingen (Gebäulichkeiten unmittelbar vor dem Eisenbahndamm — Stadtseite — rechts und links von der Strasse und an der Limmat), von Paulus Meyer im Bleicherweg, Caspar Markwalder in Dietikon, Gabriel Schiesser und Müller-Schiesser im Hard und in Wipkingen, David Roth am Wolfbach, Graf und Schmid in Höngg etc. Die Firma Esslinger hatte 1785 einen Warenumsatz von einer Million Franken; ihre Nastücher, von Zeller türkischrot gefärbt, waren weit verbreitet, und genossen in Italien unter dem Namen „Fazzoletti d'Esslinger" eines besondern Rufes.

Heute sind alle diese Firmen erloschen; Zürich zählt keine einzige grössere Kattundruckerei, nicht eine einzige Rotfärberei mehr; die Firma Rieter, Ziegler & Comp. hat wol ihren Sitz in Zürich, die Etablissements aber befinden sich in Richtersweil und Neftenbach. Den schwierigen Zeitverhältnissen, den hohen Schutzzöllen unserer Nachbarstaaten und der Selbstproduktion derselben sind obige Firmen zum grössten Teil in den Dreissiger- bis Sechszigerjahren zum Opfer gefallen: die Firma Esslinger 1837 nach 120jährigem Bestand, die Firma Hofmeister 1867. Mit dem Aussterben dieser Industrie ist für Zürich ein Warenumsatz und ein jährliches Einkommen von vielen Millionen Franken zu Grabe getragen worden. Freilich sind dafür wieder andere Erwerbsquellen aufgekommen; aber mahnt uns jene betrübende Tatsache nicht dennoch, unsere Blicke rechtzeitig auf die jetzt florirenden Industrien zu lenken, Mittel und Wege zu ersinnen, dieselben vor einem ähnlichen Schicksal zu bewahren?

Wollen- und Leinenindustrie.

Wollen- und Leinenindustrie gehören zu den ältesten des Kantons, sind aber im Laufe der Jahrhunderte so von andern Industrieen überflügelt worden, dass sie heute für unsere Gegend fast null sind. Die W o l l e n i n d u s t r i e, welche schon im 13. Jahrhundert für Zürich von Bedeutung war und nach der

Mitte des 17. Jahrhunderts alle andern Fabrikationszweige übertraf, hat sich, wie Meyer von Knonau meint, „zum Teil dadurch, weil die früher gesetzlich vorgeschriebenen buratnen Kirchenkleidungen der Frauenzimmer und Mäntel der Männer nicht mehr getragen wurden", seit der Staatsumwälzung von 1798 so gemindert, dass sie heute nur noch durch den Handel mit fertigen Produkten repräsentirt ist. Ein gleiches Los hatte auch die Leinenindustrie. Das Umsichgreifen der Baumwollindustrie und die wachsende Inanspruchnahme der Arbeitskräfte durch dieselbe und die Seiden- und Metallindustrie hatten eine Abnahme der Landwirtschaft treibenden Bevölkerung zur Folge und nötigten den Landmann, den Hanf- und Flachsbau zu beschränken oder ganz aufzugeben, um seine Tätigkeit auf den Anbau von Genussmitteln konzentriren zu können.

Die Flachsspinnerei Höngg, gegründet 1817, beschäftigt gegenwärtig 50 Arbeiter und verfertigt mit 2000 Spindeln per Jahr 1500 q Garn.

Maschinen- und Metallindustrie.

Allgemeines. Die Maschinen, die Apparate zur Vertausendfältigung der menschlichen Tätigkeit, sind eine Haupterrungenschaft des 19. Jahrhunderts. Die Zwanziger- und Dreissigerjahre, jene Zeiten, wo die Baumwollfabriken wie Pilze aus dem Boden wuchsen und eine grosse Zahl von Maschinen und Werkzeugen erforderten, begründeten hauptsächlich die heutige Maschinen- und Metallindustrie Zürichs. Dieselbe wurde besonders gefördert durch die Einführung der Eisenbahnen und Dampfschiffe, die Vervollkommnung der Dampfmaschinen und deren Verwendung zu den verschiedensten Zwecken, die bedeutenden Brückenbauten und durch neuere Erfindungen aller Art. Der Bericht der kaufmännischen Gesellschaft pro 1882 setzt, nachdem er sich mit grösster Befriedigung über die Fortschritte der letzten Dezennien ausgesprochen, nicht minder bedeutende Hoffnungen auf die Zukunft: „Die grossartigen Fortschritte der Elektrizitätstechnik geben einem Lande wie dem unsrigen, das vermöge seiner Bodenbeschaffenheit über grosse Wasserkräfte verfügt, welche mit den bisher bekannten Mitteln in vielen Fällen wenig oder gar nicht ausgebeutet werden konnten, einen neuen Wert. Die Schweiz fände darin einen schwachen Entgelt für die Armut ihrer

Bodenproduktion und besonders für den absoluten Mangel an Steinkohle. Die Anwendung der Wasserkraft für die Produktion von Elektrizität, sei es zur Kraftübertragung, sei es zur Erzeugung von Licht oder zu andern physikalischen und chemischen Zwecken, geht, wir sind dessen überzeugt, einer baldigen und bedeutenden Entwicklung entgegen".

Bei dem auffallenden Mangel unseres Landes an Rohprodukten müssen die Metalle aus dem Ausland bezogen werden. Die Hauptbezugsquelle für Roheisen ist Grossbritannien, für Stahl und Stabeisen Deutschland und zwar namentlich Westphalen, für Steinkohle Saarbrücken.

Absatzgebiete für die Maschinenindustrie sind ausser dem inländischen Bedarf besonders die Nachbarstaaten: Italien, Frankreich, Österreich, Deutschland, sodann Russland und selbst China und Japan. Auch die Maschinenindustrie hat unter dem Drucke der Zollschranken des Auslandes schwer zu leiden und kann nur bei vorzüglichen Fabrikaten und zweckmässigen Erfindungen und Vervollkommnungen mit ihrem Absatz über die Marken unseres Heimatlandes hinaus prosperiren.

Um die Vielseitigkeit der zürcherischen Maschinenindustrie zu zeigen, sind im Folgenden einige der Hauptetablissements, so weit es der Raum gestattete, besonders besprochen.

Escher Wyss & Comp. zur Neumühle und zum Stampfenbach. Im Jahr 1807 errichtete Hans Kaspar Escher neben seiner Baumwollspinnerei auch eine Werkstätte für die Herstellung von Spinnereimaschinen zunächst für den eigenen, dann aber auch für den auswärtigen Bedarf. 1827 kam der Bau von Wasserrädern und Transmissionen hinzu und 1837 begann man Apparate für die Papierfabrikation, Getreidemühlen, Schiffs- und Land-Dampfmaschinen und komplete Schiffe zu bauen. Gegenwärtig zerfällt das Geschäft in den Dampfmaschinenbau und den Mühlebau und liefert Dampfschiffe für Personen- und Gütertransport, Schleppboote, Trajektfähren für Eisenbahnzüge für Seen und Flüsse, stationäre Dampfmaschinen und Dampfkessel, hydraulische Motoren, Wasser-Pumpen, Luft-Kompressoren, Triebwerke, Maschinen für Holzstoff- und Papierfabrikation, Maschinen und Apparate für Getreide- und Sägemühlen, Heisswasser- und Dampfheizungen, Dampfwaschereien etc. Bis im Juli 1883 sind aus dem Etablissement 365 Dampfschiffe hervorgegangen, deren Gesamtleistung 20,471 nominelle Pferdekräfte beträgt.

In den Fünfzigerjahren beschäftigte das Etablissement 1200 Arbeiter; wegen Aufgabe des Spinnereimaschinenbaues und weil gegenwärtig eine Reihe von Arbeiten mit Maschinen ausgeführt werden können, die man früher von Hand ausführen musste, hat sich die Arbeiterzahl vermindert, so dass sie jetzt nur noch 800 beträgt. 1841 gründete die Firma eine Filiale in Leesdorf bei Wien und 1856 eine solche in Ravensburg, welche zusammen 450—500 Arbeiter beschäftigen. Die wichtigsten Absatzgebiete sind die Schweiz, Italien, Deutschland, Österreich, Frankreich, Russland, Brasilien. Die Dampfschiffe der Firma Escher Wyss & Comp. befahren nicht nur alle grössern Schweizer-Seen vom Bodensee bis zum Leman und zum Lago Maggiore, sondern auch die süddeutschen und italienischen; sie durcheilen die Donau, den Rhein, die Elbe, die Themse, den Po, den Dnjeper, den Dnjester und sogar den Amazonenstrom und die Bai von Rio de Janeiro; sie schaukeln in den Lagunen von Venedig und durchkreuzen das Mittelmeer, den Bosporus und das Schwarze Meer.

Gebrüder Koch, Eisengiesserei und Maschinenfabrik, Zürich (gegründet 1832). Die Etablissements, im Selnau gelegen, beschäftigen durchschnittlich 125—130 Arbeiter und liefern Eisengusswaren für Maschinen- und Brückenbau, Aufzüge für Häuser und Bauten, schwere, drehbare Lastkrahnen, Drehscheiben, eiserne Dachkonstruktionen, Veranden, Gartenpavillons etc., ferner Pressen und Formen für Erzeugung von Cementbodenplatten und Cementbausteinen, sowie alle in ähnlicher Weise tätigen Maschinen-Motoren für Dampf- oder Wasserbetrieb. Die neue Gemüsebrücke in Zürich und der Musikpavillon auf dem Landesausstellungsplatz sind aus diesem Etablissement hervorgegangen.

A. Schmid, Maschinenfabrik an der Sihl. Dieses Geschäft, 1871 von dem jetzigen Besitzer mit zwei Arbeitern eröffnet, beschäftigt gegenwärtig durchschnittlich 30 Arbeiter hauptsächlich mit der Anfertigung von hydraulischen Maschinen, namentlich von Motoren für das Kleingewerbe, Pumpen, Wassermessern etc. in Anwendung von Systemen durchweg eigener Erfindung des Besitzers.

Der Schmid'sche Motor gehört zu den Kolbenmaschinen. Ähnlich wie bei der Dampfmaschine der Dampf, strömt hier das Wasser abwechselnd vor und hinter dem Kolben ein und setzt denselben dadurch in Bewegung. Die Wasserverteilung wird aber nicht durch einen Schieber bewerkstelligt, sondern durch die oscillirende Bewegung des ganzen Cylinders. In Städten und Ortschaften, wo Wassereinrichtungen bestehen, werden diese Motoren vorzugsweise zum Betrieb von mechanischen Werkstätten, Buchdruckereien, Lithographien, Schreinereien etc., wie auch für landwirtschaftliche Zwecke und zum Zersägen von Brennholz verwendet. Ebenso gross ist der Nutzen dieser Maschine als Pumpe, in welcher Eigenschaft die Leistungen ganz bedeutend günstiger sind als bei irgend einer gewöhnlichen Pumpe, namentlich weil sie ohne Ventile arbeitet. Aus diesem Grunde eignet sich eine solche Pumpe besonders zum Herauspumpen von dickflüssigen Substanzen und kommt in Bierbrauereien, Zuckersiedereien, Papierfabriken, Seifensiedereien etc. zur Verwendung. Neuere Erfindungen von A. Schmid sind der Luft-Feder-Hammer und eine Strassen-Lokomotive, die zugleich als Lokomobil, als Dampf- und Feuerspritze und als Pumpe gebraucht werden kann, und für welche die National-Akademie in Paris dem Erfinder eine Medaille zuerkannte.

Welchen Namen sich die Schmid'schen Maschinen erworben haben, ergibt sich daraus, dass von den 506 Firmen, welchen die Fabrik im ersten Dezennium ihres Bestehens Arbeiten lieferte, 145 auf Zürich und Ausgemeinden, 150 auf den übrigen Teil des Kantons und die Schweiz und 211 aufs Ausland fallen, darunter 17 auf Paris, mehrere auf London, Manchester, Madrid, Valenzia, Petersburg, Riga, Kopenhagen, Christiania, Stockholm, Berlin, Mailand, Neapel, Genua, Triest, Wien, Santiago, Yokohama etc.

Werkzeug- und Maschinenfabrik Örlikon. Dieses 1873 durch eine Aktiengesellschaft gegründete Etablissement befasst sich mit gegenwärtig über 500 Arbeitern mit der Fabrikation aller möglichen Spezialmaschinen zur Bearbeitung von Metall, Stein, Holz für die Bedürfnisse des Handwerks, der Industrie und des Arsenals, sodann mit der Herstellung von Eisen- und Metallgusswaren und Spezialmaschinen für die Müllerei.

Die Glockengiesserei in Unterstrass wurde 1828 durch Jakob Keller, den Vater des gegenwärtigen Besitzers gegründet. Bis zum Frühjahr 1883 wurden darin im ganzen 651 grössere Glocken gegossen, solche mit weniger als 50 kg Gewicht nicht gerechnet. Weitaus die meisten derselben — ca. 500 an der Zahl — sind aus der Werkstätte des jetzigen berühmten Meisters J. Keller hervorgegangen. Zu den Kirchgeläuten, die in Beziehung auf Reinheit besonders gut ausgefallen sind, gehört vor allem das im Jahr 1880 erstellte zum St. Peter in Zürich, dessen grösste Glocke 6203 kg wiegt. Besonders grosse Glocken aus dem Keller'schen Atelier finden sich ferner im Münster zu Basel (grösste Glocke 6504 kg), in Teufen, Appenzell (5575 kg), in Glarus (5756 kg), in Uster (5125 kg). Kellers Werkstätte hat ihre Produkte nicht allein in alle Schweizerkantone, sondern auch über die Landesgrenzen hinaus geschickt, so nach Belfort, Mülhausen, Bremen, Budapest, ja sogar bis nach Kleinasien, Abessinien und Indien. (Nach E. Schönenberger: Die Glockengiesserei in Unterstrass.)

Die ehedem so berühmte **Füssli'sche Erzgiesserei** am Sihlkanal ist nach beinahe vierhundertjährigem Bestand in den Vierzigerjahren eingegangen. Von der Menge der Glocken, welche aus derselben hervorgegangen, sind besonders zu nennen: die grösste Glocke des alten St. Petergeläutes, gegossen 1412 von Peter Füssli, die grösste im Fraumünster, gegossen 1568 von Hans Füssli, die grösste der Schweiz im Münster zu Bern (über 10,000 kg), gegossen 1611 von Peter Füssli und Abraham Zehnder. — Ebenso berühmt waren die Füssli in der Kanonengiesserei; davon reden die ehernen Zeugen, welche das hiesige Zeughaus aufbewahrt. Auf der Landesausstellung (alte Kunst) sind Schüsseln mit Deckeln und Untersätzen zu sehen, die aus der Füssli'schen Giesserei hervorgegangen und von denen Prof. S. Vögelin sagt: „Diese schlichten Geräte gehören mit zum Schönsten in der ganzen Ausstellung, zum Stilvollsten, was die Renaissance in unserm Lande aufzuweisen hat.“

Andere Industrien.*)

Bauwesen. Im Bauwesen wurde in den letzten zehn Jahren eine fieberhafte Tätigkeit entfaltet; ganze Viertel schossen in Stadt und Ausgemeinden aus dem Boden hervor; breite Strassen mit palastähnlichen Wohnhäusern verdrängten vielfach die engen Schlupfwinkel und modernden Überreste alter Zeit. Dies alles hatte in den Jahren 1870—80 eine Bevölkerungszunahme von über 20,000 Seelen zur Folge, brachte grosstädtisches Leben

*) Der beschränkte Raum, welcher für Behandlung dieses Abschnittes zu Gebote stand, nötigte, hier nur einige wenige Erwerbszweige herauszugreifen.

und gibt dem Häuserkomplex von Stadt und Ausgemeinden das Aussehen eines zusammengehörenden Ganzen.

Fast durchweg zeigt sich das Bestreben, nicht nur schön für's Auge, sondern auch solid zu bauen. Bei den monumentalen Prachtbauten wird das althergebrachte Holzwerk mehr und mehr durch Eisengebälk und Stein ersetzt. Stein- und Bildhauerei zieren das Äussere der Häuser, während die Möbelindustrie, in der Kunstfertigkeit der Arbeit ihre Zukunft erblickend, darauf ausgeht, das Innere, die Wohn- und Schlafräume dem Äussern entsprechend zu schmücken. Die Keramik liefert nicht nur Backsteine, Ziegel, Röhren, sondern auch Öfen, modern oder nach alten Mustern mit Reliefs, bemalten Kacheln und heitern und ernsten Sprüchen. In neuester Zeit beginnt die Cementerie der Keramik und der Steinhauerei nicht unbedeutende Konkurrenz zu machen. Während der Cement früher mehr nur bei Wasserbauten, Fundationen, Abzugskanälen etc. Verwendung fand, wird er jetzt auch zur Anlage von Gemäuer, Gesimsen, Treppen, namentlich aber zur Verfertigung von Cementmauersteinen, Bodenplatten und künstlerischen Dekorationsfiguren verwendet.

Die Klavierfabrikation ist gegenwärtig durch folgende Firmen vertreten: Hüni & Hübert (gegründet 1827), Rordorf & Comp. (1847), Sprecher & Söhne (1848), Trost & Comp. (1860), Karl Gaissert (1868), H. Suter (1871); zwei weitere Fabriken von Martmer und Kölliker & Kramer haben vor einigen Jahren aufgehört zu existiren. Die jetzt bestehenden sechs Klavierfabriken haben im ganzen 23,000 Klaviere verfertigt, die einen Wert von 16,500,000 Franken repräsentiren. Gegenwärtig beschäftigen sie 174 Arbeiter und verfertigen per Jahr für 800,000 Franken Klaviere, die nach allen Ländern der Erde ausgeführt werden. Ausser der Schweiz werden als Absatzgebiete besonders genannt: Italien, Holland, Belgien, England, Frankreich, Russland, Schweden, Norwegen, Spanien, Nord- und West-Afrika, Ostindien, Süd-Australien, Nord- und Süd-Amerika. Ausser den genannten Fabriken vermitteln den Klavierverkauf, sowie den musikalisch-literarischen Verkehr die drei Musikhandlungen von Gebrüder Hug (gegründet 1807), Fries (1852) und Holzmann (1870).

Die Papierfabrikation. Die Zürcher Papierfabrik an der Sihl, gegründet 1836, beschäftigt 330—350 Arbeiter und Angestellte und arbeitet mit vier Papiermaschinen. Dieselbe befasst sich mit der Herstellung der verschiedensten Papiersorten, vom feinsten Schreib- und Postpapier bis zum ordinären Packpapier. An der Landesausstellung hat sie zwei Papierrollen für Rotations-Druckmaschinen ausgestellt, die je 148 cm Durchmesser, 140 cm Breite, 24,000 m Länge und 1652 kg Gewicht haben. Die Jahresproduktion der Fabrik beträgt ca. 18,000 q, der Produktionswert 1,500,000 Franken. Hauptabsatzgebiet ist die Schweiz.

Buchdruckerei und vervielfältigende Künste. Das älteste in Zürich gedruckte Schriftstück, welches noch erhalten ist: eine Einladung des Rates zu einem grossen Büchsen- und Armbrustschiessen (siehe pag. 155), datirt vom 6. Januar 1504. Als erste Buchdrucker werden genannt Hans am Wasen und Hans Hager, welch ersterer 1508 einen Kalender „mit vil figuren“ herausgab; Zürichs bedeutendster Buchdrucker jener Zeit war aber Christoph Froschauer aus Baiern (gest. 1564). Im Jahr 1521 erschien das erste von ihm gedruckte Buch: „Erasmus von Rotterdam, ein klag des Frydens“. Das grösste Verdienst, das er sich um die damalige Zeit erworben, ist die Verbreitung der Bibel, die er mit schönen Lettern gedruckt in lateinischer, deutscher und englischer Sprache herausgab, wodurch er wesentlich zur Förderung des Reformationswerkes beitrug. Die meisten Schriften Zwinglis und Bullingers, sowie der übrigen gelehrten Männer jener Zeit gingen aus seiner Offizin hervor. Nach mannigfachen Umwandlungen und nach Verschmelzung mit der Orell'schen, gestaltete sich um 1763 aus der ehemals Froschauer'schen Druckerei die jetzige Firma Orell Füssli & Comp. zum Elsasser. 1715 entstand die Bürkli'sche Buchdruckerei, 1730 diejenige von J. J. Ulrich (Druck des Tagblattes, Rotationsmaschine), 1791 die ehemals Näf'sche Buchdruckerei, dann Fr. Schulthess, 1838 die von Zürcher & Furrer. Ausser den fünf genannten bestehen gegenwärtig noch neun eigentliche Buchdruckereien und zehn Trettpressgeschäfte. Eine grosse Zahl von Lehr- und Reisebüchern, Broschüren, Zeitungen, Flugschriften etc. geht jährlich aus diesen Druckereien hervor; zur Verbreitung derselben und der fremdländischen Literatur bestehen 16 Sortimentsbuchhandlungen, 12 Verlagsgeschäfte, 4 Antiquariate und 4 Kolportage-Geschäfte, wobei indes zu berücksichtigen ist, dass mehrere Firmen in verschiedenen Branchen tätig sind. Von den 38 Zeitungen und periodischen Zeitschriften, welche gegenwärtig in

Zürich herausgegeben werden, erscheinen: eine wöchentlich zwölfmal, fünf sechsmal, zwei dreimal, eine zweimal, neun einmal, zehn monatlich zweimal, zwei monatlich einmal, drei jährlich sechsmal, fünf jährlich viermal, alle zusammen in einer Auflage von über 90,000 Exemplaren.

Teils selbständig, teils mit den Buchdruckereien vereinigt, bestehen gegenwärtig noch 22 lithographische, 4 xylographische und 10 Gravier-Anstalten, Kupfer- und Stahlstechereien, sowie 2 Schriftgiessereien. In jüngster Zeit macht der Autographie die bequemer zu handhabende Hektographie nicht unbedeutend Konkurrenz. In einzelnen Etablissements, wie z. B. in der Neumühle, bedient man sich bei Vervielfältigung von Plänen etc. der Heliographie; zwei Firmen geben sich speziell mit diesem Vervielfältigungsverfahren ab. Von den 16 photographischen Anstalten zeichnet sich diejenige von J. Ganz durch ihre Bilder fürs Pinakoscop und diejenige von J. Gut durch die Photographien älterer und neuerer Bauwerke und Kunstdenkmäler besonders aus. Die kartographische Anstalt von H. Keller hat sich durch ihre Schul- und Reisekarten, diejenige von Wurster & Comp. durch Herausgabe verschiedener Kartenwerke und Reliefs einen bedeutenden Namen erworben.

Handel und Verkehrswege.

Geschichtliches. Zürichs Handelschaft datirt schon aus den Zeiten der Römerherrschaft, ist mithin mehr als 1900 Jahre alt. Die Kaufmannswaren, die von Italien: Venedig, Mailand nach Germanien und Gallien gingen, wie Kleiderstoffe, Wein, Öl, Früchte etc. passirten fast durchweg Zürich, das durch seine bevorzugte Lage an See und Limmat über bequeme Verbindungswege mit dem Walensee, Rhätien und Italien einerseits und mit der Aare, dem Rhein und Germanien anderseits verfügte. In Zürich bestand ein Oberzollamt zur Beziehung des 40sten Pfennings der Waren. Als Germanien anfing, selbst tätig zu werden, begann auch der Handel stromaufwärts und zwar mit Wein, Salz, Häringen, Eisen etc. Allerdings war der Verkehr zum grössern Teil nur Transit, aber er rief dem Handel und machte die Zürcher bekannt mit den Produkten der fremdländischen

Industrie, namentlich des italienischen Gewerbsfleisses; Handel und Verkehr gaben die erste Anregung zur inländischen Industrie, sie weckten im Volke den Nachahmungstrieb, regten dasselbe zur Selbsttätigkeit an und sind neben dem Bedürfnis, durch der Hände Arbeit das zu ersetzen, was der Boden nicht gab, mit die Hauptursache, warum die fremden Emigranten so empfänglichen Boden für ihre Neuerungen vorfanden. Mit der eigenen Tätigkeit des Landes änderten sich die Verhältnisse; zum Transitverkehr hinzu kam der Handel mit den zur Fabrikation nötigen Rohstoffen und den fertigen Produkten (Import und Export). Mit der Entwicklung der Industrie stieg auch der Handel und erreichte seinen Höhepunkt im 19. Jahrhundert durch die Blüte der Industrie und die Errichtung von rascher befördernden Verkehrsmitteln, wie Dampfschiffen und Eisenbahnen.

Wasserstrassen. Das erste Dampfschiff: „Linth Escher", zugleich das erste aus dem Etablissement von Escher Wyss & Comp., begann seine Tätigkeit im Jahr 1837. Gegenwärtig wird der See von 20 Dampfschiffen mit 800 nominellen Pferdekräften befahren, welche sämtlich aus der Werkstätte zur Neumühle hervorgegangen und von denen der Salondampfer „Helvetia" (1874 gebaut) mit 120 nominellen Pferdekräften das grösste und stattlichste ist. Seit der Eröffnung der Eisenbahnen, namentlich der linksufrigen Seebahn (20. September 1875) beschränkt sich der Dampfschiffverkehr auf das rechte Ufer und auf die Verbindung der beiden Seegestade; Sandsteine und Holz werden jetzt noch in beträchtlichen Quanten auf „Lädischiffen" aus den am obern Teil des Sees gelegenen Gegenden zur Stadt gebracht. Auf der Limmat hat der Verkehr ganz aufgehört; die Fähren sind bis auf wenige verschwunden, Brücken aus Stein und Eisen wölben sich an deren Stelle über die Wasser; kaum dass noch ein Fischerkahn, oder sich übende Ruderer und Lustfahrer nach dem Kloster Fahr mit den Wellen dahineilen.

Eisenbahnen. Noch mehr als durch die Wasserstrassen wurde Zürich durch die Eisenbahnen zum Mittelpunkt des Handels der Ost-Schweiz. Am 9. August 1847 wurde die Linie Zürich-Baden, zugleich die erste der Schweiz eröffnet; ihr folgten 1855 Romanshorn-Winterthur-Örlikon, 1856 Örlikon-Zürich und Wallisellen-Uster, 1857 Winterthur-Schaffhausen, 1864 Altstetten-Zug, 1865 Örlikon-Bülach-Dielsdorf, 1875 Zürich-Ütliberg und Zürich-Ziegelbrücke-Näfels. Die Nordostbahn, der die meisten dieser Linien und noch andere angehören, hat eine Betriebslänge von 540 km. Die Zahl der täglich ankommenden und abgehenden regelmässigen Züge beträgt gegenwärtig 108, an Sonntagen 114. Nach dem statistischen Atlas der schweizerischen Normalbahnen gingen 1881 bei 99 täglichen Zügen 556,747 t Güter durch den Bahnhof Zürich; davon wurden 200,600 t versandt, 263,054 t empfangen und 203,093 t waren Transit. Während im Güterverkehr Zürich von Basel um 1 Million t übertroffen wird, zeigt Zürich im Personenverkehr die höchste Ziffer der Schweiz. 1881 passirten den Bahnhof 2,612,101 Personen, wovon 243,722 durchreisten (Basel, total 1,438,864 Personen). Für das Ausstellungsjahr 1883 mögen sich die Verhältnisse für Zürich nahezu verdoppeln, wenn beispielsweise angegeben wird, dass die Nordostbahn am 10. August 100,000 Franken eingenommen, welche Summe bis jetzt noch nie erreicht worden sei.

In den grossen Erwartungen, die man für Zürich an die Eröffnung der Gotthardbahn (1882) knüpfte, sieht man sich etwas getäuscht. Die Verbindung mit Italien ist allerdings eine bequemere und namentlich für den Personen- und Postverkehr äusserst wertvolle; aber für den sehr beträchtlichen Warentransport nach dem Orient ziehen unsere Kaufleute den Hafen von Marseille demjenigen von Genua vor, obwohl letzterer viel direkter mit Zürich verbunden ist. Der Bericht der kaufmännischen Gesellschaft pro 1882 meint in Sachen: „Die Gotthardbahn hat unserm Zwischen- und Speditionshandel keine besondern Vorteile, wohl aber Nachteile gebracht, indem Basel und Zürich vollständig abgefahren sind und aus dem Transitverkehr nicht den geringsten Nutzen ziehen. Eine teilweise Kompensation für Zürich läge darin, die Ausmündung der Vorarlbergbahn möglichst nahe heranzuziehen und die geeigneten Schritte zu tun, damit der internationale Verkehr in Sargans statt in Buchs ausmündet. Dadurch würde Zürich zu einem Hauptverkehrspunkt zwischen Frankreich und Österreich-Ungarn und aus dem gewaltigen Güterverkehr dieser direktesten Route zwischen Ost- und West-Europa gewiss Vorteil ziehen."

Tramway. Im Jahr 1882 wurde die Strassenbahn erstellt und im September des genannten Jahres dem Betrieb übergeben. Dieselbe umfasst folgende Hauptgeleise: Tiefenbrunnen-Riesbach-Bahnhofplatz (3400 m), Bahnhofplatz-Stockgasse, Enge (2578 m), Helmhaus-Friedhof, Aussersihl (2629 m). Sie haben mit den durch

27 Ausweichungen herbeigeführten Nebengeleisen (2012 m) eine Länge von 10,619 m. Die Strassenbahn beförderte bis zum Beginne der Landesausstellung durchschnittlich 160,000 Personen per Monat und machte dadurch eine Einnahme von ca. 20,000 Franken. Im Monat Juli 1883 aber zur Zeit der Ausstellung stieg die Anzahl der beförderten Personen auf 431,555 und die Transport-Einnahme auf 50,048 Fr. 65 Cts. (August: 50,370 Fr. 70 Cts.)

Post und Telegraph. Ausser dem Hauptpost- und Telegraphenbureau an der Bahnhofstrasse hat die Stadt Zürich noch je vier Filialen; nämlich für Post und Telegraph im Bahnhof, am Limmatquai und an der Rämistrasse, für die Post allein an der Beatengasse und für den Telegraph im Ütlibergbahnhof, Selnau: hiezu kommt für die Dauer der Landesausstellung das Post- und Telegraphenbureau auf dem Ausstellungsplatz. Folgende auf Mitteilungen der Kanzlei der Kreispostdirektion beruhende Zusammenstellung zeigt den Postverkehr der Stadt Zürich im Jahr 1882.

Zahl der versandten Briefe	3,311,928	Stück,
davon fallen auf den Lokalrayon (10 km) .	819,988	„
auf die übrige Schweiz und das Ausland .	2,591,940	„
Rekommandirte Briefe	124,999	„
Verkaufte Postkarten à 5 Cts. (Schweiz) . .	583,000	„
„ „ à 10 „ (Ausland) . .	138,000	„
„ Doppelkarten à 10 Cts. (Schweiz) .	4,300	„
„ „ à 20 „ (Ausland) .	1,200	„

Versandte Briefnachnahmen . .	218,156 Stück	=	845,738 Fr.
„ Fahrpostnachnahmen .	42,051 „	=	646,179 „

	versandt		empfangen	
Wert der Geldanweisungen:	8,516,772	Fr.;	19,917,728	Fr.,
davon fallen auf die Schweiz	7,635,448	„	19,432,474	„
„ „ „ das Ausland	881,324	„	485,254	„
Zahl der Fahrpoststücke	534,031	Stück;	358,491	Stück,
davon fallen auf die Schweiz	483,301	„	253,850	„
„ „ „ das Ausland	50,730	„	104,641	„
Drucksachen, Warenmuster etc.	2,225,132	„		
Zeitungen	5,698,657	„		
Empfangene und distribuirte Zeitungen			1,489,216	„

Die Zahl der Depeschen betrug im Jahr 1882 für die Stadt 450,642 (Ausgemeinden 75,400). Das Hauptbureau besorgte ausser den 374,551 für Zürich bestimmten oder von da ausgegangenen Depeschen noch 363,149 Transmissions- d. h. weiter zu befördernde Depeschen, also im ganzen 737,700 Stück.

Telephon. Die Initiative zur Gründung einer Telephongesellschaft ergriffen die Herren Dr. J. Ryf und Paul Wild in Zürich und als Gründungstag ist der 15. August 1880 anzusehen. Die ersten Einrichtungen erstellte die International Bell Telephone Company in New-York; bald aber gelangte die Telephongesellschaft dazu, die Apparate selbst anzufertigen und errichtete zu diesem Zwecke ein Fabrikationsgeschäft in Aussersihl, das gegenwärtig 40 Arbeiter beschäftigt. Ende 1882 funktionirten 545 Apparate mit einer Länge von 484,800 m. Die Zahl der Abonnenten, welche zur Zeit der Gründung 200 betrug, stieg bis im Januar 1883 auf ca. 650, die ausser der Stadt Zürich und den Ausgemeinden, den entferntern Ortschaften: Höngg, Wipkingen, Örlikon, Wollishofen, Küsnacht angehören. Zudem sind in Stadt und Umgebung 11 öffentliche Sprechstationen eingerichtet worden, deren Benützung jedermann frei steht.

Geldinstitute. Die Verkehrsvermittlung beschäftigt 31 Bankgeschäfte, 38 Sensale, 5 Geldwechsler und eine ganze Reihe von Handels- und Geschäftsagenten, zusammen 919 Angestellte.

Die Rangordnung der Bezirke des Kantons Zürich nach den Hauptberufsgruppen.

Urproduktion		Industrie		Handel		Verkehr		Öffentliche Verwaltung, Wissenschaften und Künste		Persönliche Dienste		Ohne Beruf	
Bezirk	%	Bezirk	%	Bezirk	%	Bezirk	%	Bezirk	%	Bezirk	%	Bezirk	%
Dielsdorf	65_8	Hinw.	58_4	Zürich	19_1	Zürich	7_4	Zürich	5_9	Zürich	2_6	Zürich	8_1
Andelfing.	60_1	Horg.	55_3	Winth	9_9	Winth	4_9	Winth	3_6	Winth	1_7	Andelf	6_6
Bülach	53_4	Uster	50_7	Horg.	7_5	Horg.	3_8	Meilen	3_2	Horg.	1_5	Meilen	5_3
Affoltern	43_8	Pfäffik	48_2	Meilen	6_5	Pfäffik	3_4	Bül.	2_6	Meilen	1_3	Winth	4_1
Pfäffikon	39_8	Winth	47_9	Uster	4_8	Bül.	2_5	Dield.	2_8	Andelf	1_2	Horg.	4_0
Uster	37_9	Zürich	46_1	Hinw.	4_6	Hinw.	2_4	Horg.	2_6	Hinw.	0_8	Dielsd.	3_9
Meilen	36_2	Meilen	44_9	Affolt.	4_2	Meilen	2_4	Affolt	2_3	Bül.	0_5	Affolt.	3_2
Hinweil	29_9	Affolt.	44_3	Bül.	4_2	Affolt.	1_9	Andelf	2_3	Dielsd.	0_4	Bül.	3_1
Winterth.	27_9	Bül.	33_7	Pfäffik	3_7	Andelf	1_9	Uster	2_2	Affolt.	0_3	Pfäffik	2_7
Horgen	25_1	Andelf	24_7	Andelf	3_2	Dielsd	1_4	Pfäffik	2_1	Pfäffik	0_3	Hinw.	2_5
Zürich	10_4	Dielsd.	22_8	Dielsd.	2_5	Uster	1_6	Hinw.	1_9	Uster	0_1	Uster	2_5

Gemeindeweise Darstellung

der Hauptberufsgruppen, der Hauptindustriegruppen, des Wirtschafts- und Kostgeberwesens von Zürich und Ausgemeinden nach Erwerbenden.

Nach der Berufs-Statistik, herausgegeben vom statistischen Bureau der Direktion des Innern.

Nr. der Gemeinden	Politische Gemeinden	Hauptberufsgruppen Totalziffern							Bevölkerungszahl	Hauptgruppen der Industrie Erwerbende								Wirtschaftswesen Erwerbende	Kost- & Logisgeberei Erwerbende
		Urproduktion	Industrie	Handel	Verkehr	Oeffentliche Verwaltung, Wissenschaften, Künste	Persönliche Dienste	Ohne Beruf		Lebens- und Genussmittel	Kleidung und Putz	Bau und Wohnung	Typograph. Gewerbe	Spinnerei, Weberei, Stickerei etc.	Chemische Gewerbe	Maschinen und Werkzeug-Fabrikat.	Übrige Gewerbe		
1	Zürich . . .	139	9551	8378	1317	2113	941	2663	25102	589	2160	1394	335	297	102	424	10	1134	287
2	Aussersihl .	416	7235	2381	2675	610	364	505	14186	235	916	1533	146	432	164	334	4	294	120
3	Enge . . .	353	2076	1013	356	227	53	397	4475	71	296	278	34	227	164	64	—	66	38
4	Fluntern . .	279	1135	617	171	365	185	528	3280	35	179	150	51	155	28	64	1	53	109
5	Hirslanden .	381	1786	374	78	143	116	266	3144	44	199	257	22	366	26	54	4	50	13
6	Hottingen .	302	2492	1212	283	690	168	795	5942	43	412	401	65	303	21	104	1	77	71
7	Oberstrass .	310	1643	401	216	204	103	439	3316	42	237	213	55	182	40	154	3	39	53
8	Riesbach . .	492	5035	1670	407	535	232	920	9291	115	634	936	78	569	122	149	—	137	61
9	Unterstrass .	257	1690	423	289	213	88	382	3342	74	210	174	33	100	42	249	1	64	22
10	Wiedikon .	431	2225	537	427	110	57	91	3878	61	239	428	36	181	144	95	1	48	15
	Total	3360	34868	17006	6219	5210	2307	6986	75956	1309	5482	6764	855	2762	853	1691	25	1962	789

II. Wohltätigkeit.

Der Wohltätigkeitssinn ist ein hervorstechender Zug im Charakter der Zürcher. Was Zürich für vertriebene Glaubensgenossen tat, ist bereits S. 114 f. angeführt; hier teilen wir nur noch mit, was Aloysius v. Orelli, einer der vertriebenen Locarner, damals an seinen Bruder Francesco schrieb: „Die Obrigkeit (von Zürich) tut sehr viel, um jede Art des Elends zu lindern und wendet jährlich beträchtliche Summen auf, um Witwen, Waisen, Kranken und Armen beizustehen. Die Privatpersonen tragen aber auch das Ihrige reichlich bei und teilen mit dem Staat die Ehre der ausgedehntesten Wohltätigkeit. Alle Arten von Not werden täglich gemildert; der Ärmere überlässt dem Reichen den Vorzug nicht, allein zu helfen. Wenn die Not bekannt und dringend ist, so eilt auch er, sein Schärflein, und oft über seine Kräfte, beizutragen, wie solches unsere Vertriebenen fast täglich erfahren. Es ist gar nichts Seltenes, dass vermögliche Nachbarn gemeinschaftlich eine ganz arme Haushaltung in ihrer Nachbarschaft unterhalten, die Kinder zu Handwerken und andern Geschäften erziehen, damit sie sich in Zukunft ihr Brot selbst erwerben. Dies geschieht vorzüglich bei armen Waisen. Diese letztere Art von Wohltat hat hier darum einen grössern Wert und ist notwendig, weil kein Waisenhaus errichtet ist. Die allgemeine Freigebigkeit mag auch dazu beitragen, dass noch keine solche Anstalt vorhanden ist, weil die Notwendigkeit einer solchen weniger fühlbar ist als an jedem andern Orte, wo dieser Trieb des Wohltuns weniger tätig wäre.“ (Aus S. v. Orelli, biogr. Versuch. Zürich, 1797.)

Aber nicht nur auf Glaubensgenossen erstreckte sich die werktätige Hilfeleistung Zürichs, hörte man doch in den Freiämtern (katholisch) sagen: „Wenn Zürich nicht wäre, müssten wir Hungers sterben.“

Diese tätige Teilnahme für das Unglück Anderer zeigte sich in ungeschwächtem Masse bis auf unsere Tage, nirgends aber schöner und erhebender, als bei Unglücksfällen im eigenen, engern und weitern Vaterlande, so besonders auch bei der Verschüttung von Goldau (1806), bei der Entsumpfung der Linthgegenden (1807—1819), bei Ausbruch des Gétroz-Gletschers und den Überschwemmungen des untern Wallis (1818), bei den Wasserbeschädigungen in den Bergkantonen (1834 und 1840), beim Brand von Glarus (1861), bei den Überschwemmungen im Rheintal (1868), bei Schädigungen durch Feuersbrünste, Hagelschlag etc.

In den Zwanzigerjahren regte sich in hohem Grade auch in Zürich das Mitleid mit dem unglücklichen Volke der Griechen und es flossen reiche Spenden, welche namentlich für gute Erziehung griechischer Knaben und Jünglinge verwendet wurden. Anfangs der Dreissigerjahre geschah Ähnliches für die so hart verfolgten Polen. (Zum Teil n. Gerold Meyer v. Knonau.)

Frühe schon machten auch edelgesinnte Männer und Frauen Vergabungen zu gemeinnützigen Zwecken. So entstanden eine Reihe segensreicher Anstalten, es äufneten sich eine Anzahl wohltätiger Fonds und es bildeten sich Vereine und Gesellschaften zu gleichem Zwecke.

In Folgendem sei in Kürze dieser Bestrebungen auf Zürichs Boden gedacht:

a) Wohltätigkeits- und Krankenanstalten.

1. Der Kantonsspital, in Fluntern, ausschliesslich für Krankenpflege bestimmt. Zahl der Betten 320. — Die Anstalt ist ein kantonales Institut.*) Aufgenommen werden nur heilbare Kranke. Die Stadt Zürich beansprucht gemäss der Aussteuerungsurkunde vom Jahr 1803 unentgeltliche Verpflegung der aufgenommenen almosengenössigen Stadtbürger. — Die Taxen richten sich nach den Vermögensverhältnissen der Kranken, wofür acht Klassen aufgestellt sind: I. Klasse 30tägige Gratisverpflegung mit nachherigem Kostgeld von 30 Rappen per Tag; Klasse VIII zahlt täglich Franken 2. 50. Aufenthalter und Niedergelassene, Durchreisende und Ausländer zahlen in vier Klassen pro Tag

*) Alle wohltätigen Staatsanstalten werden reichlich durch Schenkungen und Gaben der Landeskinder bedacht.

von 90 Rappen bis 3 Franken. Tagestaxen für Extrazimmer Franken 5—7. — Beim Kantonsspital besteht ein Absonderungshaus für Pflege von Infektionskranken. Zahl der Betten: 50.

Die erste Gründung eines Spitals (in der Stadt) reicht ins 12. Jahrhundert hinauf. Trotz Erwerbung von Freiheiten, Erbschaften, Einkünften etc. schien man zu Anfang des 16. Jahrhunderts um die Existenz des Institutes besorgt zu sein. Infolge der Aufhebung der Klöster zur Reformationszeit aber wurden dem Spital wieder neue Hilfsquellen zugewiesen. Ende des vorigen Jahrhunderts ward das Institut einem frühern (1551) Beschlusse gemäss allmälig von einer blossen Verpflegungsanstalt für arme, presthafte und alte Leute zur wirklichen Krankenanstalt für Stadt- und Landbürger. Eine vollständig durchgreifende Reform der Anstalt und ihre Verlegung nach Fluntern vollzog sich in den Dreissigerjahren.

In enger Verbindung mit dem Kantonsspital stehen a) die medizinische Polyklinik. Dieselbe ist Unterrichtsinstitut der Universität. Hier werden jährlich 4000—6500 bedürftige Kranke unentgeltlich behandelt. Medikamente sind gratis. Arme Kranke, die nicht ausgehen können, werden zu Hause besucht und behandelt; b) die chirurgische Polyklinik mit jährlich ca. 1200 Kranken; c) die ophthalmologische Polyklinik mit jährlich ca. 1200 Augenkranken.

2. Pockenspital (kantonales Institut) — Strickhof, Oberstrass; gegründet ausschliesslich für Pockenkranke. Zahl der Betten: 32.

3. Gebäranstalt (kantonal) in Oberstrass. Bestimmung: Pflege von Wöchnerinnen. Zahl der Betten: 80. — Gynaekologische Polyklinik mit jährlich ca. 200 Patienten.

4. Pflegeanstalt Spanweid (staatlich) in Unterstrass: Asyl für Unheilbare, Krebskranke, Altersschwache etc. Zahl der Betten: 90; dazu noch 50 für Armenbader und Badepatienten des Röslibades: (Rekonvaleszenten des Kantonsspitals).

5. Irrenanstalt Burghölzli (staatlich). Die Anstalt dient ausschliesslich nur der Irrenpflege. Zahl der Betten: 320. Aufnahmeberechtigt sind alle heilbaren Geistes- und Gemütskranken, mit Ausnahme der Idioten und Schwachsinnigen von Geburt. — Tagestaxe in Klasse III, der allgemeinen Verpflegungsklasse, von 60 Rappen bis Franken 2. 50 (in 8 Abstufungen); die Klasse I gewährt allein Extrazimmer, täglich für 5—10 Franken;

die Pensionäre der II. Klasse wohnen zu 2—4 beisammen. Tagestaxe dieser Klasse 2—5 Franken. — Die Anstalt ward in den Jahren 1864—70 mit einem Kostenaufwand von mehr als 2,000,000 Franken erstellt. — „Sie nimmt, was Lage, Plan und Ausführung anbetrifft, unter den besten und vorzüglichsten Anstalten des Kontinents eine entschieden hervorragende Stellung ein." (Prof. Dr. Gudden.)

6. Pfrundanstalt St. Leonhard und Bürgerasyl Zürich. Zweck beider Anstalten: Krankenpflege in Verbindung mit Pfrundhaus, Asyl für Altersschwache etc. Zahl der Betten: ca. 170. — Aufnahmeberechtigt sind stadtbürgerliche Kranke, deren Aufnahme in eine öffentliche Heilanstalt unmöglich ist: ins Pfrundhaus: ehrbare, würdige, in gedrückten ökonomischen Verhältnissen lebende Bürger.

8. Kinderspital Zürich und Umgebung (Eleonorenstiftung) in Hottingen. Es sollen laut Stiftungsurkunde Aufnahme finden „kranke Kinder ohne Unterschied der Herkunft, des Geschlechts und der Konfession bis zum Alter von ca. 12 Jahren, sofern die Krankheit heilbar und auf die übrigen Patienten nicht von nachteiligem Einflusse ist". — Die Anstalt sollte ferner dienen „zum wissenschaftlichen Unterricht Studirender wie zur Heranbildung von Kinderwärterinnen". — Im Jahr 1881 wurde ein Absonderungshaus erstellt für Patienten mit ansteckenden Krankheiten. Im letzten Berichtsjahr wurden in die Anstalt aufgenommen 216 Kinder. — In der Polyklinik des Kinderspitals werden per Jahr ca. 250 Kranke unentgeltlich behandelt.

9. Augenheilanstalt Hottingerhof, Hottingen. Diese Privatanstalt gewährt 40 Augenkranken jeden Alters und Standes Aufnahme. Unbemittelte Kranke zahlen in der Regel nichts.

10. Krankenmobilienmagazin, Zürich, gegr. 1830. Zweck: Abgabe von Krankenmobilien, Förderung und Unterstützung der Gesundheits- und Krankenpflege im allgemeinen und Anweisung zur Bestellung von Krankenwärtern. Benutzung für Arme unentgeltlich. Eigentum der Bürgerschaft von Zürich.

11. Kranken- und Diakonissenanstalt Neumünster, gegr. 1857 von der evangelischen Gesellschaft. Zweck: Krankenpflege in Verbindung mit Ausbildung von Krankenwärterinnen. Damit verbunden ist ein Altersasyl (Schenkung) „zum Wähdli". Beide Anstalten sind eingerichtet für ca. 140 Pfleglinge.

12. Altersasyl zum Helfenstein, Hottingen, gegründet 1864 von der gemeinnützigen Gesellschaft der Kirchgemeinde Neumünster. Jährliches Kostgeld mit Inbegriff von Wohnung, Heizung und Wäsche Franken 400.

13. Blinden- und Taubstummenanstalt, gegründet 1809 von der Hilfsgesellschaft Zürich. Sie zählte im Jahr 1882 45 Zöglinge.

14. Waisenhaus Zürich, gegründet 1637. Der Fond von Franken 1,368,000 ist entstanden durch Legate und Geschenke. 1771 Gründung des jetzigen Waisenhauses, eingerichtet für 100 Zöglinge.

15. Anstalt für Kinderpflege, Unterstrass, ausschliesslich der Krankenpflege ganz armer Kinder dienend; wird durch freiwillige Beiträge erhalten.

16. Anstalt für schwachsinnige, doch bildungsfähige Kinder, Hottingen.

17. Rekonvaleszentenanstalt, gegründet vom freiwilligen Armenverein Zürich. Zahl der Betten nach Bedürfnis; Verpflegung unentgeltlich.

18. Krankenpflegerinnen-Anstalt, Fluntern, gegründet vom Verein für freies Christentum.

19. Pestalozzistiftung, Schlieren bei Zürich, gegründet 1868 von der kantonalen gemeinnützigen Gesellschaft. Zweck: Armenerziehung im Geiste Pestalozzi's. Sie zählte im Jahr 1882 40 Zöglinge.

20. Zwangsarbeitsanstalt Uitikon bei Zürich, gegründet von Gemeinden des Bezirkes Zürich. Seit 1882 Staatsanstalt. Zweck: Besserung arbeitsscheuer, verkommener Individuen.

b) Stiftungen.

Waser'sche Stiftung, Franken 171,000 und Speerli'sche Stiftung, Franken 118,000 (zur Gründung wohltätiger Anstalten).

Meyer'sche Stiftung, Franken 101,000 und Spitallegatenfond, Franken 181,000 (zur Unterstützung armer, bürgerlicher Kranker).

Ott-Imhof'sche Stiftung, ca. Franken 49,000 und

Brüggerfond, Franken 607,000 (Stipendienfond für junge Stadtbürger).

Stiftung von Schnyder v. Wartensee, ca. Franken 70,000, für Förderung von Werken der Kunst und Wissenschaft.

Prediger-Witwen- und Waisenfond, Fr. 295,000, und Pfarrpfrundfond, Franken 126,000 (zur Unterstützung von Geistlichen und deren Familien).

Töchterfond, ca. Franken 65,000 (zur Unterstützung von Töchtern bei ihrer Berufswahl).

Gesellschaftsfond der ehemaligen Landtöchterschule (Stipendienfond für Töchter).

Lehrerpensionsfond Zürich, Franken 56,000 (Legat eines ehemaligen Lehrers).

Hilfskasse des Schulkapitels Zürich. Zweck: Unterstützung von Lehrerwaisen. Äufnung durch jährliche freiwillige Beiträge der Kapitularen.

Cholera-Hilfsfond und Fond für Bildung einer Cholera-Hilfskolonne. Gesamtfond ca. Franken 22,000.

Feuerwehr-Unterstützungsfond Zürich, gegründet 1874.

Pensionsfond für das städtische Polizeikorps, Franken 22,000.

Pensionsfond und Hilfskasse der Schweizerischen Nordostbahn, Franken 1,000,000.

Witwen- und Waisenstiftung der Stadt Zürich. — Waisenhausfond Wiedikon. — Fond für ein zu gründendes Altersasyl und Armenhausfond, beides in Altstetten. — Spendkassafonds existiren in Altstetten, Seebach, Wipkingen und Wollishofen.

Französischer Kirchenfond, zur Bestreitung der Besoldung des Pfarrers der französischen Kirche und für den Gottesdienst an derselben, Franken 178,000.

Thomann'sche Stiftung, 1607 gegründet, Erteilung von Stipendien an bürgerliche Studirende, besonders Theologen, Franken 283,000.

Kantonallehranstaltenfond, zur Erleichterung der Beiträge der Stadt an die kantonalen Lehranstalten, Fr. 205,000.

Waser'sches Legat für Verschönerung der Stadt, 1867 gegründet, Franken 85,000.

Wildgartenstiftung, zur Errichtung und Unterhaltung eines Wildgartens, Franken 40,000.

Zeichnungsschulfond, zu Beiträgen an eine Zeichnungsschule für Handwerker und Gewerbtreibende, Franken 13,000.

Spargutfond, für Einlagen in das Spargut der Zöglinge des Waisenhauses, Franken 27,000.

c) Vereine und Gesellschaften,

die sich irgend einen Zweig wohltätigen Wirkens im öffentlichen und gesellschaftlichen Leben zur Aufgabe stellen:

1. Hilfsgesellschaft Zürich, gegründet 1799 in Zeit grösster Not. Bestimmung: Armenunterstützung. Sie gewährt Unterstützung an Naturalien aller Art: Holz, Kleidern etc. Ferner gründete sie:

I. Die Sparkasse zur Engelburg. II. Die Suppenanstalt obere Zäune. III. Die allgemeine Krankenkasse in Zürich. IV. Die Blinden- und Taubstummenanstalt. V. Kleinkinder-Bewahranstalten. VI. Die Nachtherberge für Handwerksburschen. Unter ihrer Verwaltung steht die: Bernhard Stocker'sche Dienstbotenstiftung für Prämirung alter braver Dienstboten und die Stiftung zu Gunsten der Ferienkolonie für Kinder.

2. Evangelische Gesellschaft Zürich, gegr. 1831. Bestimmung: Hebung des religiösen Lebens im Volke. Ihre Wirksamkeit erstreckte sich bald über den ganzen Kanton. Sie gründete: I. Die Leihbibliothek der evangelischen Gesellschaft, damit in Verbindung ein eigenes buchhändlerisches Geschäft (Verbreitung christlicher Schriften). In diesem Sinne unterstützt sie Volks- und Jugendbibliotheken und unterhält in ca. 60 Gemeinden Sonntagsschulen und Gratislesezirkel. — II. Die Stadt- und Landmission mit der Aufgabe, die zahlreich der Kirche entfremdete Bevölkerung wieder zu gewinnen. — III. Die Kranken- und Diakonissenanstalt Neumünster. — IV. Den Armenverein der evangelischen Gesellschaft und V. die Herberge zur Heimat.

3. Freiwilliger Armenverein Zürich. Zweck: Einheitliche Organisation der freien Armenpflege, Beseitigung des Bettels, rechtzeitige Abhilfe von Notständen, Anregung zur Selbsttätigkeit und Selbsthilfe der Armen. Sie verabreicht Geldunter-

stützung, Kleidungsstücke und Nahrungsmittel. An bedürftige Durchreisende werden von der Hilfsgesellschaft und dem freiwilligen Armenverein jährlich gegen Franken 20,000 verabreicht. — Jahresausgaben 1881 ca. Franken 40,000. — Die Anstalt unterstützt den Verein für arme Wöchnerinnen, die Mägdeherberge, die Herberge für Arbeiterinnen etc.

Gemeinnützige Gesellschaften: des Kantons, des Bezirks*), des Wahlkreises Neumünster**), der Kirchgemeinde Neumünster***), Unterstrass, Enge etc.

Schweizerischer Zentralverein zum roten Kreuz. Zweck: Krankenpflege im Krieg und Frieden.

Vereine für Beschaffung guter und billiger Lebensmittel: 5.

Hilfsvereine bestehen im Ganzen: 12.

Es bestehen weiter: Vereine für Ferienkolonien, Arbeitervereine, Kindergartenvereine, Schutzaufsichtsvereine, ein Hilfsverein für Geisteskranke, für Gesundheitspflege, protestantisch-kirchlicher Hilfsverein, Aktiengesellschaften für Beschaffung billiger Arbeiterwohnungen, ein Hausverdienstverein für miet- und kaufweise Überlassung von Arbeitsmaschinen; im Jahr 1882 waren 353 Maschinen im Betrieb.

d) Vereine und Gesellschaften,

die in ihre Statuten die Unterstützung der eigenen Mitglieder bei schwerer Heimsuchung in Aussicht nehmen.

Die meisten dieser Vereine sind Arbeiterverbindungen und haben keine grossen Fonds; ihre Kassen äufnen sich durch regelmässige Beiträge der Mitglieder, wie durch allfällige Legate.

Es bestehen in diesem Sinne: 26 Krankenvereine, 4 Kranken- und Begräbnisvereine, 8 Kranken- und Unterstützungsvereine, 7 Krankenkassen, 2 Kranken-, Invaliden- und Sterbekassen, 2 Vereine zu gegenseitiger Unterstützung in Todesfällen.

---

*) Gründerin der Kommission für verwahrloste Kinder und des Arbeitslesesaals.

**) Gründerin der Sparkasse des Wahlkreises und des Stipendienfonds für Lehrlinge.

***) Gründerin der Sparkasse der Kirchgemeinde, der Spielschule, der Kleinkinderschule, der Sonntagsschule, des Altersasyl zum Helfenstein.

III. Übersicht der Lehranstalten.

A. Öffentliche Unterrichtsanstalten.

1. Volksschule.
   a. Primarschule, inkl. Ergänzungs- und Singschule (obligatorisch).
   b. Sekundarschule (fakultativ).
   c. Freiwillige „Abendschule“ für Ergänzungsschülerinnen von Stadt und Ausgemeinden.
   d. Freiwillige Fortbildungs-, Gewerbe- und Handwerksschulen in Äsch, Birmensdorf, Dietikon, Höngg, Oberstrass, Riesbach, Unterstrass, Zürich.
2. Mittlere und höhere städtische Schulen.
   a. Realgymnasium. (Hört mit 1884 auf zu existiren.)
   b. Höhere Töchterschule und Lehrerinnenseminar.
3. Kantonale Unterrichtsanstalten.
   a. Kantonsschule.
      Gymnasium.
      Industrieschule.
   b. Hochschule.
   c. Tierarzneischule.
   d. Landwirtschaftliche Schule im Strickhof.
4. Andere, von Staat, Stadt und Korporationen subventionirte Unterrichtsanstalten.
   a. Musikschule in Zürich.
   b. Kunstgewerbeschule im Gewerbemuseum.
   c. Seidenwebschule im Letten, Wipkingen.
5. Eidgenössische Unterrichtsanstalten.
   a. Eidgenössisch-polytechnische Schule.
      Bauschule.
      Ingenieur-Schule.

Mechanisch-technische Schule.
Chemisch-technische Schule.
Land- und forstwirtschaftliche Abteilung.
Schule für Fachlehrer.
Allgemeine philosophische und staatswissenschaftliche Abteilung.

b. Schweizerische meteorologische Anstalt.

B. Privatschulen.

1. Pestalozzistiftung in Schlieren.
2. Übungsschule am Seminar Unterstrass.
3. Seminar Unterstrass.
4. Freie Schule in Zürich.
5. Institut Beust in Hottingen.
6. Institut Konkordia, Hirslanden.
7. Töchterinstitut Tobler-Hattemer, Hottingen.
8. " Hoche, Enge.
9. " Geschwister Grebel, Zürich.
10. " von Fräulein Hammer in Riesbach.
11. Kunst- und Frauenarbeitsschule der Geschwister Boos, Riesbach.
12. Anstalt für schwachsinnige Kinder, Hottingen.
13. Mathilde Escher-Stiftung in Zürich.
14. Kindergärten und Kleinkinderschulen in Altstetten, Aussersihl, Enge, Hottingen, Riesbach, Wipkingen, Zollikon, Zürich.

D. Sammlungen.

1. Schweizerische Schulausstellung und Pestalozzistübchen.
2. Gewerbemuseum im Helmhaus.
3. Naturhistorische, archäologische, mechanische und Kupferstichsammlung des Polytechnikums.
4. Antiquarisches Museum im Helmhaus.
5. Anatomisches Museum beim Kantonsspital.
6. Waffensammlung im Zeughaus.
7. Gemäldesammlung im Künstlergütli.
8. Semper-Museum im Börsengebäude.
9. Sammlungen der mittleren und höheren Schulen.

D. Bibliotheken.

1. Stadtbibliothek in der Wasserkirche.
2. Bibliothek des Alpenklubs (Sektion Uto).
3. „ der antiquarischen Gesellschaft.
4. „ des Gewerbemuseums.
5. „ des Gymnasiums.
6. „ der Industrieschule.
7. Juristische Bibliothek.
8. Bibliothek der kantonalen Lehranstalten.
9. „ des kaufmännischen Vereins.
10. „ der Künstlergesellschaft.
11. „ des mathematisch-technischen Vereins.
12. Medizinische Bibliothek.
13. Bibliothek der Museumsgesellschaft.
14. „ der naturforschenden Gesellschaft.
15. „ des Obergerichtes.
16. „ der eidgenössisch-polytechnischen Schule.
17. „ der Universität.
18. Jugend- und Schulbibliotheken.
19. Leihbibliotheken.

IV. Spaziergänge.

Durch die Bahnhofstrasse.

Um den Bahnhof und an der Bahnhofstrasse hat Zürich einen modern grosstädtischen Charakter angenommen und wir beginnen unsere Betrachtungen wie billig mit dem Bahnhofgebäude selbst, das, wie das Bahnhofquartier „den Platzspitz“, den früher ganz häuserleeren, öden „Schützenplatz“ kleidet. Betrachten wir zuerst den Mittelbau der Haupt- und Südfaçade. Zu oberst tront die Helvetia; in der Linken den eidgenössischen Schild, erhebt sie die Rechte segnend über das Land. Die sitzende Figur mit Kugel, Blitz und Eisenbahn zur linken Seite stellt das Eisenbahn- und Telegraphenwesen vor, während die andere mit Krug, Ruder und Schiffschnabel den Verkehr zu Wasser symbolisirt. Diese Gruppe, steinfarben angestrichen, ist von Bildhauer Rau in Stuttgart modellirt und von Pelargos in Zink gegossen worden. Die zwei Bildsäulen rechts über dem Hauptportale bedeuten das Gewerbswesen und den

---

Vorbemerkung. Gerne hätten wir in diesem Abschnitt den Leser auf einem Rundgang durch Stadt und Ausgemeinden begleitet; allein einerseits ist ja das „historische Zürich“ in diesen Blättern schon S. 91—110 besprochen worden, anderseits müssen wir uns des Raumes wegen einschränken und von dem so weitschichtigen Material einzelne Partieen herausheben. Zürich und die Ausgemeinden haben in der Neuzeit beispiellos rasch ein ganz neues Gewand angezogen und kaum kann der Fremde nach einer Abwesenheit von wenigen Jahren sich in früher ihm bekannten Quartieren mehr zurecht finden; aber nicht überall sind die Bedingungen zur Weiterentwicklung gleich günstig gewesen und nicht überall gibt es des Neuen viel hervorzuheben. Für die Kenntnis des historischen Zürich ist auf Vögelins „Altes Zürich“ an dieser Stelle nochmals aufmerksam zu machen.

Die schöne Umgebung Zürichs bietet eine Menge der lohnendsten Ausflugs- und Reiseziele; statt sie alle namhaft zu machen und zu schildern, geben wir zwei ausführlichere Beschreibungen. D. R.

Handel; diejenigen links stellen die Wissenschaft und Kunst vor. Diese vier Figuren sind von Professor Keiser am Polytechnikum erstellt worden, ebenso die auf den Eckpfeilern sitzenden Löwen mit dem Zürcherwappen. Die vier majestätischen Säulen haben sogenannte korinthische Kapitæle, welche sich leicht an der kelchförmigen, blätterartigen Gestalt erkennen lassen. In den Zwickeln links und rechts zeigen sich Lorbeerzweige und Eichenkränze, und über dem mittlern Rundbogen prangt Merkur, der Gott des Handels, eine in der Bildnerei beliebte Figur, die sich an neuen Gebäuden unserer Stadt vielfach findet. Ehe wir uns durch die Bahnhofstrasse hinauf begeben, wollen wir noch in Kürze die Ostfaçade betrachten, welche hauptsächlich durch die Stirnseite der Einsteighalle gebildet wird. Unter dieser ist eine Vorhalle mit grossen Bogenöffnungen. Wir machen aufmerksam auf zwei von Professor Keiser gefertigte Bildwerke, wovon das eine mit der Sichel in der Hand und einem Garbenbündel auf den Knieen die Landwirtschaft, das andere mit Hammer und Meissel die Industrie oder den Gewerbsfleiss vorstellt. In den beiden Ecken erheben sich, der Westfaçade entsprechend, Strebetürmchen, welche die ganze Baute, von der behauptet wird, dass sie zu den schönsten europäischen Bahnhöfen gehöre, noch imposanter machen.

Wer sich den Genuss verschaffen will, ein Stück maurischen Stils zu schauen, der besuche im Hôtel National den sogenannten maurischen Saal, eine Nachahmung aus dem Innern der Alhambra zu Granada. Tausend Arabesken und Ornamente zieren Wände und Decken, und über das Ganze ist eine zauberische Farbenpracht ausgebreitet. Nicht minder reich präsentirt sich das Äussere des Gebäudes in seinen Hauptfaçaden und Ecktürmen. Hoch oben tronen prächtige Phantasiestatuen, die aussichtsreichen Turmzinnen tragend. Die Statuen sind in Wien angefertigt worden; die Zieraten des maurischen Saales aber sind das Werk des Dekorateurs Hans Wildermuth, Lehrer am Technikum.

Indem wir in die schönste Strasse von Zürich eintreten, darf wol in aller Bescheidenheit daran erinnert werden, dass noch vor nicht ganz zwei Jahrzehenden der zu begehenden Richtung entlang sich etwas ganz anderes den Sinnen darbot, als heute: In des Wassers oder vielmehr in des Schlammes tief unterstem Grunde schwammen und krabbelten Wassermolche und Kaulquappen und quakten die Frösche. Wir befinden uns eben in der ungefähren Richtung des einstigen Fröschengrabens, welcher zum Schutze der städtischen Ringmauern angelegt worden war. Wie behaglich aber ergehen wir uns jetzt auf dem makadamisirten, d. h. mit Cement- und Asphaltguss belegten Trottoirs, die den Strassenrändern entlang alleenartig mit Linden- und Ulmbäumen bepflanzt sind! Sowol die Öffnungen um die Baumstämme, als auch die im Trottoir stellenweise angebrachten Bohrlöcher sollen den Untergrund durchfeuchten und durchlüften und auf diese Weise den Bäumen die nötigen Existenzmittel zuführen. Am Hôtel National, Café St. Gotthard und einigen schönen Privatbauten vorbei gelangt man zum „Linth-Escher-Platz" und Schulhaus. Dank der städtischen Verwaltung ist hier für Jung und Alt mitten im steinreichsten Quartier ein grünes Plätzchen geboten zur Erholung und Ruhe. Des Platznamens Ehrenträger aber ist Johann Konrad Escher von Zürich, geb. 1768; ausgezeichnet durch weise Politik, menschenfreundliche Werke und uneigennützigen Sinn, erhielt er als Begründer und Förderer des Linthkanals vom zürcherischen Grossen Rate für sich und seine Familie den ehrenden Zunamen: „Escher von der Linth". Die Neuzeit ehrte sein Andenken nicht nur durch Übertragung seines Namens auf den genannten Platz, sondern auch auf eine vom Bahnhofplatz aus hinter dem Hôtel National mit der Bahnhofstrasse parallel laufende Gasse.

Gehen wir weiter zwischen den beiden Häuser- oder besser gesagt Palastreihen! Denn da steht Prachtbaute an Prachtbaute, eine mit der andern wetteifernd, eine die andere überbietend an Grösse und Ausstattung. Nirgends ist Einförmigkeit oder Ermüdigung, überall wohltätige, das Auge befriedigende Abwechslung. Schon im Material zeigt sich Verschiedenheit. Da findet man grauen, weissen und roten Stein; grauen von Bollingen, Kanton Schwyz, und Ostermundingen, Kanton Bern, roten von Lörrach, weissen aus Frankreich. Bei aller Verschiedenheit der Neubauten herrscht insofern eine gewisse Einheit, als die meisten sich an den sogenannten italienischen Renaissancestil lehnen. Aber auch die Häuser aus der Fröschengrabenzeit, welche leicht erkenntlich sind, haben sich bemüht, der Neuzeit ein freundlicheres Ansehen zuzukehren.

Bei der ersten Biegung der Bahnhofstrasse stehen wir zugleich vor dem Eingange in den Rennweg. Wenn irgendwo, so empfindet der Spaziergänger hier die Wahrheit des Spruches:

„Das Alte stürzt, es ändert sich die Zeit,
Und neues Leben blüht aus den Ruinen.“

Hier stand das Rennwegtor mit einem Turme darüber, ganz wie bei den übrigen Stadttoren. Zur Zeit der Mailänder Kriege musste der Turm einem festen, widerstandsfähigern Rondelle Platz machen (S. 102), das mit der Erstellung der Bahnhofstrasse im Jahr 1866 abgetragen wurde. Jetzt ist der Eingang frei und weit; keine Frau Ziegler lässt mehr den Fallgatter nieder und keine feindlichen Eidgenossen stehen mehr vor dem Eingange. Da winkt jetzt ein dienstbeflissener Wirt, der dich zu Gaste lädt und dir, so oft und so viel du wünschest, den Gratistrunk bietet. Der Wirt ist der Brunnen.

Das aus rotem Ackerstein ausgeführte, etwas hinter der Baulinie stehende Haus Nr. 56 ist die einzige Erinnerung an die alte Ringmauer. Zur Zeit ist die ganze Hauptfaçade mit einem prächtigen Epheuteppich behangen, aus dessen Versteck ein Heer von Sperlingen schäckernd und neckend sein Spiel treibt. Auf der gleichen Seite sehen wir die „Zürcher Bank“, eine ebenso einfach als elegant aussehende Baute mit dem Merkur- und Minervabilde über dem Haupteingange. Das Post- und Telegraphengebäude, ursprünglich als Privatbaute erstellt, ist von der Eidgenossenschaft gemietet worden.

Einen würdigen Abschluss der Strasse bildet die Kreditanstalt mit ihrer 58 m langen und 18 m hohen, reich ornamentirten Façade. Die Gruppe von Bildwerken gegen den Paradeplatz hin besteht aus drei sitzenden, weiblichen Figuren, von denen die mittlere den Handel, die rechte die Industrie und die linke die Landwirtschaft vorstellen. Die Figur „Handel“ ist als weiblicher Merkur dargestellt, der den linken Arm aufs Bein stützt und sich etwas nach rechts auf seinen Schlangenstab lehnt; am Kopfe sind die bekannten zwei Flügel. Die „Industrie“ ist mit Hammer, Amboss und Maschinenrädern versehen, die „Landwirtschaft“ trägt das Füllhorn im Arm, neben ihr liegt die Garbe. Auf den mit Vasen gekrönten Postamenten sind Kindergruppen, links die Wissenschaft und Kraft, rechts die Wachsamkeit und das Studium darstellend. Die weibliche Figur in der Gruppe gegen die Bahnhofstrasse bedeutet das „Kunstgewerbe“. Zu beiden Seiten sitzen Genien, die, eine Rolle mit der Inschrift „Gewerbe“ in den Händchen haltend, auf das Volk hernieder schauen, während das „Kunstgewerbe“ eine fein gearbeitete Kanne würdevoll betrachtet.

„Mit nachahmendem Leben erfreut der Bildner die Augen,
Und, vom Meissel beseelt, redet der fühlende Stein.“

Die Südgruppe trägt mehr den Stempel der Antike, die Ostgruppe dagegen ist im Stil der Renaissance ausgeführt worden. Die beiden Hauptgruppen sind von den Herren Architekten Brunner gezeichnet und modellirt und von Bildhauer Iguel in Genf aus Schleitheimer Sandstein ausgeführt worden. Die Kindergruppe ist das Werk des Herrn Professor Keiser. Das Gebäude selbst, welches $2^1/_2$ Millionen gekostet, hat Herr Architekt Wanner in den Jahren 1873—76 erbaut.

In der Ecke des Paradeplatzes und der Poststrasse steht das Hôtel Baur, welches in seiner Hauptfaçade ein Stück griechischer Architektur darbietet und dieselbe besonders in der Säulenhalle zum Ausdruck bringt. Im Hause selbst ist der schöne Speisesaal mit dem darin befindlichen Ofenpaar, von Herren Bodmer & Biber gefertigt, sehenswert. Die hübschen Genrebilder werden durch lesenswerte Reimsprüche erläutert, von denen wir einen anführen:

Zum Ähni säit e lieblis Chind:
Lass jetzt der Ofe gah,
Lueg, wie viel Blueme dusse sind,
De Früehlig ist ja da!

Die Glasmalereien sind das Werk Herrn Wehrli's. Unter den Pfeilerspiegeln sind in Goldschrift geschrieben die Namen: Hermes, Hebe, Bacchus, Ceres. Anknüpfend an den Namen der Ceres möchte ich Veranlassung nehmen, den Spaziergänger zu erinnern, nicht zu versäumen, auch etwa an einem Dienstag oder Freitag Vormittag die Bahnhofstrasse zu begehen. Da finden sich die Schätze ausgebreitet, die die gütige Ceres ihren Kindern spendet. Da ist ein Kommen und Gehen, ein Fragen und Sagen, ein Kaufen und Feilschen, ein Murmeln und Schreien, ein Rühmen und Schelten, ein Drängen und Treiben, kurz, ein buntes, munteres Leben, dass einem das Herz im Leibe lacht.

Dem Hôtel Baur gegenüber liegt der Centralhof, eine an der Stelle der ehemaligen „Post“ und unter weiser Benutzung derselben entstandene Prachtbaute, eine der ersten Zierden der Stadt Zürich. Das Ganze besteht aus 15 Wohnhäusern, von denen 5 gegen die Poststrasse als Um- und Aufbau des Postgebäudes liegen; die übrigen 10 sind neu. Sie bilden ein geschlossenes Carré und enthalten im Innern einen öffentlichen Hof, von dem man lange nicht wusste, wie man ihn verwerten könnte, bis man auf den glücklichen Gedanken geriet, eine Fontaine anzubringen. Jetzt speien drei Greifen Wasser aus ihren Rachen und der Höhenstrahl steigt mitten aus einer Kindergruppe, die das herabfallende Wasser mit den Händen auffängt unter dem Ausdruck der Freude, als ob sie sagen wollte: Reine, reine Wassertröpfchen rieseln über's nasse Köpfchen. Die ganze Baute, besonders die Seite gegen die Bahnhofstrasse ist in französischem Renaissancestil gehalten. In den Parterres sind die prachtvollsten Verkaufsladen, in den Entresols Bureaux und in den höhern Räumen Wohnungen, die zu 1800 bis 4000 Franken vermietet werden. Ein Consortium erwarb den ganzen Platz nebst dem ehemaligen Postgebäude für die Summe von 1,300,000 Franken. Erbauer sind die Herren Architekten Ad. und Fr. Brunner, Honegger und Näf. Auf der andern Seite der Strasse steht der Südseite des Paradeplatzes entlang eine Häuserreihe, die Tiefenhöfe genannt, im Stil moderner Paläste ohne Verschwendung.

Unsern Weg weiter verfolgend, sehen wir die „Kantonalbank" mit den Büsten des Merkur und der Minerva über dem Portale und die „Börse", bei der wir einen Augenblick verweilen wollen. Zürich hatte früher nur eine Wanderbörse, bis die Familie des verstorbenen reichen Herrn Bodmer zur Arche nicht weniger als 500,000 Franken für ein neues Börsengebäude vergabte. Der Bau steht an der Stelle des ehemaligen „Bangartens" und enthält ausser dem 32 m langen, 21 m breiten und 17 m hohen Börsensaal verschiedene Bureaux, Sitzungszimmer und eine Abwartwohnung. Im Rondell ist die Getreidebörse und im obersten Raum das „Sempermuseum", neu gegründet zum Andenken an den verstorbenen einstigen Professor und Vorstand der Bauschule am eidgenössischen Polytechnikum. Die Börse, im italienischen Stil gehalten, kostet samt Bauplatz 900,000 Franken und ist ein Werk der Herren Architekten Müller und Ulrich; die Malereien sind von den Herren Witt & Ott ausgeführt.

Im Hôtel Baur am See wurde im Jahr 1859 der „Zürcher Friede" zwischen Italien und den Grossmächten abgeschlossen.— Wir stehen am Ufer des Sees. Bis dahin schauten wir, zwischen Häuserreihen wandernd, über uns den blauen Himmel, zu den Seiten schattige Baumreihen, kunstreich angelegte Gärtchen mit reichen Blumenbeeten und grosse, bewundernswürdige Werke menschlichen Fleisses und Geistes; aber was sich hier dem Auge erschliesst, ist noch mehr: Ein Tableau, wie es die grosse Künstlerin Natur nur an seltenen Orten der Erde geschaffen hat. Den beiden Seeufern entlang ziehen sich Dorf an Dorf, Flecken an Flecken, Guirlanden ähnlich, gleichsam als Fortsetzung der Bahnhofstrasse; auf dem Wasserwege dazwischen tummeln sich leichte Nachen und gewaltige Dampfrosse. Der in Betrachtung versunkene Wanderer erinnert sich der Klopstock'schen Verse aus der Ode an den Zürichsee:

„Schön ist, Mutter Natur, deiner Erfindung Pracht,
Auf die Fluren verstreut, schöner ein froh Gesicht,
Das den grossen Gedanken
Deiner Schöpfung noch einmal denkt."

Die Erstellung der neuen Quaibrücke und des Quai sind eine gemeinsame Unternehmung der Stadt Zürich und der Ausgemeinden Riesbach und Enge unter der Leitung des Quaibauten-Ingenieurs Dr. Arnold Bürkli. Ein Teil der Quaianlagen wird sofort ausgeführt, ein anderer einstweilen aufgeschoben. Zur ersten Abteilung gehört ein Quai von der Wasserkirche bis zur Lindenstrasse in Riesbach, ein Quai von den Stadthausanlagen durch die Bucht beim Venedigli bis etwas ausserhalb der Sternengasse in Enge, die Quaibrücke, die Erstellung neuer Badanstalten und endlich die Errichtung von Dampfschiffstationen zwischen dem Platz vor der Tonhalle und dem Schanzengraben. Die Brücke selbst ruht auf zwei Widerlagern und vier Strompfeilern, welche folgendermassen aus dem Wasser heraus gebaut worden sind. An der Stelle eines jeden Widerlagers und Strompfeilers wurden in gewisser Entfernung von einander 130 Stück Pfähle bis auf eine Länge von 12 bis 18 m in den Seegrund eingeschlagen und auf dem Seegrund oben mit einem doppelten Pfahlrost verbunden. Zu diesen Arbeiten waren 6 mal 130 Stück Tannen, welche aus dem Schwarzwald her kamen, nötig. Man nennt deswegen die Fundirung: Pfahlrostfundation. Auf den Pfahlrost kamen Cementpfeiler, welche vorweg unter der „Taucherglocke", einem hölzernen Kasten von 13 m Länge, 3 m Tiefe und 2,95 m Höhe, gegossen wurden. Die Quaibrücke ist wohl in ganz Europa die erste Brücke, deren Fundation auf pneumatischem Wege zu Stande gebracht worden ist. Den Arbeitern, deren bis auf 15 unter der Glocke Platz hatten, wurde von den Stadthausanlagen her stets frische Luft zugepumpt. Auf die Cementpfeiler kamen die Steinpfeiler, worauf endlich das Eisenwerk in der

Konstruktion der kontinuirlichen Träger gestellt wurde. Die Brücke hat eine Länge von 120 m und eine Breite von 20 m. Die Bausumme beträgt 860,000 Franken. Die Übernehmer sind: die Herren Ph. Holzmann & Comp., Gebrüder Benckiser und Schmid-Kerez.

Im botanischen Garten.

Zu den mannigfachen, grossartigen Schöpfungen Zürichs aus der Dreissiger Periode gehört auch der botanische Garten. Nachdem man mit der Anlegung eines solchen im „Schimmelgut" in Aussersihl einen misslungenen Versuch gemacht hatte, wählte man hiezu das Schanzengebiet um die Bastion zur „Katze". Die ganze Anlage besteht aus drei Terrassen und ein breiter Weg von zwei Eingängen her führt den Spaziergänger zwischen den Anlagen durch bis auf die Katze hinauf. An der Nordseite sind Alpenpflanzen und um die Teiche herum Sumpfgewächse. Auf derselben Seite ist seit kurzem ein Stück Alpenwelt modellartig errichtet mit Quellchen, Wasserfällchen, Rinnchen, Schlünden und Abgründen, Moränchen, Spitzen und Zacken und Kuppen, Brücklein und Steglein. An diese Stelle sind die Kinder der alpinen Flora verpflanzt worden, um sich ein Bild des alpinen Pflanzenlebens zu verschaffen. Und hast du mitten durch Blumenduft und Farbenpracht hindurch die Höhe, „die Katze", erstiegen, so kannst du hier im kühlen Schatten die Aussicht nach allen vier Himmelsgegenden geniessen. Hier, wirst du sagen, ist gut sein, der geschwätzige Cicerone mag ruhen, die majestätische Natur predigt und erbaut auch ohne Worte. Die Kinder der Flora sind nicht die letzten, welche hohe Freuden und Genüsse in unser Leben zu flechten geeignet sind. Das haben die vier Männer, deren Bilder und Gedenktafel den botanischen Garten zieren, tief empfunden: Konrad Gessner, Decandolle, Hegetschweiler, Arzt, Botaniker und Staatsrat, ein um die Flora der Schweiz hochverdienter Mann, und Hrch. Zollinger.

Im Sihlhölzli.

Dieses vom Wasser umflossene Wäldchen gehörte im vorigen Jahrhundert der physikalischen Gesellschaft in Zürich, die es in eine Promenade umwandelte, worauf im Jahr 1849 das jetzige

Schützenhaus erbaut wurde. Promenade, Schützenplatz, Eisfeld und Jugendfeste sind magnetische Anziehungspunkte für Jung und Alt. Wer wollte z. B. nicht je gewöhnlich den letzten Montag des Monats August ins Sihlhölzli gehen? An diesem Tage findet nämlich das Knabenschiessen statt, ein durchaus nicht veraltetes, jedoch altes Fest für die Buben, bei dem freilich die Mädchen das Nachsehen haben. Wir begeben uns zurück auf den Sihldamm zwischen dem Sihlkanal und der Sihl. Oberhalb des Sihlhölzli zweigt sich nämlich durch Kanalisation ein Teil der Sihl ab, fliesst in fast paralleler Richtung mit der Sihl bis in die Gegend der Sihlbrücke, wendet sich hier rechts durch ein offenes, hölzernes Gerinne in einer Höhe von ca. 3 m über dem Schanzengraben weg gegen die Stadt, wo der Kanal, in Schlangenwindungen sich bewegend, zur Betreibung verschiedener Werke benutzt wird und sich endlich hinter dem alten Schützenhause in die Limmat ergiesst. Dieser Kanal heisst auch oft die zahme Sihl, während der andere Teil die wilde Sihl genannt wird. Diesen Namen trägt sie nicht unverdient, denn zu Zeiten richtete und richtet sie grossen Schaden an; doch: „auch den Feind kann man nützen". Wenn die „wilde" Sihl bei Schneeschmelze und Regenwetter zum reissenden Strome wird, bringt sie uns schätzbares Material: Steine zur Pflästerung, Kies für die Strassen, Sand zu Bauarbeiten, und auf ihrem Rücken trägt sie das im Sihlwald geschlagene Holz ohne Frachtgeld nach der Stadt. Eine ihrer schlimmen Tätigkeiten besteht u. a. darin, dass sie zur Zeit des hohen Wasserstandes bei der Ausmündung des Schanzengrabens teilweise in denselben eintritt, ihn staut, trübt und mit ihm die rechtwinkelige Rückreise in den See macht, um dann als trübes Limmatwasser abwärts zu fliessen.

Zum Polytechnikum.

Am Haus „zum Rechberg" vorbei, gelangen wir an der Künstlergasse bald zu dem mit einer Mauer umgebenen Künstlergut, welches einer im Jahr 1787 gegründeten Künstlergesellschaft gehört und aus einem Alt- und Neubau besteht. Der Neubau enthält eine Gemäldesammlung und eine solche von Gipsabgüssen, ferner Originalzeichnungen von der Hand des berühmten Idyllendichters Salomon Gessner, ein Maler- oder Künstlerbuch, in welches die jeweiligen Mitglieder alljährlich Originalzeichnungen abgeben.

Dem schönen Namen des Hauses entspricht auch vollkommen seine Lage, denn von der Terrasse aus, zwischen der Alt- und Neubaute, geniesst man eine treffliche Aussicht. Nebenan findet sich die Blinden- und Taubstummenanstalt an der Stelle der einstigen Kronenporte, der Wohnung des Schanzenherrn. Gemeinnützige Männer von Zürich kamen auf den Gedanken, für die bildungsfähigen Blinden des Kantons eine Schule zu errichten. Die erste Blindenschule wurde 1808 in einem gemieteten Privathause eröffnet. Die Anstalt gedieh und reifte den Entschluss, auch noch eine Taubstummenschule ins Leben treten zu lassen. Dies geschah mit sechs Zöglingen im Jahr 1827. Südlich vom Blindeninstitut liegt auf einem Hügel des ehemaligen Festungswerkes ein Häuschen mit geteiltem Dache, die einstige Sternwarte. Darin wurde von den Zürcher Gelehrten die geographische Lage Zürichs zu 47° n. B. und 6° ö. L. bestimmt, da hielt auch vor Erbauung der jetzigen Sternwarte Herr Professor Wolf seine Collegien, unter der Türe dozirend und seine Schüler bei Regenwetter mit seinem Rücken deckend. Wir stehen auf der Schönbergstrasse. Das daran liegende verpalissadirte Haus ist eine Verhaftanstalt. Nr. 15 ist das Haus zum Schönenberg, schon bekannt als Sitz des Historienmalers Ludwig Vogel. Nachbildungen von Vogels historischen Gemälden zieren unsere Stuben, wie z. B. Tells Apfelschuss, Winkelrieds Tod, Zwingli's Abschied etc. Hier im „Berg" wohnte im vorigen Jahrhundert Johann Jakob Bodmer, der zur Wiedergeburt unserer Nationalliteratur wesentlich mitgewirkt hat. In den Vierzigerjahren wohnte auch der „politische" Dichter Herwegh einige Zeit im Schönenberg.

Jenseits der neuen Strasse liegt auf dem Gebiete der Gemeinde Fluntern das Kantonsspital, welches 1837 und 1838 erbaut, aber erst 1842 bezogen wurde. Hinter dem Spital ist das neue Gebäude für pathologische Anatomie und das Absonderungshaus. Neben dem Spital findet sich auf einem kleinen Plateau die Sternwarte, wozu der Plan nach Angaben des Herrn Professor Wolf von Professor Semper entworfen worden ist. Vor der Sternwarte ist die land- und forstwirtschaftliche Schule mit Sammlungen, Lehrsälen, Laboratorien. Die land- und forstwirtschaftliche Schule steht eine der Fachschulen des Polytechnikums, das wir jetzt besuchen wollen. Besehen wir uns die Hauptfaçade. Da ist vor allen Dingen der Mittelbau, welcher in seinem wirkungsvollen italienischen Renaissancestil seiner Umgebung den Gruss zu entbieten scheint. Die prachtvollen Säulen mit den reichen Kapitælen geben der Mittelbaute eine Strebung und Ansicht von wohltuendster Wirkung. Die leeren Nischen freilich harren seit einem Vierteljahrhundert der Auszierung durch Statuen. Wegen allzu knapper Ökonomie konnte es Professor Semper leider nicht durchsetzen, dass die Seitenflügel der Mittelbaute entsprechend ausgeführt wurden. Vor dem Eingange sind Gaskandelaber auf Sphinxen ruhend angebracht. Aus den Inschriften der Marmortafeln über den Eingängen vernimmt man, dass zur Zeit der Polytechnikumsbaute die Herren Regierungsräte Hagenbuch und Wild die Direktion der öffentlichen Arbeiten inne hatten. An der Nordseite sind Sgraffitmalereien nach Sempers Entwürfen ausgeführt. Zu oberst sind die Kantonswappen, zwischen den Fenstern sind die Insignien, die mit den folgenden allegorischen Figuren Bezug haben auf den Inhalt der exakten Wissenschaften, als: Chemie, Mechanik, Physik, Ingenieurwesen, Architektur, Landwirtschaft. Daran reihen sich Merkwörter als Ausdruck menschlicher Tugenden, endlich bietet uns das Kunstwerk eine Galerie von Gelehrten aus alter und neuer Zeit. Vom Polytechnikum getrennt steht gegen die Ostseite das technisch-analytische Laboratorium. Im östlichen Teile des Polytechnikums sind die Räume für die Hochschule; die Souterrains enthalten Werkstätten, Modellsammlungen, Hauswartwohnung, Gasometer, Kohlenmagazine. Treten wir von der Südseite ins Polytechnikum, so überrascht uns das architektonisch gehaltene Vestibül mit der Sammlung von Gipsabgüssen, das archäologische Museum genannt. In der Aula, wohin wir uns begeben wollen, steht die Büste Joh. Kaspar Orelli's, des Gründers der Universität, geb. 13. Februar 1787, gest. 6. Januar 1849. Die Aula ist wohl nicht nur die Krone des ganzen Polytechnikums, sondern das Schönste, was wir auf unserm Spaziergang im Kunstfache gesehen haben und noch sehen werden. Hier hat sich Semper selbst sein Denkmal gesetzt, indem er den Plan zu dem ganzen Kunstwerke entwarf. Man könnte den über und um uns befindlichen Bilderdarstellungen die Überschrift geben: Die Kulturgeschichte des Menschengeschlechtes. Dieser Gedanke ist teils durch Einzelbilder, teils durch ganze Gruppen symbolisch dargestellt; eine genauere Betrachtung derselben müssen wir uns aber natürlicherweise versagen. Im Hörsaal Nr. 15 der Hochschule hat das schweizerische Idiotikon von der h. Regierung in verdankenswerter Weise mit seinen Sammlungen eine Unterkunft erhalten. — Wen das Steigen nicht verdriesst, wird endlich auf dem flachen Dache des Gebäudes selbst durch eine prächtige Rundsicht sich belohnt finden.

Nach Aussersihl.

Von allen Ausgemeinden hat keine sich so rasch entwickelt als Aussersihl, das für sich allein der Einwohnerzahl der Stadt bald nahe kommt. Hier wachsen ganze Quartiere in kürzester Zeit wie aus dem Boden heraus. Vor nicht einmal 40 Jahren waren ungefähr $^3/_4$ des Bodens, der von der Seetal-Bahn umkreist ist, Getreideland. Aber alles hat sich umgestaltet, der Einwohner selbst kennt seine Heimat nicht mehr. Kein Pflug durchfurcht mehr den Boden, kein Schnittergejauchze erfüllt mehr die Luft, und nicht mehr rauschet vom Golde der Ähren das Land. Die Lokomotive pfeift, die Esse zischt, die Wagen rollen in drängender Eile ab und zu. Und was die Eisenbahntechnik nicht belegt hat, das hat das Militär getan, denn da findet sich das grosse Kasernengebäude mit dem Exerzierplatz und den neuen Zeughäusern. Diese schliessen eine rechteckige Fläche ein, worauf ein Artilleriepark aufgestellt werden kann. Das Portal der Hauptfront stammt von dem alten Zeughaus in Gassen. Im Mittelbau ist die sehenswerte Waffensammlung, sie enthält u. a. Rüstungen und Trophäen aus älterer Zeit, als: Harnische, Panzer, Schwerter, Speere, Kanonen, Panner von Herzog Karl von Burgund und andern geschichtlichen Personen und Orten, auch die Rüstung Zwinglis aus der Kappeler Schlacht. In den beiden Flügeln, sowie in den Seitenbauten sind Wagen und Geschütze, die Verwaltungslokalität, nebst verschiedenen Werkstätten. Die Kaserne ist in Hufeisenform gebaut und enthält ausser dem Souterrain und Erdgeschoss drei, resp. vier Stockwerke. Die Räume sind zwar einfach eingerichtet, aber gut heizbar, teils durch Blechöfen, teils durch Dampfheizung und gut ventilirt, indem die Fenster Oberflügel und die Türen Oberlichter haben, welche abwärts beweglich sind, dazu sind die Türen unten mit Registern versehen. Im ganzen fasst die Kaserne eine Mannschaft von 1400 Mann. Sie kostete 1,920,000 Franken und wurde 1876 zum Beziehen fertig. Die Strecke von der Sihlbrücke abwärts bis zur Limmat, früher eine Pferd- und Schafweide für die Stadt, Wiedikon und Aussersihl, ist zur Sihlvorstadt geworden. Durch die Sihlvorstadt hinauf wandern wir bis zur Sihlbrücke, wo wir in die Badenerstrasse einlenken. Tausend Erinnerungen knüpfen sich an diese Brücke. Wie sie zur Zeit des alten Zürich-Krieges ausgesehen haben mag, lässt sich aus der Erzählung schliessen, der Bürgermeister Stüssi sei, auf der Brücke kämpfend, von unten herauf, durch die lose aneinander liegenden Bretter, erstochen worden. Freilich wird die Sache auch anders erzählt. Lange Zeit war sie für die zur Hinrichtung nach dem Sihlfeld geführten Verbrecher eine „Seufzerbrücke". Im Jahr 1793 wurde die letzte hölzerne Brücke neu erstellt, eine für die damalige Zeit hübsche, feste Sperrwerkbaute. Als aber Aussersihl sich selbst zu einer Stadt entwickelt hatte, konnte die Brücke nicht mehr genügen, im Gegenteil war sie dem Verkehr geradezu hinderlich, und der Missmut des Volkes, sowie dessen Humor liess sich weidlich an der zur Ruine gewordenen Brücke von der traurigsten Gestalt aus. Als im Jahr 1865 der Gesangverein des Limmattales sein Fest in Aussersihl feierte, war der Eingang der Sihlbrücke durch zwei abgedorrte Tannen mit schwarzen Fähnchen geschmückt, die zwischen sich folgende mit schwarzem Flor umschlungene Inschrift trugen:

„Mach' Platz, du alter Maulwurfsgang,
Dem offnen Raum und Lichte!
Jahrzeh'nte standest du zu lang;
Die Zeit sitzt zu Gerichte!"

Am 12. März 1866 erfolgte durch Beschluss des Grossen Rates das längst ersehnte Todesurteil und schon 1867 stand die neue Brücke fertig da. Die Badener Strasse führt uns mitten in das St. Jakobs-Quartier hinein, welches sich im Revier der St. Jakobs-Kapelle befindet. Jetzt werden die Räume des ehemaligen Siechenhauses von Mietsleuten bewohnt, und das noch ziemlich gut erhaltene Kirchlein dient als Magazin. An die St. Jakobs-Kapelle schliesst sich der alte katholische Kirchhof an, früher den Protestanten gehörend, der seit der Anlegung eines neuen beim „Löchli", Gemeinde Wiedikon, nicht mehr benutzt wird. Zur rechten Seite der Strasse ist die Kirche von Aussersihl, oft auch neue St. Jakobs-Kapelle genannt, hinter welcher sich der neue Kirchhof befindet. Der grosse Centralfriedhof aller Bewohner der Stadt Zürich liegt an der Badener Strasse, ca. 40 Minuten von der Stadt auf Wiedikoner Bann gelegen, woran sich die Friedhöfe für Aussersihl und Wiedikon schliessen. Solltest du, lieber Spaziergänger, nicht besondere Lust verspüren, nach dem neuen Centralfriedhof zu pilgern, die Ansicht des Herrn Professor Breitinger sel. teilend, „man werde schon so freundlich sein, dir den Weg zu weisen, wenn du dereinst gestorben sein werdest", so lass dir sagen, dass der nach dem Plane des Herrn Stadtbaumeister Geiser angelegte Friedhof gar nicht das Ansehen eines düstern Leichenfeldes hat. Da sind z. B. 10 m breite Strassen mit Baumalleen, bequeme Ruhesitze und schattige Plätze. Die Strassen teilen das ganze in vier grosse Felder; diese werden durch Kreuzwege wieder in Unterabteilungen zerlegt. Im Mittelpunkt ist ein etwa 1000 m² grosser Raum vorbehalten zu einer Abdankkapelle. An der Eingangsseite befinden sich die Leichenhalle, das Sezirzimmer und die Wohnung des Gärtners. Die dazwischen liegenden Hallen sind Eingänge für die Besucher und die Leichenzüge. Es ist doch wohl tröstliche Empfindung, hie und da bei der Hülle derjenigen zu weilen, die unsere Angehörigen, unsere Freunde, unsere Bekannten gewesen sind, uns zu versenken in die Zeit, da wir ein Stück Leben mit einander zugebracht haben, uns neuerdings zu erheben an dem Gedanken, dass die Liebe und das Vertrauen Tod und Grab überdauern. Das ist ganz recht und schön, sagst du,

„Und lieblich sieht er zwar aus mit seiner erloschenen Fackel;
Aber, ihr Herren, der Tod ist so ästhetisch doch nicht."

Auf den Zürichberg.

Je mehr die Städte anwachsen, um so mehr empfinden die in ihre Mauern gebannten Bewohner das Bedürfnis, in der freien Natur, in Waldesduft und Waldesschatten, sich zu ergehen. Da Zürichs nächste Umgebungen aus Kulturland bestehen, muss der Zürcher sich schon bequemen, seine Schritte weiter zu lenken, um idyllische Plätzchen aufzusuchen.

Der Zürichberg, dessen Forstgebiet den Genossenschaften Oberstrass, Schwamendingen, Fluntern, Hottingen und Hirslanden, zum Teil auch dem Staate (Kanton) und der Stadt Zürich gehört, ist in seiner ganzen Ausdehnung bereit, die nach Waldesduft und Schatten Lechzenden in seine weiten Arme aufzunehmen.

Und in einer guten halben Stunde kann von der Stadtmark aus der Rand dieses Forstareals erreicht werden.

Auf welchem Punkt wollen wir ihn betreten? Auch hier führen viele Wege nach Rom! Die kürzesten Linien von der Stadt aus steigen indessen so steil hinan, dass wir lieber einen bequemern Aufgang wählen. Gewinnen wir zunächt die Terrasse vor dem Polytechnikum, einen prachtvollen Standort zur Vogelschau über die Stadt unmittelbar vor uns, über Limmat- und Seetal und an die Gebirge hin! — Längs der Nordseite der eidgenössischen Schulanstalt gelangen wir an die „obere Strasse“, nach Oberstrass. Bei der kleinen Kirche von Oberstrass lenken wir rechts in die alte Winterthurerstrasse ein, die uns zwischen Baumgärten und Rebgelände in die Nähe der kantonalen landwirtschaftlichen Schule „Strickhof“ führt. Beim Weiler Langenstein schwenken wir noch entschiedener rechtsab und haben nach 10 Minuten mässigen Steigens die Waldgrenze des Zürichberges erreicht. Durch den untern und obern Hangelweg wandern wir in jungem Laubholz, das mit einzelnen oft gewaltigen Eichen, Buchen und Tannen durchsetzt ist. Auch beim hellsten Mittagssonnenschein dringen hier nur vereinzelte Strahlen durch das Laubdickicht. Du fühlst dich alsbald erfrischt und gehoben im echten, rechten Waldheiligtum! Wie jubelt das Herz auf vor Glück, der schwülen Stadtluft entronnen zu sein!

Der Weg beginnt eben hinzulaufen; denn wir sind auf der Berghöhe, ja schon jenseits der Wasserscheide angelangt. Leichtere Waldbestände wechseln mit dem jungen Aufwuchs: Lärchen- und Tannenholz nimmt uns auf. In einer sonnigen, trockenen Waldwiese laufen mehrere Pfade zusammen. Diesen Knotenpunkt ziert in äusserst romantischer Weise eine gut erhaltene Hütte, aus Holz gebaut und mit Rinde gedeckt und tapezirt. Wir treten durch die leicht zu öffnende Türe ein; wissen wir doch, dass die Klause nicht etwa Privatbesitz eines „Waldbruders“ ist. Ein Stübchen mit Tisch und Bänken aus schlichtem Tannholz nimmt uns auf. Da mag's wohnlich sein, wenn etwa draussen ein Gewitter tobt! Jetzt aber, während glanzvoll die Sonne vom wolkenlosen Himmel herniederschaut, wenden wir uns lieber seitwärts, wo zwischen hohen Tannenstämmen auf trockenem Moosteppich ebenfalls Tische und Bänke sich reihen. Da wollen wir eine Rastpause machen, um die Menschenfreunde dankbar zu ehren, welche einen so äusserst einladenden Ruheort zu öffentlicher Benutzung hergestellt haben.

Eine Gesellschaft von Männern und Frauen aus Zürich und Umgebung hat sich mit Recht den Namen „Verschönerungsverein“ beigelegt. Sein Streben ging dahin, die schon bestehenden Wege durch die schönsten Waldpartieen des Zürichberges zu verbessern, neue anzulegen, Brücken aus leichtem Rundholz über Bachrunsen zu ziehen, an ausgesuchten Schattenplätzen oder ausgibigen Aussichtspunkten Ruhebänke herzustellen. Werk und Eigentum des Vereins ist auch die „Waldhütte“ samt Zubehör. Damit Jedermann sich auf dem Gebiete seiner Tätigkeit besser zurechtfinden könne, hat er ein Übersichtskärtchen fertigen lassen, auf welchem, rot bezeichnet, alle von ihm geschaffenen Waldwege und Ruhebänke zu finden sind. Unter Leitung dieses Kärtchens hält es nicht schwer, ohne grosse Irrfahrten den ganzen Zürichberg beliebig zu durchstreifen. Der Verein hat sich durch seine schon mehrjährige Tätigkeit ein hohes Verdienst erworben.

Der Pfad südostwärts, den wir einschlagen, ist uns angezeigt durch einen Wegweiserarm mit der Aufschrift „Frauenbrünneli“. Wie Rekruten in Reih' und Glied stehen zur Seite junge Tannen hingepflanzt. Haben im Laubgehölz hinterhalb der Waldhütte da und dort Finken, Meisen und Spechte ihr munteres Wesen getrieben, so ist hinwieder der junge Tann von melodisch flötenden Drosseln zum sommerlichen Standquartier erwählt worden. Die Schönheit des Gesanges dieser Beerennäscher mutet uns nur um so mehr an, wenn zwischenein das hässliche Gekrächze des räuberischen Nussheher tönt.

Am Frauenbrünneli! Auch da treffen mehrere Waldwege in einander. Woher wohl der romantische Name? Eine Viertelstunde weiter ostwärts, in einer Lichtung der Waldgegend, stand ehemals ein Frauenkloster, das in der Reformationszeit aufgehoben wurde. Kaum findet man noch Ruinenreste von demselben. Ein erfrischenderes, wohlschmeckenderes Quellwasser findest du nirgends! Es muss dir munden, als ob die holdeste Waldfee es dir kredenzte. Greif' ohne Zaudern zum Becher, den die hölzerne Brunnensäule an einem Kettchen hält! Der Waldspaziergang hat dein Blut wohl so beruhigt, dass du keine Erkältung gefährdest. Immerhin magst du bedenken, dass auch hier der Spruch gilt: Zu viel ist ungesund. — Haben wir auf den nahen Ruhebänken das fröhliche und doch besänftigende Rieseln des sprudelnden Quells genugsam genossen, so wallen wir in bisheriger Südostrichtung fürbass. Die Wasserscheide liegt uns immer noch, nunmehr bedeutend ansteigend, zur Rechten. Fast ebenen Fusses ziehen wir durch die Säulenhallen hoher Fichtenstämme hin. Hier hat zur Zeit des holden Lenzes aus dem zartgrünen Moos hervor der feinstengelige, quirlblättrige, weissgekrönte W a l d m e i s t e r geblüht. Jetzt schon ist jede Spur dieser Herrlichkeit zurück ins moosige Grab gesunken. Wie manchen Wechsel der Jahreszeiten hinwieder haben die hochragenden Baumgestalten schon durchlebt! Wie oft schon haben sie in winterlicher Pracht mit der Schneelast auf ihren breiten Schultern oder um und um mit schwerem Duft behangen gleich überzuckerten Weihnachtsbäumen dagestanden! Doch nur wenige Monde später hängten sie ihre purpurroten Blütenkerzchen aus. Zwei volle Jahre reichten dann kaum hin, sie erst zu grünen, mit hellen Harztropfen kandirten Zapfen, dann in solche mit offen stehenden braunen Schuppen zu gestalten, zwischen denen hervor K r e u z s c h n ä b e l und D o m p f a f f e n die öligen Samen hervorholten. Zerstörungssüchtige E i c h h ö r n c h e n warteten nicht die volle Reife ab; sie nagten schon die grünen Schuppen nach den noch milchigen Kernen suchend ab. Der Weg führt uns an den Rand der Lichtung L i e b w i e s. In deren Umgebung hat einst einsam das Kloster der Himmelsbräute gestanden. Eine grosse Pflanzschule von Waldhölzern aller Art dehnt sich da wohlgepflegt und allen Unkrautes ledig über einen weiten Plan aus. Sage man doch nicht, dass menschliches Zutun der Naturwirksamkeit nicht wesentlich nachzuhelfen vermöge! Beweis hiefür sei solch eine gut geordnete „Schule“ von tausend und tausend jungen, kräftig strotzenden Pflänzlingen, entsprossen aus sorgfältig gewähltem, in wohl zubereiteten Boden gestreutem Samen!

Sollten wir nicht so viel als möglich in des Waldes schattiger Bergung verbleiben? Deshalb schlagen wir einen nach rechts, südwärts führenden Pfad ein. Links bleibt uns die offene Lichtung nahe. Das zeigt uns der grüngoldene Schimmer, der durch das Geäste herein sich drängt; das melden uns auch fröhliche Menschenstimmen, die zeitweise von dorther zu uns herein klingen. Es ist Sonntag nachmittags. Auf unserem Waldwege sind uns schon wiederholt heitere Waller in grössern oder kleinern

Gruppen begegnet, oder haben wir frische Lebenslaute aus Menschenmund von entfernten, unsern Blicken entzogenen Waldwegen her vernommen. Jetzt aber tönen uns solche Äusserungen der Lebenslust ständig von einem und demselben Orte her. Das „Landwirtshaus“ zum „alten Klösterli“ liegt da draussen nahe am Waldessaum. Die gedeckte Halle im Freien ist wohl zum guten Teil mit froh gelaunten Sonntagsgästen besetzt.

Unser Weg senkt sich ziemlich rasch. Er führt auf die fast ganz baumfreie „Allmend“ von Fluntern, auf den uralten Postweg von Zürich hinüber in das Tal der Glatt; sodann erreichen wir die nächsten Waldausläufer des Adlisbergs. Wir halten uns an den sich etwas links ziehenden Weg; verspricht er uns doch mehr Schattenspende, als das in der Längsrichtung des Berges vor uns liegende offene Gelände. An einem äusserst einsam liegenden Wohnhause vorbei gelangen wir in die „Dreiwiesen“, eine wohl schon längst bestehende Lichtung. Eine jüngere Generation von Anwohnern hat in dem offenbar gutgründigen Rasenboden Obstbäume gepflanzt. Diese sind jedoch leicht ersichtlich mehr alt als gross, während die Umgebung der Dreiwiesen den prächtigsten Waldbestand zeigt. Fast scheint es, die Götter des Haines seien etwas neidisch zu Gunsten ihrer Alleinherrschaft auf alt besessenem Gebiete. Mit den Dryaden an den Wiesenbächlein können sie sich leichter vertragen, nicht aber mit dem zuweilen gar zu übermütig sich geberdenden Bacchus, der sich ja bei uns zu Lande auch die Obstbäume untertan gemacht hat.

Vorwärts auf dem nunmehrigen Territorium der Gemeinde Hottingen! Auf den Wechsel der Holzbestände achten wir nach und nach minder. Doch sehr sympathisch spricht uns wieder, nunmehr von rechts her, das Gewirre menschlicher Stimmen an. Es beweist uns, dass wir vom „hintern Adlisberg“, einer vielbesuchten Sonntagswirtschaft, nicht weit entfernt sind. Vorerst indes wollen wir uns noch zum „Katzentisch“ begeben. Das ist eine so weit abliegende Waldgegend, dass sich hier sonst wohl nur „Fuchs und Hase“ begegneten. Am Rand eines Hochwaldes, von wo sich das Jungholz etwas rasch absenkt, hat der Verschönerungsverein um den Stamm einer Weisstanne ein Belvedere gebaut. Schon von den Ruhebänken auf der untersten grossen Plattform schauen wir über den dunkeln Vordergrund weg auf den hellen Spiegel des nahen Greifensees, jenseits desselben auf die hohe Kirche von Uster, das über sie empor ragende, gut erhaltene Schlosskastell des längst vermoderten Geschlechtes der adeligen Bonstetten, die grossen Baumwollfabriken am „Millionenbach“ Aa, den vor 50 Jahren der Spinnerkönig Oberst Kunz in Pflicht und Frondienst genommen. Den Hintergrund füllen und umsäumen der Schauberg, die Hörnlihöhen, die Schneefirnen des Säntis, die aussichtsreichen Gipfel des Bachtel und Speer.

Ein verlockend schön angelegter „Vereinspfad“ führt uns innert 10 Minuten zum „Försterhaus“ im hintern Adlisberg. Dass der hier sesshafte Aufseher über die umliegenden Waldungen nur am Sonntag Gastwirt, sonst aber voll und ganz ein Forstmann ist, das beweist die Inschrift, die hoch oben an der Hauswand jedem Ankömmling sofort in die Augen fallen muss:

Den Wald zu pflegen,
Bringt grossen Segen!

Einen Trunk „realen“, deshalb etwas „sauren“ Landweines haben wir auf unserer dreistündigen Wallfahrt redlich verdient. Doch die Abendschatten ziehen sich mehr und mehr in die Länge. An einer meteorologischen Beobachtungsstation vorbei erreichen wir bald stadtwärts (südwestlich) die Wasserscheide der Waldhöhe, hier „Känzeli“ genannt. Das kleine Hochplateau mit seinen Ruhebänken unter vereinzelten grossen Buchen und Eichen ist wirklich eine Kanzel im hehren Tempel des Waldes, allwo nicht von ihr aus, sondern zu ihr hin empfänglichen Herzen gepredigt wird, wie aus den nahen Baumeswipfeln, so von den fernen Alpenfirnen her.

Durch die äusserst sorgfältig gepflegte Korporationswaldung „Hirslanderberg“ ziehen wir abwärts. Gewaltige Eichenkolosse ragen über das hohe Stangenholz empor. Wir können der Anlockung nicht widerstehen, einen der grössten Stämme zu umklaftern. Die Arme zweier Erwachsener reichen kaum hin, den Umkreis zu schliessen. Von der „Degenriedwiese“, einem Vereinigungspunkt mehrerer Strassen und Forstpfade, biegen wir links ab. Ein „Verschönerungsweg“ bringt uns über eine Rundholzbrücke fast zu Anfang des „Stöckentobels“ auf den etwas isolirten Hügel der ehemaligen „Biberliburg“. Noch sind nach zwei Richtungen die alten Wallgräben als halbverwachsene Schluchten ersichtlich, und auf der Höhe stösst der Fuss auf verwitterte Mauerreste. Talwärts fällt die Böschung tief und steil ab. Die Aussicht mitten aus der Waldwildnis auf Hirslanden, auf die kantonale Irrenanstalt Burghölzli und auf den heiter lachenden See bietet die wundersamsten Gegensätze zu stiller Betrachtung dar. Nimm Platz hier auf der Ruhebank! Ganz von der Aussenwelt abgeschieden, geniessest du eines offenen Ausblicks auf sie. Wird allda nicht dein nüchternster Sinn zu philosophischen Betrachtungen angereizt? — Das adelige Geschlecht der „Biberli", dessen Sprossen schon längst ausgestorben sind, soll einst die Herrschaft über Hottingen und Umgebung besessen haben.

Fast übersättigt von den Eindrücken des nachmittägigen Ausfluges sind wir froh, dass der Abend vollends dunkelt und uns heimführt. Wir nehmen zwar den Weg über die Hohe Promenade, sind aber nicht mehr genugsam empfänglich für den purpurnen Abendschimmer, der auf dem mit Nachen reich belebten Seebusen von Zürich zu tieferem Schatten übergeht.

In minder heisser Tages- und Jahreszeit ergehen wir Stadtzürcher uns gern an der offenen Berghalde ob Hottingen und Fluntern, erfrischen unsere Gaumen etwa in den allbekannten Wirtschaften „Sonnenberg" oder im „Forster", oder pflegen der Rast auf den Bänken bei „Büchners Denkmal", von wo wir eine Ausschau gewinnen, die derjenigen auf der „Waid" ob Wipkingen nur wenig nachsteht.

Auf den Ütliberg.

Eine erste Nachmittagsstunde ist's im Monat Mai. Da zieht ein Lehrer mit seiner muntern Schülerschar von der Mitte der Stadt Zürich weg südwestwärts gegen die Albiskette. Auf der Brücke über den Schanzengraben wird die Stadtgrenze erreicht und die Vorstadt Enge betreten. Dieser Name scheint darauf hinzudeuten, dass vor Jahrhunderten die örtlichen Verhältnisse allhier eingeschränkte, eng begrenzte gewesen seien. Gegenwärtig ist Enge eine der reichsten und ausgedehntesten Umgemeinden von Zürich. Sie wetteifert im Ausbau prächtiger Häuser mit den schönsten Quartieren der Stadt. Der Strassenname Bleicherweg weist wohl darauf hin, wie da in alter Zeit Leinwand zum Bleichen ausgebreitet lag, allwo jetzt grossartige Wohnhäuser aneinander sich reihen.

Bald führt uns die Strasse an den Fuss des Hügelbogens, der hier, zwischen Zürichsee und Sihl, den Ausläufer der Zimmerbergkette bildet. Am Südostabhange dieses sanft sich hebenden Höhenzuges dehnt sich das Villenquartier aus. Da gruppiren sich, teils prachtvoll aufragend, teils anmutig sich hinlagernd, Wohnhäuser zwischen Parkanlagen und schmucken, kleinen Gärten. Ein Tunnel durchneidet den Villahügel, um die linksufrige Seebahn von der Sihl her zur Station Enge nahe am Seeufer zu führen.

Mit unserer Schülerschaft wandert sich's leicht auf der grossen Landstrasse, parallel mit dieser Bahn, in südlicher Richtung. Auf der Höhe rechts prangt als ein wahres Palastgebäude das Schulhaus der Gemeinde Enge. Nicht weit davon überschreiten wir den Hügelkamm und gelangen, nur eine gute halbe Stunde von der Stadt entfernt, an das Ufer der wilden Sihl.

Schon auf diesem kurzen Wege hat uns das freie und fröhliche Tierleben, wie es auf dem Lande sich zeigt, Vergnügen bereitet. Zwitschernd durchkreuzen Schwalben die Luft, um Insekten zu haschen. Trillernd schwebt über ihnen die Lerche. Muntere Stare tragen ihren Jungen in den auf Bäumen angebrachten Brutkästen Futter zu. Buchfinken mit weinroter Brust rufen sich von entfernten Baumwipfeln ihr lustiges „Gsätzlein“ wechselzeitig zu, während ihre blasser gekleideten Weibchen im dicht belaubten Krongezweige still ihrem Brutgeschäft obliegen. Um die einzelnen Scheunen her, an denen der Pfad uns vorbeiführt, stolzirt der laut krähende Hahn inmitten einer nach Futter scharrenden Schar Hühner, girren auf den Dächern Tauben und zankt sich lärmend ein Schwarm diebischer Sperlinge. Beim Bienenstand fliegen emsige Honigsammler ein und aus.

Auf gut gebauter Strasse gelangen wir zur Sihl hinunter. Hier dehnen auf den beidseitigen Ufern in ebener Flucht die Allmenden von Wollishofen und Wiedikon sich aus. Wo früher auf diesem Gemeindeland Vieh weidete oder dunkler Tannenwald sich ausdehnte, da ist jetzt der halbdürre Rasen hin und wieder von Schützengräben durchzogen, von Kanonenradgeleisen durchfurcht, von den Hufen der Kavalleriepferde zerstampft, von hohen Erdwällen hinter langen Scheibenreihen begrenzt. Eine eiserne Gitterbrücke verbindet die beiden zu demselben Zwecke dienenden alten Allmenden. Denn diese Sihlebene ist ein Militärübungsplatz je vom frühen Lenze weg bis in den Winter hinein. Nur in den Pausen zwischen den einzelnen Übungskursen suchen etwa Herden friedlicher Schafe ihre spärliche Nahrung auf dem Boden des oft so laut belebten Kriegspiels.

Man mag auf diesem ebenen Plane zu beiden Seiten der Sihl die karge Pflanzenerde aufdecken, wo man will, so stösst man alsbald in geringer Tiefe auf Kies, der dem heutigen Geröll in dem Bette der Sihl vollständig ähnlich sieht. Offenbar hat im Verlauf der Jahrhunderte dieser Fluss seine Richtung vielfach verändert. Jetzt ist er durch starke Mauern eingedämmt und angewiesen, sein Wasser teilweise in Kanäle abzugeben, von denen einer oberhalb der Allmend auf dem rechten Sihlufer eine Baumwollspinnerei in Betrieb setzt, der andere weiter unten in der linksufrigen Ebene seine bewegende Kraft einer Papierfabrik zuführt. So ändern sich mit den Zeiten die Verhältnisse. Das wilde Bergwasser wird gezähmt und zum Dienst für Gewerbstätigkeit gezwungen.

Vom obern Ende der Wollishofer Allmend aus überschreiten wir die Sihl auf einer eisernen Sperrbogenbrücke. Die frühere hölzerne ist vom hoch angeschwollenen Waldstrome weggerissen worden. Eine etwas steile Berglehne, der Fuss der Albiskette, wird von uns in nicht zu langsamem Anlauf erstiegen.

Der vorgerückten Frühlingszeit, der Mitte des Monats Mai entsprechend, sind die weissgefiederten Samen des Huflattig schon fast alle vom Wind abgeweht. Haben doch die sattgelben Korbblüten auf ihren kurzen, schuppigen Schäften schon im Monate März den hier sonst etwas pflanzenarmen, lehmigen Boden geschmückt. Ist nun bald die Spur der Früchte verweht, so schlüpfen dafür die lederartig festen, oben mattgrünen, unten weisswollig befilzten Blätter aus der Erde und decken sie weithin mit breit sich ausdehnender Hufform. Sie müssen offenbar den tief gehenden, schnurartigen Wurzeln Nahrung zuführen zu Gunsten der Blütentriebe des nächstfolgenden Frühlings.

Zerstreut wuchern auf dem bergwärts sich ausdehnenden Wiesenplane die Büschel schwertartiger Blätter einer Zwiebelpflanze, der Herbstzeitlose. Schon beginnen die taschenartigen Fruchtkapseln sich empor zu recken. Noch sind die inliegenden giftigen Samen milchig weiss; bis zur Zeit der Heuernte gehen sie mit dem Reifezustand in dunkelbraune Färbung über. Im verwichenen Herbst, vor mehr als einem halben Jahre, haben aus der tief in der Erde steckenden Zwiebelknospe die lilafarbigen Blumenröhren sich ans Licht empor gestreckt.

Hier entzücken uns auch Kundgebungen aus der Tierwelt. Durch enge Öffnungen, selbst in Steinhaufen, schlüpft, nach Insekten spähend, der kleine Zaunkönig äusserst gewandt, trotz seines aufstehenden Strausschwänzchens. Dann schwingt er sich auf einen obersten Zweig und singt ein gar lautes, lustiges Liedchen. Ihn überbietet noch im muntern Gesange die von Baum zu Baum sich schwingende Grasmücke. Wegen ihres grauen Federkleides und ihrer liederreichen Kehle darf sie unsere schweizerische Nachtigall geheissen werden. Minder melodisch erschallt der etwas schnarrende, lang gezogene Sington der Goldammer, aus dem Finkengeschlecht, die im nahen, dichten Gebüsch ihr Nest wird gebaut haben. Etwas entfernter lässt der Neuntöter (Dornelster), der einen Vorrat von gefangenen Käfern an die langen Spitzen einer Schwarzdornstaude steckt, seine Stimme hören. Dort am alten, hoch aufragenden Stamm einer Eiche klettert ein Baumläufer (kleiner Spechtvogel) bald auf-, bald abwärts, bald rings um die Äste, indem er die rissige Rinde nach Insektenbrut absucht. Diese Kunstläuferei ist ihm nur dadurch möglich, dass er seine Wendezehen nach hinten richtet.

Wie kommt es, dass wir da mitten in den Waldabhängen an der Albiskette fast inselartig diese Wiesenhalde mit Baumalleen für Stein- und Kernobst finden? Vor etwa einem Jahrzehnt noch stand allhier ein grosses Bauernhaus mit Scheunen und Stallungen. Diese Gebäude sind abgetragen worden, weil die auf den Sihlallmenden stattfindenden Artillerieübungen der Benutzung dieser genugsam entfernt liegenden, offenen Berghalde bedürfen, um für die weit tragenden Kanonen ein genügendes Schiessziel zu erhalten. Seht hier eine Schicht zusammen gelagerter, halb zerschossener Scheiben noch vom letzten Herbst her! Schaut dort die hohlen Schanzen (Kasematten), in denen sich während des Geschützfeuers die Zeiger bergen können! Und wie ist weiter oben der Boden zerrissen von den schweren Kugeln, die dort eingeschlagen haben und dann von den Zeigern herausgegraben worden sind! Nun ist uns klar, warum hier Wiesen und Bäume etwas vernachlässigt erscheinen, und weshalb im Rasen die giftspendende Herbstzeitlose und an den Baumkronen die schmarotzende Mistel überhand nehmen.

Wir verlassen diesen frühern Bauernhof, Höckler genannt, um in den südwärts liegenden, wundersam schattigen Buchenwald einzutreten. Wie zart erglänzen die jungfrischen, hellgrünen Blättersprossen! Wie glitzern sie goldig in den durch die hohen Kronen sich drängenden Sonnenstrahlen! Wie ragen die schlanken, weissgrau berindeten Stämme gleich Tempelsäulen empor! Das prachtvolle Laubholz ist nur wenig untermischt mit niedrigern, dunkelgrüne Nadeln tragenden und unser härtestes Nutzholz liefernden Eiben. Von ihren (im April) verblühten, gelblichen Staubkätzchen sind nur noch geringe, verdorrte Reste zu sehen. Im Herbste reifen an den Eiben hübsche, rothäutige Fruchtbeeren. Da und dort ragt an lichter Waldstelle ein niedriges Strauchschoss aus dem Boden, fein weisslich berindet und oben mit einem grünglänzenden Blätterschopf geziert, der Seidelbast, dessen blassrote, stiellose Blüte schon einem Beerenansatz Platz gemacht hat. Erst im Herbste wird ihr heller Purpur den Reifezustand anzeigen.

Ein gut angelegter Zickzackweg führt an der stark sich absenkenden Buchenhalde empor. Er ist noch tief gepolstert mit letztjährigem, hartdürrem Laube. Dann läuft er auf einen schmalrückigen Bergvorsprung aus. Nach links und rechts fällt der gebüschreiche Waldhang steil ab. Auf dem Grate hinan führt uns der Pfad bald über kahle Sandsteinfelsen, bald über die knorrigen Wurzeln von Föhren, die auf solch trockenem Standorte gut gedeihen. Auch sie haben ihre Blütezeit schon hinter sich. Die gleich Kerzchen am Christbaum prangenden, eine Masse von Staub tragenden Kätzchen welken bereits ab. Bis die jetzt braunroten Fruchtansätze sich zu hartschuppigen Zäpfchen mit inliegenden reifen Samen umgewandelt haben, bedarf es des Verlaufes zweier Sommer. — Eine ebnere Wegstrecke geleitet uns nun durch schattiges Tanngehölz zu einer Quelle, die aus felsiger Bergwand hervorsprudelt. Sie ist in eine Röhre gefasst, und eine im Sandgestein befestigte gusseiserne Tafel zeigt uns mit ihrer Inschrift an, dass wir vor dem Manessebrunnen stehen. Er ist so benannt zu Ehren eines zürcherischen Ritters Maness, der vor 600 Jahren als ein Liederdichter und Sängerfreund sich ausgezeichnet hat. Steigen wir vom Brünnlein weg an der aufragenden Felsenkuppe empor, so gelangen wir auf eine Plattform von nur geringem Umfange. Sie ist überragt von mächtigen Föhren, welche ihre gewaltigen

Wurzeln über zerbröckelndes Gemäuer ausspannen. Wir stehen auf den Ruinen der Burg Manegg, dem Wohnsitze der manessischen Ritterfamilie. Wo in alter Zeit Manesse's Lieder erklangen, da lassen wir nun unsere Stimmen ertönen. Sie mischen sich mit dem Flüstern des durch die Baumkronen wehenden Windes, dem neckenden und lockenden Schlage von Meisen und Finken, dem muntern Rufe des Kuckucks und dem Gekrächz eines Raben oder eines Nusshehers, auch etwa einer Elster. Ein grosser Buntspecht schlägt am alten Stamm einer Buche den raschen Takt dazu. Hoch über die Waldwipfel weg kreist unter langsamem Flügelschlage eine Gabelweihe. Ihre zwei Schwanzspitzen sind gut erkennbar. Mit eintönigem Geschrei wiegt sich der harmlos scheinende Räuber müssig in der klaren Luft, oder er späht scharfäugig nach einer tief unter ihm auf offenem Gelände sich regenden Beute, um pfeilschnell, mit fest an den Leib gepressten Schwingen, auf sie zu stossen. Die Eule und der Marder kauern schläfrig und still verborgen in dem dunkeln Geäste der grössten Föhren. Fuchs und Wiesel schauen, von uns ebenfalls ungesehen, aus dem Dunkel ihrer Höhlenausgänge misstrauisch zu uns her. Diese fleissigen Vogel- und Mäusefänger alle, der eine mit dem leisen Flug und den hakigen Krallen, die andern mit dem schleichenden Gang und den scharfen Zähnen, — sie warten die Nachtzeit zu ihren Raubzügen ab. Auch der Igel verschläft den sonnigen Tag, um in der Dunkelheit auf seine Nahrung auszugehen.

Aus dem dürren Laube des nahen Waldgebüsches hören wir das Rascheln einer Haselmaus. Dieses nette, sehr scheue Nagetier schlummert während fast sieben Monaten der kältern Jahreszeiten untätig im warmen Erdneste. Jetzt freilich ist die Haselmaus äusserst munter, gewandt und rastlos tätig, um in dicht verzweigtem Gesträuch, kaum einen Meter weit über der Erde, aus Moos ein festgepolstertes, kugeliges Haus mit einem engen Seiteneingange zu bauen. Es soll die mehrwöchentliche Wohnung für ihre Jungen sein, die eine Zeit lang nacktleibig und mit verwachsenen Augenhäuten hilflos bei einander liegen. Des hellen Sonnenlichts dagegen erfreut sich das langhaarige, rotbraune Eichhörnchen. Seinen buschigen Schwanz als Ruderflügel gebrauchend, schwingt es sich von Baum zu Baum. Seht ihr dort auf der Astgabel einer schlanken Tanne das aus dürrem Reisig gebaute Wohnhaus, die Hütte in Kugelform mit zwei Schlupflöchern? Mit seinen

Springläufen auf die feste Erde verwiesen, wagt sich der Hase aus dem schattigen Unterholz auf die Bergwiese hinaus. Am Waldrand erschaut er in rascher Männchenstellung, ob keine Gefahr ersichtlich sei. Dann macht er sich behaglich an das Abweiden saftiger Kräuter, bis ihn ein nahes oder entferntes Geräusch in das bergende Gebüsch zurückjagt. Zwischen den Hochstämmen der Föhren durch und über das emporstrebende Unterholz weg schauen wir hinunter auf die rauschende Sihl und über den waldigen Tannenbestand der Zimmerbergkette auf einen Teil des lieblichen Zürichsees. Uns zu Füssen im Sihltal liegen die zerstreuten Häuser von Leimbach. Woher dieser Name? Hier zieht sich von der Albiskette ein Bachbett zum Fluss hinunter, das bei trockener Witterung fast kein Wasser führt, bei Regengüssen und zur Zeit starker Schneeschmelze dagegen von schmutzig-gelben, lehmfarbigen Wogen hoch angefüllt wird.

Zu lange dürfen wir auf der Manegg nicht weilen. Denn wir haben noch ein gutes Stück Weges zu machen, ehe wir von der Heimkehr reden können. Also hinunter zum Manessebrunnen, dann aber auf steilem, engem Waldpfad empor auf die Höhen der Albiskette! Die Mühe lohnt sich bald. Der Weg führt hart am Nordwestrande der Falätschen hin, einer grossen, muldenförmigen Aushöhlung am Abhange der Albiskette, die so ziemlich eine Viertelstunde breit und von der Höhe des Bergkammes bis weit hinunter gegen die Sihl wohl eine halbe Stunde tief ist. Diese Mulde ist fast ganz kahlwandig. Der lockere Sandstein verwittert da leicht zu einer lehmartigen Masse. Regengüsse spülen diese weg. Darum eben heisst der Abfluss dieses beckenartigen Wassersammlers Leimbach (Lehmbach). Wenn auf diesem unsteten Boden zerstreut etwa rauhe Gräser und tief wurzelndes Weidengebüsch gedeihen wollen, — immer neu werden diese kleinen grünen Inseln unterwaschen und zum Rutschen gebracht. Die Falätschen bildet eine Wüste mitten in der gut bewaldeten Berggegend. Doch die Ränder dieser Zerstörung vermag die Natur mit den holdesten Kindern der Schönheit zu zieren. Einige unserer kecken Knaben wagen sich auf sonnige Vorsprünge hinaus. Jubelnd bringen sie die prächtigsten Blütengebilde zurück, wie sie hier an den Albishängen auf zerstreuten Standorten zu finden sind: die zierliche Maililie

(Maienrisli) mit ihren weissen Blumenglöcklein, fein aufgereiht an niedergebogenen Stielchen längs dem ein wenig sich neigenden, leichtkantigen Stengelschaft, und den eigentümlich geformten Frauenschuh mit den dunkelbraunen, langen Kelchzipfeln und dem, Holzschuhen ähnlichen, gelblichen, braun geaderten Blumenblatt!

Bald ist die Kammhöhe des Berges erreicht. Wir sehen südwestwärts über das Reusstal hinweg an den getreide- und obstreichen Lindenberg im Kanton Aargau, nach Süden aber auf Pilatus und Rigi als Vorposten und auf die Berner-, Unterwaldner- und Urner-Hochalpen als den Gewalthaufen unserer Gebirgsriesen. Diese Ausschau wird aber eine noch ungehemmtere sein auf der Höhe des Ütliberges! Darum fortgewandert auf dem Bergrücken, der Ütlikuppe immer näher, bald durch Tannenwälder, bald an einzelnen Bauerngehöften vorbei. Seht, wie der Waldboden hier mit einem wunderschönen Moosteppich geschmückt ist, dort mit einem dichten Bestand von Farn, der mit seinen hochschattigen, äusserst fein gegliederten Wedeln uns bis an die Brust reicht!

Schon sind wir der Utohöhe nahe. Auf der ihr vorliegenden Bergkante lachen uns freundliche Chalets entgegen, kleine Holzhäuser zum Sommeraufenthalt von Städtern hier in freier Berg- und Waldluft. Nun führt uns der Weg, zwischen einer hohen Felswand rechts, und abgetrennten haushohen Blöcken desselben Gesteins zur linken Seite, sanft aufwärts. Mit Moos bekränzt und mit stattlichen Tannen besetzt, bieten hier die Felsenklüfte die einladendsten Schattenplätze. Doch das sind ja keine Sandsteinfelsen, wie wir solche sonst überall an der Albiskette finden! Statt feinen Sandes sind hier Geröllsteine, ähnlich dem Sihlgeschiebe, fest mit einander verkittet. Dieses Gestein heisst Nagelfluh. Wie Nägelköpfe ragen die einzelnen abgerundeten Geröllstücke aus der Bruchfläche hervor. Auch die Kuppe des Rigi besteht aus diesem sonderbaren Gestein, das einem Gemäuer gleicht, welches aus Mörtel und Geröll aufgebaut ist.

Ein Teil der Nagelfluhblöcke samt einer anliegenden Wiesenhalde ist mit hohen Planken umzäunt. Zu welchem Zwecke? Sieh' dort Rehe grasen und Kaninchen oder Sandhasen in hohen Hüpfsätzen ihr munteres Spiel treiben! Dieser kleine Hirschpark soll dazu dienen, den Besuchern des Uto, sofern sie auch Tierfreunde sind, Genuss zu bereiten. Denn der grosse

Gasthof, vor dem wir alsbald anlangen, vermag viele Sommeraufenthalter zu beherbergen. Den Winter über freilich steht er unbenutzt. Auch wir kehren jetzt nicht an. Wissen wir doch, dass auf dem Utokulm ebenfalls ein schmuckes Gasthaus uns zur Rast und Erholung einladet.

Ein Vesperbrod und ein labender Trunk waren zur Erfrischung nach dem getanen Marsche nötig. Aber nun verlassen wir die Gallerie des Gasthauses, von der aus wir, an den Schenktischen sitzend, die Alpenreihe von Appenzell im Nordosten bis an die Grenze des Wallis im Süden erblicken konnten. Wir stellen uns an den Westrand der Nagelfluhkuppe. Ein Geländer begrenzt den senkrechten Absturz. Hier schauen wir über das Reppischtal weg bis an die Höhenzüge der Juraberge im Aargau und bei Solothurn. Ob dem Birrfeld hin, wo Pestalozzi begraben ward, erblicken wir die Mauern der Bruneck und der halbzerfallenen Habsburg. Seitwärts glänzt ein Silberstreifen, die Aare. So spiegelt sich auch die Reuss auf mehreren Strecken. Am Lindenberg in halber Höhe dehnt sich in langer Flucht das ehemalige Kloster Muri aus. Nun aber nehmen wir unsern Standpunkt an dem Südrand des Bergplateaus. Über mehrere Dörfer des Bezirks Affoltern und über die Eisenbahnlinie Zürich-Zug-Luzern weg, auf welcher gerade ein Zug, freilich für uns unhörbar, anherrollt, weilt unser Blick auf der imposanten und doch lieblichen Höhe des pyramidalen Rigi. Zu beiden Seiten des zackigen Pilatus ragen die weiter zurückstehenden Berghäupter des Berner Oberlandes empor. Um uns in dem Labyrinth der Alpenzacken vor und zwischen den Hauptstöcken Tödi und Glärnisch bis zum Säntis hin etwas zurecht zu finden, gruppiren wir uns um den meterhohen Steinblock, auf dem eine Metallplatte mit eingegrabenen Linien liegt, gleichsam eine bronzene Landkarte. Diese Linien weisen genau auf einzelne Bergspitzen, deren Namen längs derselben abzulesen sind. Doch die Zeit marschirt, während wir weilen. Schon ist's später Abend geworden. Noch treten wir auf den Südostrand der Utohöhe und lassen unsere Blicke schweifen über das waldige Tal der wilden Sihl, über die mit Rebengelände umkränzten Ufer des lieblichen Zürichsees, auf den Bachtel, die Hörnlikette, auf das Häusergewirr der Stadt Zürich mit ihrer städtischen Umgebung, auf das Schloss Kyburg, den Irchel, den Randen im Kanton Schaffhausen, die schwäbischen Höhen des Hohentwiel mit seinen Nachbarn, auf den Schwarzwald und die Lägern bis zurück ins Tal der Limmat, allwo der schimmernde Fluss hinter den Höhen bei Baden sich unserm Auge entzieht. Ein Bahnzug kreucht von dorther das Limmattal aufwärts, ein zweiter über die hohe Flussbrücke bei Wipkingen dem Tunnel entgegen, der ins Glattgebiet führt; ein dritter durchschneidet in weitem Bogen das Sihlfeld bei Aussersihl, um die Richtung gegen Enge zu gewinnen.

So haben wir eine Rundschau genossen, von der wir uns nur schwer losreissen können! Noch betrachten wir mit stiller Ehrerbietung das Denkmal des verstorbenen Bundespräsidenten Dubs von Zürich, das seine Freunde hier auf luftiger Höhe errichtet haben, werfen einen letzten Blick auf das beginnende Abendrot im Westen, auf die im goldenen Widerschein erglühenden Firnen der Alpen. Dann geht's hinab auf steilem Stiege durch Gebüsch und Nagelfluhfelsen über das sogenannte Leiterli (Felsstufen) auf den Bergrücken, auf dem wir zur Utohöhe angekommen sind. Von der Westseite her hören wir den schrillen Pfiff der Lokomotive, die uns gern auf der Utobahn nach der Stadt hinunter geleitet hätte.

Vom Leiterli weg sind wir bald beim Dürler-Denkmal angelangt, das wir beim Aufstieg noch nicht genauer angeschaut haben. Nahe am Weg, auf der Kammhöhe, angesichts der unweit emporsteigenden Kuppe des Uto, ist ein unbehauener harter Stein aufgestellt. Ihn ziert eine Metallplatte, auf welcher der Name und der Todestag (1840) des Bergsteigers und Naturforschers Dürler aus Luzern verzeichnet sind. Der wackere Mann hatte in den Alpen auf schwierigen Pfaden viele Schneefelder und Gletscherschründe überschritten. Den Tod bringenden Sturz aber tat er an dem weit minder gefährlichen Abhang der Utohöhe, als er da nach seltenern Pflanzen und Insekten suchte, wie sie an den Hängen oberhalb Kolbenhof und Friesenberg, zwei Weilern am Fusse des Berges, zu finden sind (s. S. 36). Wir eilen vom Denkmal weg den Zickzackpfad hinunter, der uns rasch nach Wiedikon führen soll. Denn wir dürfen um so weniger Zeit verlieren, als der spätere Abend naht, der sich zur Auffindung von Pflanzen nicht mehr gut eignet. Und doch sollten wir noch einige Exemplare der prachtvoll blühenden Türkenbundlilie mit ihrer braun gefleckten, turbanähnlich zurück gerollten Blumenkrone und den quirlständigen Blättern am hohen

Schaft, des Immensaug mit den grossen, blass-lilafarbigen Rachenblüten, der schlank gestielten Margarite, dieser mittelgrossen Schwester zwischen Massliebchen und Wucherblume, sowie das gelbweiss blühende Gesträuss der Spierstaude mit nach Hause nehmen, um in einer morgigen Schulstunde etwas genauere Betrachtungen darüber anzustellen. Angenehmerweise finden wir diese Berg- und Waldkinder sämtlich nicht weit vom Weg ab. Noch viel ungesuchter, weil in zahlreicher Gesellschaft, bieten sich uns der etwas unangenehm riechende, aus Zwiebeln wachsende Hundslauch mit milchweissen, und eine hochschaftige, rhizomwurzlige Maililie mit grünlich-weissen Glockenblüten zum Sammeln dar. Auf hochstämmigen Eichen singen grau gesprenkelte Drosseln oder schwarze Goldamseln ihr flötend Lied in unsere Jubelrufe herein. Doch mälig werden auch wir etwas stiller. Kaum beachten wir noch den lauten Ruf eines Laubfrosches vom Randgebüsch des Waldes her, oder die huschenden Windungen der Ringelnatter, wie sie quer über den Weg dem Laubdunkel zueilt. Nur vereinzelt noch hasten grosse Waldameisen als verspätete Arbeiterinnen dem grossen Hause zu, das gemeinsamer Fleiss aus Erde und dürren Fichtennadeln am Fusse einer schützenden Tanne aufgehäuft hat. Fast müden Ganges schreiten wir auf breiter werdender Strasse über die sanft sich senkenden Halden oberhalb Wiedikon. Gewaltige Obstbäume breiten sich hier über Äcker und Wiesen aus.

Was bedeuten die vielen kleinen Erdhaufen in dem aufwachsenden Rasenbestand? Sie sind von Maulwürfen emporgeschoben beim Graben ihrer tief im Boden verborgenen Wohnstuben und der Hohlwege, die weithin zur Gewinnung von Nahrung und Wasser führen. Gebt acht! Dort zur Seite hat der Wieseneigentümer, dem Wühltiere zur Gefahr, Fangschnellen errichtet. Es hängt ja schon ein Gefangener tot an einem losgeschnellten Stabe. Wie sammetartig fein und glänzend schwarz das Fell aussieht! Wie gross die Handfüsse zum Graben sind, wie klein aber die Augen, und im Pelze verborgen die Ohren! Weiss der Landwirt hier nicht, dass der Maulwurf ein sehr nützliches Tier ist, welches besonders gern die Wurzeln fressenden Engerlinge vertilgt? Aus solchen entwickeln sich ja die den Bäumen so schädlichen Maikäfer, diese Blüten- und Laubvertilger, von denen gegenwärtig noch vereinzelte Spätlinge umherfliegen. Die Erdhaufen im Graswuchs sind freilich ärgerliche

Dinge; aber mit einem Rechen wären sie bald verebnet. Links von unserm Wege ragen nunmehr gewaltige Kamine auf, und um sie her lagern weitläufige Gebäude von Backsteinfabriken. Über die heutigen Tagesergebnisse befriedigt, wandern wir durch Wiedikon, das Sihlhölzli und die kleine Vorstadt Selnau der Limmat zu.

Zum Schluss wollen wir uns erlauben, ein paar Aussprüche, grösstenteils aus fremdem Munde, über Zürich anzuführen.

Aus dem Mittelalter stammt der Ausspruch:

„Wen Gott lieb hat, dem gibt er ein Haus in Zürich.“

In seiner interessanten Selbstbiographie erzählt der florentinische Goldschmied und Bildhauer Benvenuto Cellini anlässlich seiner in der ersten Hälfte des 16. Jahrhunderts auch durch Zürich gemachten Reise:

„Wir gelangten nach Zürich, einer wundernswürdigen „Stadt, so nett wie ein Edelstein; wir ruhten daselbst „einen ganzen Tag.“

Der Weltumsegler, Professor und Erziehungsrat Dr. Horner, schrieb nach seiner Rückkehr:

„Ich habe mich immer aufs neue überzeugt, dass von „der Welt der schönste Teil Europa, von Europa das „glücklichste Land die Schweiz und von der Schweiz „für den gebildeten Mann der angenehmste Aufenthalt „Zürich ist.“

V. Statistisches.

Bevölkerungsverhältnisse.

A. Einwohner.

Tab. I.*)

Gemeinden	1850	1860	+%	1870	+%	1880	+%	+% seit 50
Zürich	17040	19758	16_0	21199	7_4	25102	18_4	47_3
Aussersihl . .	1881	2597	38_1	7510	189_2	14186	88_9	654_7
Enge	2277	2661	16_9	3299	23_2	4475	35_7	96_6
Fluntern . . .	1462	2022	38_3	2912	44_0	3280	12_6	124_4
Hirslanden . .	1404	1791	27_6	2402	34_1	3144	30_9	123_9
Hottingen . .	2548	3126	22_7	4192	34_1	5942	41_7	133_2
Oberstrass .	1183	2107	78_1	2675	26_9	3316	23_3	180_3
Riesbach . . .	3063	4575	49_3	6844	49_5	9291	35_8	203_0
Unterstrass . .	1324	1944	46_8	2814	44_7	3342	18_8	152_4
Wiedikon . . .	1409	2122	50_6	2848	34_2	3878	36_3	175_2
Total	33591	42703	27_1	56695	32_8	75956	34_0	126_1
Kanton Zürich .	250698	266557	6_3	284786	6_2	317576	11_5	26_7

B. Bestand der drei Heimatkategorien.

Zürich und Ausgemeinden	1850		1860		1870		1880	
	Zahl	%	Zahl	%	Zahl	%	Zahl	%
Kantonsbürger . . .	26361	78_5	30559	71_5	36101	63_7	42777	56_3
Schweizerbürger . . .	4110	12_4	6667	15_6	11161	19_7	17316	22_8
Ausländer	3120	9_3	5477	12_8	9433	16_8	15863	20_8

C. Zunahme der drei Kategorien.

Zürich und Ausgemeinden	1850—60		1860—70		1870—80		1850—80	
	Zahl	+%	Zahl	+%	Zahl	+%	Zahl	+%
Kantonsbürger . . .	4189	15_9	5551	18_1	6676	18_5	16416	62_3
Schweizerbürger . . .	2557	62_4	4494	67_4	6115	55_1	13206	321_3
Ausländer	2357	75_5	3966	72_1	6430	68_2	12743	408_4

*) Aus der zürcherischen Berufsstatistik.

Tab. II. **Bevölkerungs- und**

Gemeinden	1860 Bevölkerung	1860 Haushaltungen	1860 Häuser	1860 Auf 1 Haus Bewohner	1860 Auf 1 Haus Haushaltgn.	1870 Bevölkerung	1870 + %	1870 Haushaltungen	1870 + %	1870 Häuser	1870 +
Zürich	19758	5071	1308	15_1	3_9	21199	7_3	4199	-1_4	1480	1
Aussersihl	2597	507	185	14_0	2_7	7510	189_2	1670	229_4	441	1[illegible]
Enge	2661	560	231	11_5	2_4	3299	23_9	708	26_4	304	3
Fluntern	2022	350	139	14_5	2_5	2912	44_0	513	46_6	197	4
Hirslanden	1791	393	183	9_8	2_1	2402	34_1	526	33_8	244	3
Hottingen	3126	674	258	12_1	2_6	4192	34_1	926	37_4	346	3
Oberstrass	2107	437	139	15_2	3_1	2675	26_9	553	26_5	182	3
Riesbach	4575	893	376	12_2	2_4	6844	49_5	1410	57_9	538	4
Unterstrass	1944	359	138	14_1	2_6	2814	44_7	556	54_9	198	4
Wiedikon	2122	453	114	18_6	3_9	2848	34_2	649	43_3	199	2
Total	42703	9697	3071	13_9	3_1	56695	32_8	11710	20_8	4129	3

Tab. III. **Schul-**

A. Alltagsschule	1860 Gesamtbevölkerung	1860 Schüler	1860 Übrige Bevölkerung	1860 1 Schüler auf	1860 Lehrer	1860 1 Lehrer auf	1870 Gesamtbevölkerung	1870 Schüler	1870 Übrige Bevölkerung	1870 1 Schüler auf	1870 Lehrer	1870 1 Lehrer auf
Zürich	19758	1326	18432	13_9	31	42_8	21199	1791	19408	10_8	36	49[illegible]
Aussersihl	2597	240	2357	9_8	3	80_0	7510	873	6637	7_6	10	87[illegible]
Enge	2661	186	2475	13_3	2	93_0	3299	322	2977	9_2	4	80[illegible]
Fluntern	2022	157	1865	11_9	2	78_5	2912	194	2718	14_0	3	64[illegible]
Hirslanden	1791	169	1622	9_6	2	84_5	2402	246	2156	8_8	3	82[illegible]
Hottingen	3126	287	2839	9_8	5	57_4	4192	329	3863	11_7	5	65[illegible]
Oberstrass	2107	197	1910	9_7	2	98_5	2675	287	2388	8_3	3	95_6
Riesbach	4575	379	4196	11_0	6	63_1	6844	651	6193	9_5	8	81[illegible]
Unterstrass	1944	179	1765	9_8	2	89_5	2814	308	2506	8_1	4	77[illegible]
Wiedikon	2122	245	1877	7_7	3	81_6	2848	290	2558	8_8	4	72[illegible]
Total	42703	3365	39338	11_7	58	58_0	56695	5291	51404	9_7	80	66[illegible]
B. Ergänzungsschule	42703	688	42015	61_0	—	—	56695	835	55860	66_9	—	—
C. Sekundarschule	42703	338	42365	125_3	12	28_2	56695	874	55821	63_9	26	33[illegible]

Vohnungsverhältnisse.

Auf 1 Haus		1880								Zunahme in % von 1860–80		
								Auf 1 Haus				
	Haushaltgn.	Bevölkerung	+ %	Haushaltungen	+ %	Häuser	+%	Bewohner	Haushaltgn.	Bevölkerung	Haushaltungen	Häuser
[illegible]	2_8	25102	18_4	5122	21_3	1626	9_4	15_4	3_1	27_0	1_7	24_1
[illegible]	3_8	14186	88_9	3143	88_2	776	75_9	18_3	4_1	446_2	519_5	319_5
[illegible]	2_3	4475	35_7	992	40_1	380	25_0	11_7	2_8	68_2	77_1	64_5
[illegible]	2_4	3280	12_6	594	15_8	217	10_1	15_1	2_8	62_2	69_7	56_1
[illegible]	2_3	3144	30_9	687	30_6	275	13_5	11_4	2_5	75_3	74_5	50_3
[illegible]	2_7	5942	41_7	1307	41_1	511	47_7	11_6	2_6	90_1	93_9	99_6
[illegible]	3_0	3316	23_3	724	30_9	227	24_7	14_6	3_1	57_4	65_7	63_3
[illegible]	2_8	9291	35_8	2054	45_7	668	21_4	13_9	3_1	103_1	130_0	77_1
[illegible]	2_9	3342	18_3	697	25_4	218	25_3	13_5	2_9	71_9	94_1	79_7
[illegible]	3_3	3878	36_4	897	38_2	288	44_7	13_5	3_4	82_8	98_0	152_6
[illegible]	2_8	75956	34_0	16217	39_3	5216	26_3	14_6	3_1	77_9	67_2	69_8

erhältnisse.

Zunahme in %			1880									Zunahme in % von 1860–80		
									Zunahme in %					
Bevölkerung	Schüler	Übrige Bevölkerung	Gesamtbevölkerung	Schüler	Übrige Bevölkerung	■ Schüler auf	Lehrer	■ Lehrer auf	Gesamtbevölkerung	Schüler	Uebrige Bevölkerung	Gesamtbevölkerung	Schüler	Übrige Bevölkerung
7_4	35_0	5_3	25102	1855	23247	12_3	37	50_1	18_4	3_8	19_3	27_0	39_9	26_1
9_1	263_7	181_3	14186	1374	12812	9_3	17	80_8	88_9	57_1	93_0	446_2	472_5	443_6
3_3	73_1	20_1	4475	364	4111	11_3	6	60_4	35_7	13_0	38_1	68_2	95_7	66_1
4_9	23_6	45_7	3280	251	3029	12_1	4	62_7	12_4	29_4	11_4	62_2	59_4	62_4
4_1	45_8	32_9	3144	309	2835	9_2	4	77_1	30_9	25_6	31_5	75_6	82_9	74_1
4_1	14_2	36_1	5942	515	5427	10_5	7	73_5	41_2	56_5	40_5	90_1	79_4	91_2
6_2	45_7	25_0	3316	268	3048	11_4	4	67_0	23_3	-6_8	27_4	57_4	36_0	59_6
9_5	71_8	47_5	9291	858	8433	9_8	13	66_0	35_8	31_0	36_4	103_1	126_4	100_9
4_2	72_1	41_9	3342	289	3053	10_6	4	72_2	18_3	-6_1	21_3	71_9	61_4	72_3
4_2	18_4	36_3	3878	419	3459	8_3	6	70_0	36_4	44_5	35_2	82_8	71_9	84_3
2_8	57_2	30_7	75956	6502	69454	10_7	102	63_7	34_0	22_9	35_1	77_9	93_2	77
2_3	21_4	32_9	75956	1088	74868	68_8	—	—	34_0	30_3	34_0	77_3	58_1	78_1
2_4	158_6	31_4	75956	1143	74813	65_5	31	36_9	34_0	30_8	34_0	77_3	238_1	76_3

Tab. IV.

Steuerverhältnisse pro 1880.

	Bevölkerung	Steuerkapital	Pro Kopf	Steuerfaktoren	Gemeindesteuern: Steuer-quote ‰	Gemeindesteuern: Ertrag	Gemeindesteuern: Pro Kopf
Zürich	25102	210373000	8381	220750	6_3*	1248142	49_7
Aussersihl	14186	15689000	1106	22524	7_0	145948	10_3
Enge	4475	37210000	8315	39912	5_3	214845	48_0
Fluntern	3280	9848000	3002	11003	7_0	74454	22_7
Hirslanden . . .	3144	6439000	2048	7690	6_5	46407	14_7
Hottingen . . .	5942	22717000	3823	24980	6_4	151953	25_6
Oberstrass . .	3316	6007000	1812	7605	7_0	46729	14_1
Riesbach	9291	42989000	4627	46393	5_5	237770	25_6
Unterstrass . . .	3342	9000000	2693	10520	7_0	75586	22_6
Wiedikon	3878	6404000	1651	8380	8_0	66686	17_2
Total resp. Durchschnitt	75956	366676000	4827	399757	6_{31}	2308520	30_4

* Von den Kirchgemeinden der Stadt bezahlen nur Predigern (0,5‰) und kath. Zürich (1‰) eine Steuer.

Tab. V.

Vermögensverhältnisse pro 1880.

	Politische Gemeinde	Civil-Gemeinde	Kirch-Gemeinde	Armen-Gemeinde	Primar-Schulgemeinde	Sekundar-Schulgemeinde	Stiftungs- und Separatgüter
Zürich .	2464825	1262674	818099	3131574	638852		5780757
Aussersihl	44478		4251	28117	49292	4275	
Enge . .	50281		12176	66553	72855	4475	21337
Fluntern .	32480	87518	23617	31809	65559	2040	
Hirslanden	19676		}	33981	61940	}	21519
Hottingen	61302	86703	} 202918	61531	93545	} 5431	16014
Riesbach .	132939		}	51278	349190	}	16728
Oberstrass	65275	104170	12203	34499	43856	4500	
Unterstrass	71144	57776	1720	64882	76157	7665	40193
Wiedikon	190401			55827	153960	*	16707
Total	3132801	1599841	1074984	3560051	1605206	28386	5913255

* Wiedikon gehörte 1880 noch zum Sekundarschulkreis Aussersihl.

Inhaltsverzeichnis.

I. Die Gewerbstätigkeit, Handel und Verkehrswege.

Von Fr. Zollinger.

II. Wohltätigkeit. Von H. Wegmann.

III. Übersicht der Lehranstalten. Von Fr. Zollinger.

IV. Spaziergänge.

V. Statistisches. Von H. Spühler.